KB171909

서문

일찍이 송나라 태조 조광윤은 “인생은 문틈으로 백마가 지나가는 것을 보는 것과 같다(人生如白駒過隙).”라고 인생의 덧없음을 토로했다. 인생은 단 한 번만의 연출이 허용된 단막극이다. 이렇게 다시는 오지 않을 짧은 인생을 우리는 어떻게 살아야 하는가? 이 주제가 우리 인생의 본질적이고 철학적인 과제다. 사람은 누구나 행복하고 보람 있는 일생을 살기를 소망한다. 이 소망을 실현하기 위해 우리는 인격을 수양하고 지식을 습득하는 수련을 해야 한다. 이에 필자는 이러한 수련의 종합적 지침서를 만들어 미약하나마 우리 사회에 기여하고자 한다. 이 지침서는 먼저 무한 경쟁 시대를 살아가는 젊은이들에게 인생 성공의 면류관을 쓰기 위한 성공학 정석인 처세술과 대화술, 협상술, 전략론 등을 소개하고자 한다. 그다음으로는 지식의 보고인 동서양 고전과 인류사적 지혜의 정수인 선현들의 명언을 소개하고자 한다.

여러분들은 이 책에서 공자, 칸트, 셰익스피어, 단테, 처칠, 데일 카네기 등, 정치, 종교, 철학, 문학, 처세 분야에서 세계 최고의 대가들을 만나 주옥같은 지성의 진수를 접하게 될 것이다. 이들의 촌철살인적인 혜안과 명언들은 독자들에게 영혼을 울리는 감동을 주는 동시에 인생을 살아가는 나침반이 되기에 충분할 것이다.프랜시스 베이컨(Francis Bacon)은 “고전이란 가장 널리 알려져 있으면서 가장 읽히지 않는 책이다.”라고 했다. 하지만 우리가 양식 있는 교양인이 되려면 인류의 정신 문화사를 이루어온 고전을 반드시 읽어야 한다. 문제는 빛의 속도로 급변하는 지식정보화 시대에 언제 그 방대한 양의 고전을 읽을 수 있느냐 하는 점이다. 이에 본 저서는 현대 교양인이 읽어야 할 필수적인 동서 고전 40편을 엄선하여 간단히 소개한다. 이는 시간이 부족한 독자들의 지식 함양을 돕고 고전을 한 권이라도 더 읽어 보도록 촉매 역할을 하기 위해서이다.

위인들의 명언속에는 높은 경륜과 깊은 사상이 응축돼 있어 우리에게 진한 감동과 숭고한 가르침을 선사한다.이에 수만 개가 넘는 명언 중 인생, 사랑 등에 관한 글귀를 엄선하여 책 바구리에 담았다.

한편, 이 저서의 화룡정점이라 할 수 있는 성공학은 선각자들의 지혜를 초석으로 하되 보다 체계화하고 전문화하여 현대 사회에 적용할 수 있도록 하였으니, 독자들을 위한 출세 교과서로 작용하리라 믿는다.이 장에서는 ≪손자병법≫부터 현대적인 리델하트(Riddell Hart)의 ≪전략론≫과 허브 코헨(Herb Cohen)의 ≪협상의 법칙≫ 등에서 관련 내용을 인용하여 격조 있고도 이해하기 쉽게 기술하고자 했다.상술한 내용들은 모두 저자가 70평생 살아온 경험에 비추어 볼 때, '기막힌 교훈'이라고 확신한다. 미국 문호 에머슨(Ralph Waldo Emerson)은 "우리는 인생에서 가장 큰 정신적 은혜를 책속에서 얻고 있다."라고 했다. 모쪼록 독자들께서 이 저서를 통해 각계 선구자들의 교훈을 습득하여 성공의 열쇠를 마련하기를 간절히 소망한다.

참고로 고전편은 하버드대 등에서 "교양인 필독서"로 추천한 명저들만을 정리했고, 성공학은 필자의 오랜 외교관 생활의 경륜에 기초하여 동서고금의 유명한 관련 저서들을 참고하였음을 밝혀둔다. 또한 저자의 지력 한계로 인해 부족함이 많은 점은 독자 여러분께서 널리 혜량해 주시고 지도 편달해 주시길 바란다.

끝으로 졸저가 빛날 수 있도록 고귀한 추천사를 써 주신 서규용 전 농림수산식품부 장관님과 그리고 사랑하는 내 아내와 두 딸들의 성원에도 각별한 감사의 마음을 표한다. 특히 사서삼경(四書三經)을 가르쳐 주신 선친의 영전에 이 책을 바친다.

추천사

현대인들은 어제의 지식이 오늘의 고전이 되는 초스피드 시대에 살고 있다. 다가오는 4차 혁명 시대는 더욱 고도화된 전문 지식과 첨단 기술로 물질문명은 극도의 수준에 이를 것으로 예상된다. 하지만 우리 인간은 물질문명의 발달만으로 보람 있고 행복한 생활을 향유할 수 없다. 러시아 문호 톨스토이는 “물질적이고 동물적인 것만 추구하는 것은 옳지 못하며, 영혼을 살찌우려는 행위가 인간들에게 유익하다.”라고 했다. 나는 오늘 톨스토이의 이 주장에 대한 명답으로서 “인문학적 생활 지침서” 한 권을 기쁜 마음으로 추천하고자 한다. 저자인 한형동 교수는 오랜 기간의 외교관과 학자의 경험으로 고매한 학식과 경륜을 겸비한 행동하는 지성인이다. 그는 고희가 넘은 나이에도 불구하고, 오로지 애국지심과 동포애의 발로로서 후학들에게 자그마한 보탬을 주고자 이 책을 저술했다고 한다. 본 저서는 지식과 인격을 도야 중인 젊은이들에게는 인간 성공학의 바이블로서, 기성 사회인들에게는 훌륭한 교양의 보고로서 가치가 크다. 인간 경영의 노하우를 집대성한 ‘데일 카네기 Dale Breckenridge Carnegie’는 미국 성인들의 가장 큰 관심사가 ‘사람을 어떻게 사귀고 이해하는 가?’라는 점에 착안하여, 그 유명한 ≪인간관계론≫을 저술했다. 이 책이 소개하는 처세술과 대화술 등도 무한 경쟁시대에 승자가 되기 위한 필독 지침으로서 손색이 없다. 그리고 수천 년 역사의 방대한 고전을 핵심 내용만 응축시켜, 시간에 쫓기는 우리에게 위대한 사상을 이해하고 미래를 여는 혜안을 갖게 한다. 또한 여기에 소개된 역사, 문학, 철학 종교 등 각 분야의 대가들이 토해 내는 명언들은 가히 인류 정신사의 복음으로서 우리에게 찬탄을 금치 못하게 한다. 우리는 간혹 성공한 위인들의 ‘한마디 말’이

자기 인생의 성패를 좌우하는 결정적 열쇠가 되었다고 고백하는 이들을 만난다. 그만큼 선지자들의 명언이 삶을 살아가는 데 중요하다는 것을 증명한다. 이런 의미에서 나는 이 책이 정신문명의 피폐로 무너진 휴머니즘을 재건하고, 이성적 사유의 기회를 제공하며, 우리를 인생 성공의 길로 인도할 것으로 믿는다. 부디 독자 여러분들께서 이 인생 지침서를 통해 지식인의 필수품인 교양을 듬뿍 쌓아 인간과 세계의 본질을 이해하고, 보다 풍요로운 삶을 영위하는 행운을 누리기를 바란다.

전 농림수산식품부 장관 서 규 용

목 차

제1장 처세론

1. 인격 도야는 처세의 초석

중국고전 ≪대학≫에"수신제가치국평천하(修身斉家治国平天下) "라는 말이 나온다. 먼저 자기 인격을 수양하고, 가정을 다스린 다음 나라를 다스려야 한다는 말이다. 우리가 인생에서 성공을 하려면 우선 자신의 인격을 닦기 위해 교양과 지식, 처세 등을 함양하는 것이 필수적인 조건이다. 이를 위해 기초적인 인문학부터 시작하여 전문 분야에 이르기까지 폭넓은 지식을 습득하는 일이 무엇보다 중요하다. 우리는 정치, 경제, 사회, 역사, 과학 등 다방면에서 기본 지식이 견고해야 확실한 성공의 목표를 세우고 추진해 나갈 수 있다.

지식 축적의 기본 방법은 독서다. 매일 30분씩이라도 독서를 습관화하는 것이 필요하다. 미국 자동차 왕 포드(Ford, Henry)는 돈을 버는 비결에 대해 "저축보다 삶에 필요한 지식과 기술 습득이 중요하니 우선 책을 사는 데 투자하라."라고 권유한 바 있다.

독서를 습관화하는 것은 인생의 결정적 지혜다. 독서는 정평이 나 있는 고전이나 양서를 위주로 하되, 다독보다는 정독이 지식 축적에 효율적이다. 책은 많이 읽는다고 반드시 좋은 것은 아니다. 좋은 책을 골라 한 권이라도 그 요점을 정확히 알고 그 지식을 자기 것으로 만드는 것이 중요하다. 그러기에 ≪근사록(近思録)≫은 "책은 많이 볼 필요는 없고 그 요지를 잘 이해해야 한다(書不必多看 要知其約)."라고 했다. 독서는 우선 건강 서적, 역사서, 인생론, 자기 계발서, 미래학에 관한 서적을 필두로 동서양 고전, 철학과 문학을 섭렵하면서 자기 전공 분야의 전문 서적을 탐독해야 한다. 특히 많은 석학들은 역사서를 반드시 읽기를 권유한다. 역사에는 그 시대의 정치

경제, 사회, 예술 등 각 분야에서 일어난 인류의 기록이 있어, 우리가 오늘을 진단하고, 미래를 설계하는 데 기본이 되기 때문이다. 일본 제1의 부자 손정의는 4천여 권의 책을 읽고 이를 활용하며, 세계적인 경영인 반열에 올라있다. 나플레옹은 전쟁 중에도 사서를 데리고 다니면서 말 위에서도 책을 읽은 것으로 유명하다. 미국의 성공학 연구자가 조사한 바에 의하면, 지구상에서 각 계의 위대한 성공자 80%가 독서를 즐겼던 것으로 파악되었다고 한다.

지식 함양은 학문적 서적을 통해서만 하는 것이 아니다. 영국의 저명한 정치가 필립 체스터필드(Philip Dormer Stanhope Chester field)는 "눈과 귀와 발로 배운 지식이 참 지식이다."라고 했다. 혼자서 독서를 통해 학문을 탐구하는 것뿐 아니라 여러 계층의 사람들과 교류를 하면서 지식과 정보를 얻는 것도 중요하다. 즉 세미나 참석도 좋고, 각 분야별 전문 강사의 강의나 강좌 프로그램을 청취하는 것도 좋다.

2. 성공을 위해 갖추어야 할 덕목

가. 예의

중국 고전 ≪예기(禮記)≫에서 "예의라는 것은 인간의 가장 중요한 기본 요건이다(禮義 也者 人之大端也)."라고 했다. 뛰어난 처세술은 원만한 대인 관계가 핵심이기에 예의를 갖추는 것으로부터 출발한다. 영국의 정치가 체스터필드는 "공손한 태도와 예의는 어떠한 장점과 재능을 장식하는 데 반드시 필요하다. 예의가 없다면 학자는 사이비고, 군인은 난폭한 짐승이다."라고 했다. 예의라는 미덕이 중요한 것은 동서양이 따로 없다. 낯선 사람에게 친절하고 예의 바르면, 세계 어느 곳에 가도 세계의 시민이 되는 것이다. 예의를 모르고 사람을 경시하다가 기회를 놓친 사례를 들어 보자. 어느 날 미국의 노부부가 하버드 대학교 총장에게 "우리 아들이 하버드대 출신인데, 일찍 죽었습니다. 아들을 기념하기 위해 하버드대에 뭔가를 남기고 싶은데 총장님께서 좋은 의견을 주십시오."라고 총장의 의사를 타진했다. 총장은 남루한 노부부를 멸시하듯 쳐다보면서 "건물 하나라도 지으려면 750만 불은 소요될 것이니 다른 데나 가 보라." 라고 일축했다. 그러자 노부부는 "750만 불이라면 아들을 기념하기 위해 새로운 대학을 짓겠다."라고 응대하고 돌아와 얼마 후 대학을 건립했다. 이 대학이 바로 노부부의 이름을 따서 지은 그 유명한 '스탠포드 대학교'이다. 그 이후 하버드 대학 측은 큰 후회를 하고, 이를 교훈 삼아 학생들에게 타인 존중을 중시하는 교육을 지금도 시키고 있다. 하버드대 경영 대학원의 니틴노리아(Nitin Nohria) 원장은 "인품의 형성은 전 생애에 거쳐 일어나며, 겸손이 매우 중요하다."라고 역설했다. 예의는 대단히 중요하면서도, 조금만 주의를 기울이고 마음에 새겨 실천하면 어렵지 않게 갖출 수 있다. 가장 가까운 부부나 친구지간에도 반드시 지켜야 할 기본 예절이 있음도 유념해야 한다. 예의가 인생 공부의 시초이며, 성공의 이정표임을 잊지 말자.

나. 덕행

중국 고전 ≪충경(忠経)≫에 "덕은 정치의 근본이다(德者為理之本也)."라는 말이 나온다. 덕은 인생의 근본이자 인격의 향기이다. 덕행 중의 기본은 효행이다. 한편 ≪효경(孝経)≫은 "효는 덕의 근본이며, 모든 가르침이 효에서 나온다(孝德之本也 教之所由生也)."라고 하여, 효행을 덕행의 원천으로 규정하고 있다. 효행을 하는 사람은 타인에 대한 예의, 존중, 사은의 정신을 함양한 사람이다. 인생처세에서 덕을 모든 행위의 기본으로 삼으면 사람들로부터 존경과 신뢰와 호감을 받게 된다. 자연스럽게 사람이 따르게 되어 리더로 성장하게 된다. 선행은 하고자 하는 목표 달성이나 사업 성공에도 매우 긍정적으로 작용한다. 남에게 대접받고 싶다면 남에게 먼저 대접해야 한다. 미국의 베스트셀러 작가인 켄 블랜차드(Ken Blanchard)의 일화가 있다. 그는 신분증을 안 가지고 나와 공항에서 탑승 수속을 할 수 없게 되자, 공항 내 서점에서 자신이 지은 책을 급히 사서 보여주며 신분 확인을 요청하였다. 그러나 대부분 항공사가 거절했다. 다만 사우스웨스트 항공사 직원은 그의 안타까운 사정을 알아보고 정중하게 일등석을 배려하였다. 이 사실이 나중에 크게 화제가 되어 사우스웨스트 항공사는 이용 승객의 급증으로 주가가 상승하게 되었다. 약간의 덕행이 엄청난 부를 창출한 것이다. 덕행은 반드시 구체적으로 누구를 돕는 행위만을 말하는 것은 아니다. 타인에게 건네는 따뜻한 말 한마디와 곤경에 처한 이를 위한 진심 어린 위로가 모두 덕행이다.

다. 감사

≪탈무드≫는 "세상에서 가장 지혜로운 사람은 배우는 사람이고, 가장 행복한 사람은 감사하는 사람이다."라고 가르치고 있다. 감사하는 마음을 가진 사람은 만물을 신이 내린 선물로 여긴다. 프랭클린 루스벨트 대통령은 도둑을 맞은 후 친구의 위로 편지를 받고 답장을 보냈다. 그 내용은 "걱정말게. 나는 도둑에게 감사하고 있네. 그가 내 목숨이 아닌 물건만 가져간 점, 물건도 일부만 가져간 점, 특히 내가 도둑이 아니라는 사실에 대해 감사하네."라고 적었다. 그는 도둑에게마저 감사하는 성인의 마음을 지닌 것이다. 미국 캘리포니아 데이비스 대학 로버트 에먼스는 감사를 습관화한 학생들을 16년 동안 추적했다. 결과는 감사를 습관화한 학생들은 그렇지 않은 학생들보다 연평균 수입이 2만 5천 불이 많았고, 평균 수명도 9년이나 길었다. 감사하는 마음을 실천하면 수많은 이로운 혜택이 따른다. 대인 관계가 원만해지고, 긍정적인 마인드를 갖게 되며, 정신도 건강해진다. 사랑, 인내, 관용, 사려, 친절 등의 미덕은 저절로 따라온다. 감사의 렌즈로 세상을 보면, 장애물과 난관은 그리 많지 않

고, 대신에 잠재력과 가능성이 더 잘 보인다. 중요한 것은 누군가에게 큰 은혜를 입었을 때만 감사를 표해서는 안 된다는 것이다. 일상의 건강 유지, 가족들의 평안함, 우리에게 쌀을 제공하는 농부에 대한 감사 등 사소한 것에서도 감사를 느껴야 한다.

라. 열정

프랑스의 모럴리스트 라로슈푸코(La Rochefoucauld, François de)는 "열정은 언제나 설득력을 지니는 유일한 웅변이다."라고 말했다. 열정은 일을 하는 데 필요한 창의력과 지혜의 원천이다. 케네스 토머스(Kenneth W.Thomas) 미 해군대학원 경영학과 교수는 저서 ≪열정과 몰입의 방법≫에서 일하며 재미를 느낄 수 있는 4가지 조건을 제시했다. 첫째, 자신이 가치 있는 일을 한다고 느낄 때, 둘째, 자신에게 선택권이 있다고 느낄 때, 셋째, 자신이 할 만한 기술과 지식이 있다고 느낄 때, 넷째, 실제로 진보하고 있다고 느낄 때 우리는 열정을 느낀다는 것이다. 꿀벌들은 꿀 1킬로그램을 생산하기 위해 560만 송이의 꽃을 찾아다녀야 한다고 한다. 실로 엄청난 열정과 정성이 필요한 작업이라 아니할 수 없다. 미물들도 이렇게 열정을 다해 살아가고 있는데 하물며 인간에게 열정이 없다면 부끄러운 일이 아니겠는가? 세상에 위대한 업적을 남긴 사람들은 모두 남다른 열정의 소유자였다. 20세기 가장 위대한 수학자 앤드루 와일즈(Andrew Wiles)는 7년 동안의 세월을 "페르마의 마지막 정리" 한 문제를 푸는 데 사용했다. 에디슨은 500번 이상의 실험 끝에 필라멘트를 찾아 전구를 개발했다. 대단한 열정들이다. 한 개인의 열정은 개인의 성취와 보람을 가져옴은 물론, 인류의 발전에도 크게 이바지한다. 따라서 열정이란 인생의 성공을 가져오는 지렛대임을 명심해야 한다.

마. 성실

동양 최고의 성현인 공자는 “인간관계의 기본은 신(信)”이라고 했다. 그는 또 “백성의 신뢰가 없으면 나라는 존립할 수 없다(無信不立).”라고 말했다. 신뢰는 바로 성실에서 태어난다. 영국 문호 초서(Geoffery Chaucer)는 “성실은 人間이 가지는 가장 고상한 것이다.” 라고 했다. 성실은 타인이 나를 믿도록 만드는 최고의 훈장으로서 모든 일의 성공의 기초이다. 중국 고사를 보면, 각국의 맹주들이 서로 맹방의 성립을 다짐하기 위해 동물의 피를 마시며 맹세를 표한다. 그러고 나서 종종 입가의 피가 마르기도 전에 신뢰를 저버리고 군대를 일으켜 동맹을 다짐했던 상대를 치기도 한다. ‘전쟁은 속임수’라는 손자병법의 전략이 작용한 것이지만, 이렇게 치졸한 약속 위반은 다른 맹주들이나 장수들로부터 비난의 대상이 된다. 현대의 경제 활동에도 소비자를 속이는 탈성실한 사례가 비일비재하다. 그러나 곧 탄로 나 결국 소비자들의 외면을 받게 된다. 성실한 사람은 약속을 잘 지킨다. 약속을 안 지켜 익사한 상인의 예를 보자. 미국의 어느 상인이 물에 빠져 “5천 불을 줄 테니 나 좀 구해 달라!” 라고 소리쳤다. 행인이 구해 주니 단 50불만 주었다. 그 후 다시 한 번 그 상인이 물에 빠져 소리쳤다. 다른 상인이 구하려 하자 먼저 속은 사람이 이 사람 또 거짓말한다고 하여 아무도 그를 구해 주지 않았다. 결국 그 상인은 익사하고 말았다. 성실은 어디에서나 통용되는 유일한 화폐임을 잊지 말자.

바. 신념

미국 시인 에머슨(Ralph Waldo Emerson)은 “오직 정복할 수 있다고 믿는 자만이 정복한다.”라고 했다. 신념은 자신감의 철학적 표현이다. 당신이 ‘나는 할 수 있다’는 신념을 가지고 있다면, 이미 성공의 길로 통하는 대문에 들어선 것이다. 특히 자신감은 모든 계획이나 목표 달성의 지름길이며, 때로는 기적을 창조하는 마술이다. 역사상 위대한 인물들은 모두 강인한 신념으로 불후의 업적을 남겼다. 프랑스 황제 나폴레옹은 "나의 사전에는 불가능은 없다."라고 했다. 그의 이러한 호방한 자신감이 그를 명철한 지혜와 탁월한 능력의 소유자로 만들어 마침내 유럽을 제패하게 했다. 미국의 콘돌리자 라이스(Condoleezza Rice) 전 국무장관은 소녀 시절 백악관을 구경 갔다가 인종 차별로 문전 박대를 당했다. 그는 집에 돌아와 부모에게 "저는 지금 피부색으로 백악관을 못 들어가지만, 언젠가는 저는 거기에 있을 겁니다. 저는 제가 뛰어나다고 믿으니까요."라고 말했다. 그 후 그는 반드시 백악관에 진출하겠다는 굳은 신념을 가지고 노력하여 28세에 스탠포드대 강사로 발탁된 후 부시 대통령 정부에서 국무장관이 되어 백악관에 입성했다. 이는 꿈과 확고한 신념이 만들어 낸 경탄스런 성공이다. 이처럼 성공할 수 있다는 자신감이 인생을 좌우한다. ≪성공하는 사람들의 일곱 가지 습관≫의 저자 스티븐 코비는 "나는 나를 믿어, 나는 나를 좋아해, 나는 제일 능력 있어."라고 생각하는 사람이 성공한다고 강조했다.

사. 용기

≪공자≫는 용기를 군자로서 갖추어야 할 가치 기준의 하나로 보았다. 윈스턴 처칠은 "용기는 다른 모든 장점을 보장하기 때문에 으뜸가는 장점이며, 모든 미덕은 절정에 이르렀을 때 용기라고 부른다."라고 했다. 이는 모든 미덕이 실천되어 진가를 발하기 위해서는 난관을 극복하고 실행에 옮기는 용기가 필요하다는 뜻이다. 미국 21대 부통령 아서(Chester Alan Arthur)가 젊은 시절에 입사 면접 시험을 보았다. 회사 사장은 "인턴 기간에 저쪽 끝방은 들어가지 말라"고 지시했다. 그래도 아서는 인턴 기간에 용기를 내어 그 방에 들어가 보았다. 방 안에는 "이것을 사장에게 전달해 주세요."라는 메모장이 있었다. 아서가 그 메모장을 사장에게 가져다 주었더니 사장은 즉시 그를 영업 팀장에 임명했다. 사장은 아서의 의혹을 풀고자 하는 호기심과 진취적 정신, 그리고 용기를 높이 평가한 것이다.

강자가 강자인 까닭은 바로 다른 사람이 감히 못 하는 것을 앞장서서 하기 때문이다. 한데 용기와 무모함은 다르다. 비이성적이고 비현실적인 몽상을 실현하려는 것은 무모한 만용이다. 예를 들어 일확천금하겠다고 한 번에 모든 재산을 털어 위험한 투자를 하는 것은 용기가 아니고 무모함일 뿐이다. 우리는 무모함이 아닌 진정한 용기를 함양해야 한다.

아. 관용

힌두교 경전인 ≪바가바드기타≫에 “용감한 사람을 보기를 원하면 용서할 줄 아는 사람을 보고, 영웅을 보기를 원하면 미움을 사랑으로 돌려보내는 사람을 보라.”라는 명구가 나온다. 관용은 인생의 지혜로서 자기의 인품을 돋보이게 하고, 대인 관계를 원만하게 해주는 보배이다. 인생을 살다 보면 타인으로부터 억울하고 분노가 치미는 일들을 당할 수 있다. 이때 우리가 즉각 그에게 보복을 하고 응징을 하면 당장은 마음이 후련할 것이다. 그러나 보복이 보복을 부르는 부작용도 나타나게 마련이다. 21세기 종교계 최고의 지성 달라이 라마(Dalai Lama)는 “나에게 고통과 상처를 준 사람에 대해 증오를 키워 나간다면 내 마음의 평화만 깨지고, 그를 용서하면 마음의 평화를 바로 되찾을 것이다.”라고 했다. 용서만이 인간의 마음의 평화를 유지하여 행복한 인생을 살게 해 주는 지혜라는 의미다. 미국 조종사 후버가 비행 중 기체 부품 정비 불량으로 불의의 불시착하는 사고가 발생했다. 하마터면 대형 인명 피해가 발생할 뻔했던 아찔한 사고였다. 그러나 후버는 정비사를 불러서 문책 대신에 “나는 당신이 다시는 실수하지 않을 것을 믿네. 그러니 매일 이 비행기를 계속해서 잘 정비해 주게.”라고 따뜻하게 위로하며 신뢰를 보였다. 정비사는 감동하여 더욱 정비를 잘해 최고의 정비사라는 칭호를 얻게 되었다.

3. 인맥 구축 방법

가. 대화술과 사교 매너 등 교제의 기본부터 갖추어라

대화는 인간관계를 형성하는 필수적인 도구이다. 좋은 인맥을 구축하기 위해서는 능숙한 대화술을 갖추어야 한다. 능숙한 대화술이란 부드럽고 품위 있는 말을 하고, 상대방을 존중하며, 재미있고 서로 공감하는 화제로 대화를 풀어 나가는 기술이다. 물론 예의를 지키며, 표정이나 복장 등 언어 외적인 면도 잘 구사해야 한다. 하버드대 총장 찰스 엘리어트(Charles William Eliot)는 "사업 성공의 비결은 상대의 말을 경청하는 것이다."라고 했다. 이것이 사교 매너다. 화제는 상대방이 흥미로워 하고 좋아하는 것으로 해야 한다. 치통이 있는 사람에게는 수천만의 아프리카 빈민 상황보다 동병상련을 겪은 사람의 치통 약 얘기가 귀에 들어온다. 사교에서의 매너는 지식을 광채 나게 하고 처세를 원만하게 해 준다. 때문에 사교에 성공하려면, 우선 대화술과 품위 있는 매너를 익혀야 한다.

나. 옛 친구나 지인부터 관리 대상자로 지정하라.

중국 속담에 "벗은 오래된 벗이 좋고, 술은 새 술이 좋다."라는 말이 있다. 새로운 인적 네트워크를 구축하는 것도 중요하지만 오래된 친구나 지인을 소홀히 하면 안 된다. 이들은 나의 최고 재산이며, 인맥의 가장 튼튼한 기초가 된다. 내가 곤경에 처하거나 아플 때 나를 적극 도와 줄 사람은 이들뿐이다. 어려울 때 큰 힘이 되어 줄 수 있는 진정한 친구 세 명만 있어도 그 인생은 성공한 인생이라고 한다. 새로운 인맥을 확장하는 데도 친한 친구들을 적극 활용하면 신뢰할 수 있는 인물을 만나게 될 것이다.

다. 사회생활에 꼭 필요한 "키맨"들을 우선 찾아라.

일본의 저명한 작가 에츠코는 “내가 하버드대에서 배운 가장 중요한 과목은 인맥 수업이다. 인맥이 공부보다 중요하고, 누구를 알고 있는가’가 ‘당신이 누구인가’보다 중요하다.”라고 역설했다. 바로 인맥 구성원의 위치를 가치 평가 기준으로 본 것이다. 숫자만 많은 인맥군보다는 보다 내실 있고 나에게 도움이 될 인물부터 알아야 한다. 예를 들어 경찰, 검찰, 법관, 변호사 등 법 집행 관련 요원들이나, 의사, 주요 부처 공무원, 언론인 등 우리 생활에 밀접한 관계를 가진 인물들을 우선 알아야 한다. 다음으로 학자, 재계 인사, 문화계 인사, 종교 지도자 등을 알아 자기의 멘토로 삼는 것이 중요하다. 그 다음은 발전 가능성이 많고 비전이 있는 인물들을 알아야 한다.

라. 능동적인 자세로 인맥을 탐색하라.

“호랑이 굴에 들어가지 않으면 호랑이를 잡을 수 없다(不入虎穴不得虎子).” 중국 후한의 반초가 선선국에 사신으로 가서 흉노 사신들을 사살하고 선선국의 왕으로부터 항복 맹세를 받은 후 남긴 말이다. 다른 사람으로부터 관심을 받으려 하는 것보다 내가 다른 사람에게 먼저 관심을 기울이는 것이 친구를 많이 사귈 수 있는 방법이다. 인맥을 구축하려면 내가 먼저 대상자를 찾아 나서야 한다. 나에게 필요한 인사들이 모이는 단체나 학회, 협회, 동호회 등에 가입하는 것이 좋다. 그리고 강연회나 세미나 등에도 적극 참여하여 인물을 탐색해야 한다. 유념할 것은 사전에 만나고 싶은 인물에 대해 연구하고 적절한 화제를 생각하고 접근해야 한다는 것이다.

마. 약속과 신용을 잘 지켜 신뢰 관계를 쌓아라.

중국 고전 좌전(左伝)에 “믿음이 계속되지 않으면 맹약도 소용이 없다(信不繼 盟約無益).”라는 구절이 있다. 아무리 굳은 맹세를 해도 지켜지지 않으면 허사인 것이다. 약속은 반드시 지키는 것이 사회생활의 기본 원칙이고 신뢰의 초석이다. 오리슨 스웨트 마든 Orison Swett Marden은 "성공하려면 신용을 자신의 인생에서 가장 중요한 가치로 삼아 타인에게 끊임없이 당신이 믿을 만한 사람임을 증명하십시오. 사람들은 당신을 믿어야 당신의 관점, 생각 또는 제품을 믿게 됩니다. 신용을 얻으면 더 많은 친구와 더 많은 파트너 그리고 자신의 재능을 펼칠 더 많은 기회를 얻게 될 것입니다."라고 했다. 약속 시간을 잘 지키고, 상대방에게 언약한 말은 반드시 실천해야 신뢰가 구축되어 대인 관계를 지속할 수 있다. 그리고 경조사에 참석하는 것은 상대에 대한 예의와 신뢰의 표시이므로 가능한 빠지지 말아야 한다.

바. 미소를 짓고 옷을 잘 입어라.

미소에는 "만나서 반갑습니다. 당신을 좋아합니다."라는 뜻이 내포되어 있다. 미국 회사 디즈니(Disney)의 사훈에는 "우리의 미소에 고객이 급여를 지급하고 있다."라는 구절이 있다. 미소가 기업 운영의 최고 원칙인 것이다. 미시간대 제임스 맥코넬(James V. McConnell) 교수는 "미소를 지을 줄 아는 사람은 경영, 가르침, 세일즈 등 모든 면에서 효과적으로 할 수 있다."라고 했다. 미소를 지으며 통화하면 친절한 마음이 상대에게 전달된다. 옷차림새는 그의 인격과 성품을 반영하는 거울로 당신의 첫인상을 각인시키는 데 결정적인 역할을 한다. 남루한 복장을 한 사람보다는 고상하고 멋진 옷을 입은 사람이 돈을 빌리는 데에 성공하는 경우가 많다.

사. 인간관계는 주고받는 상호 관계임을 알라.

"예는 오는 것이 있으면 가는 것이 있어야 함을 귀하게 여긴다(礼尚往来)." 중국 고전 ≪예기≫에 나오는 말이다. 이 말은 중국 외교술의 기본이 되고 있으며, 지금도 중국의 식자들은 술을 권하며 이 말을 자주 사용한다. 인맥을 만들기 위해 사람들과 교제할 때는 더욱 이 예절의 기본 원칙을 준수해야 한다. 먼저 베풀고 관심과 성의를 보여야 한다. 스티브 잡스(Steven Paul Jobs)는 자신이 창립한 '애플'이 인터넷에 늦게 진출하여 사업에 난항을 겪고 파산 위기에 직면했다. 이때 아무도 나서지 않았으나 빌 게이츠(Bill Gates)가 경쟁사인 애플에 1억 5천만 불을 투자하여 회사를 소생시켰다. 빌 게이츠와 손을 잡아 두 회사가 엄청난 시너지 효과를 내었다. 빌 게이츠는 먼저 베풀어 준 보답을 크게 받은 것이다.

아. 인맥 탐색보다 관리를 더 중시하라.

"창업보다는 수성이 더 어렵다." 이는 당나라 재상 위징이 당 태종에게 한 말이다. 인맥을 구축하는 것도 이와 같다. 좋은 사람을 찾아 만나는 것도 중요하지만 그 만난 인물과 관계가 심화될 수 있도록 잘 관리하는 것이 더 중요하고 어렵다. 짐 팔리(Jim Farley) 전 미국 체신부 장관은 프랭클린 루스벨트(Franklin Roosevelt) 대통령 선거를 위해 5만 명의 이름을 암기했다. 그는 선거 기간에 만나는 사람의 이름과 가족 관계를 기록하고 그들에게 편지를 쓰는 정성으로 민심을 잡아 프랭클린을 대통령에 당선시켰다. 이토록 인맥 구성원들에 대해서는 지속적으로 안부를 전하고, 관심을 보여 친화감을 유지해야 한다. 또한 사소한 인연도 소중하게 관리해야 한다. "평소에 잘하라. 평소에 쌓아 둔 공덕은 위기 때 빛을 발한다." 라는 금언을 명심해야 한다.

자. 성급한 판단으로 인맥을 함부로 버리지 말라.

교제를 하다 보면 상대방이 나에게 서운하게 하거나 약속을 위반하는 등 불쾌한 감정을 갖게 하는 경우가 있다. 그러나 지금 당장 서운하고 화가 나도 그와 단교해서는 안 된다. 나중에 그가 유용할 때가 반드시 있어 후회하게 된다. 중국 고대 중산국의 궁정 연회장에서 한 대신이 자기와 감정이 좋지 않은 사마자기란 사람을 말석에 앉게 하여 양고기국도 모자라 못 먹게 했다. 사마자기는 초나라로 망명하여 중산국을 쳐들어 왔다. 중산국 임금은 도망하며 "양고기국 한 그릇 때문에 나라가 망했다."라고 한탄했다. 이처럼 잠시 서운한 감정을 이유로 사람을 함부로 대하거나 버리면, 그로부터 배신을 당하거나, 그의 도움이 필요할 때에 요청할 수가 없다. 이성이 감정을 다스리면 내 운명을 장악하고, 자유를 얻을 수 있다. 인맥 관리에도 냉철한 이성이 필요하다.

차. 인맥 데이터 구축 시스템을 갖추어라.

미국의 경영 연구가 토마스 콜리(Thomas C. Corley)가 자수성가 부호 177명을 대상으로 설문 조사를 했다. 그 결과, 대부분의 부자는 성공하기 이전부터 필요한 인맥을 만들기 위해 의식적으로 노력하는 것으로 나타났다. 그들은 인맥 구축을 위해 사전에 치밀한 의도와 계획을 가지고 실행한다는 것이다. 네트워크의 기본은 데이터를 잘 관리하는 것이다. 우선 인맥의 원천인 모임, 협회, 주요 행사 등을 수시로 체크해야 한다. 명함을 받으면, 그에 대한 연락처, 정보, 받은 이미지, 느낌은 물론, 그를 소개한 사람까지 기록한다. 스마트폰 또는 다이어리에 친구, 지인, 거래처 사람 등으로 분류해 놓고, 접촉한 날짜도 기록하는 등 보다 치밀한 데이터 관리가 필요하다. 만난 지 오랜 사람들은 날짜를 정해 반드시 만난다.

4. 사람을 다루는 기본적인 기술

가. 사람의 이름을 잘 기억하라.

중국 오대십국 시대에 왕언장은 "호랑이는 죽어서 가죽을 남기고, 사람은 죽어서 이름을 남긴다(虎死留皮 人死留名)."라고 말했다. 사람은 누군가가 자기 이름을 기억하고 불러 줄 때 기뻐한다. 루즈벨트 대통령도 사람들이 자기 이름을 기억해 주는 것을 좋아한다는 사실을 알고, “정치가가 할 중요한 일은 유권자의 이름을 기억하는 것이다.”라고 했다. 나폴레옹 3세(나폴레옹의 조카)는 중요한 사람 이름을 기억하기 위해 그 사람에게 이름을 어떻게 쓰는지 물어 종이에 써서 외웠다. 사람을 처음 만나면 그의 이름을 반드시 외우고 나중에 그 이름을 정중히 불러라. 그러면 상대가 상당한 호감을 갖게 될 것이다. 이것이 바로 성공적인 비즈니스의 첫걸음이다.

나. 칭찬을 아끼지 말라

칭찬은 듣는 대상자에게 “내가 진선미를 갖추었거나, 유능하고 가치 있는 일을 했다.”라는 것을 인정해 주는 표현이다. 칭찬을 받은 사람은 바로 칭찬을 한 사람에게 감사를 느끼며 더욱 친해진다. 미국 작가 홀케인은 젊은 시절에 영국 저명 시인 로제티에게 그의 예술적 업적을 찬양하는 편지를 보냈다. 로제티는 바로 그를 런던으로 초청하여 비서로 삼았고, 홀케인은 이를 계기로 유명 문학가들과 교류하면서 대작가가 되었다. 칭찬의 편지 한 통이 그를 저명한 작가로 만든 것이다. 칭찬은 받는 사람의 긍정적 마인드를 진작시켜 업무 능력을 증가시키고 자발적 노력을 자아낸다. 다만 칭찬은 마음속에서 진실하게 우러나온 것이어야 하며, 아첨과는 구분되어야 한다. 영국왕 조지 5세는 버킹엄 궁전 서재에 “싸구려 칭찬은 하지도 말고 받지도 말라.”라는 문구를 걸어 놓았다.

다. 우호적인 태도로 교제하라.

“온공한 것이 오직 덕의 기본이다(溫溫恭人 維德之基也).”≪시경≫에 나오는 말이다. 사람을 대할 때는 항상 겸손하고 온공한 태도로 해야한다. 그래야 상대방도 나에 대해 호감을 갖고 나의 인격을 존중한다. 이는 처세 비법의 1호이다. 석유왕 록펠러(Rockefeller, J ohn Davison)는 사원들이 파업하자 “오늘 이 훌륭한 회사 직원들을 만나게 된 것은 영광이며, 우리는 지금 친구로서 만나서 우호 정신으로 공동의 이익을 논하는 것이 매우 의미가 깊습니다.”라고 연설했다. 상대를 존중하는 이 공손한 연설 한마디로 파업은 진정되었다. 사람을 자기편으로 만들려면 그에게 당신이 진정한 나의 친구임을 확신시켜 주어야 한다. 미국 대통령 칼빈 쿨리지(Calvin Coolidge)는 여비서에게 “오늘은 아주 예쁜 옷을 입고 왔는데, 당신은 참으로 매력적인 여성이오. 그런데 이제부터는 구두점을 찍을 때 더 주의하면 좋겠어요.”라고 했다. 이렇게 타인의 과오를 지적할 때도 부드럽고 듣기 좋은 말로 하는 것이 고도의 처세술이다.

라. 감정을 잘 관리하라.

하버드대 일레인 교수는 “자기 감정의 노예가 되는 것이 폭군의 종이 되는 것보다 훨씬 더 불행하다.”라고 했다. 교양을 갖춘 사람들은 화내거나 짜증 내는 것을 금기시한다. 영국의 대기업에서 사장이 생산 감독관을 호되게 질책하며 말할 기회도 없이 책임을 추궁했다. 결국 그 감독관은 사표를 내고 경쟁사에 가서 일을 잘해 그 전 회사를 패배시켰다. 매사에 화를 내거나 불손한 언동을 하면, 주위 인맥이 떠나고, 업무에도 상당한 악영향을 미친다. 성공학의 대가 오그 만디노(Og Mandino)는 “약자는 기분이 행동을 지배하지만 강자는 행동이 기분을 지배한다. 나는 나의 주인이 되겠다.”라고 했다. 감정을 다스리는 비결은 “불평 않고 화 안 내고 이성을 잃지 않으려고 노력하는 것”이다. 한편 거래가 성사되어 매우 만족했을 때에도 감정을 과도하게 노출하면 상대방에게 경망스럽게 보이거나 다른 대가를 요구당할 수 있으니 주의해야 한다. 이러한 점들이 희로애락을 적절히 다스려야 하는 이유이다.

마. 상대방의 체면을 세워 주어라.

중국 최고의 처세 지침서 ≪채근담≫에 “사람의 작은 과오를 책망하지 말고, 사람의 지난 잘못을 생각하지 말라(不責人小過 不念人旧悪).”라는 명구가 있다. 누구나 작은 실수는 할 수 있으니, 그를 관용하고 체면을 세워 주라는 말이다. 사람의 체면을 고려하는 것은 처세의 기초다. 미국 암흑가 두목 알 카포네(Al Capone)는 “나는 생의 황금기를 사회를 위해 바쳤다. 그러나 세상의 차가운 비난과 범죄자라는 낙인뿐이었다.”라고 했다. 이처럼 희대의 흉악범도 자기의 체면은 포기하지 않는다. 사람의 자존심은 본성에 가깝다. 따라서 상대방의 체면을 손상시키면, 교제가 단절되거나, 협상이 결렬되는 수도 있다. 인간 관계론의 권위자 데일 카네기(Dale Carnegie)는 “사람들을 비난하기 전에 그를 이해하려고 노력하라. 비판보다 훨씬 유익하다. 그것은 관용과 우애를 길러 준다.”라고 했다. 상대방의 체면을 세워 주면, 그가 내게 호감을 갖고 협상에 순응하게 하는 긍정적 효과를 얻을 수 있다.

바. 역지사지의 원리를 기억하라.

“자기가 하고 싶지 않은 일은 다른 사람에게도 시키지 말라(己所不欲 勿施於人).” 공자는 제자인 자공이 “평생 지켜야 할 신조는 무엇이어야 합니까?” 하고 묻자 상기와 같은 명언을 해 주었다. 즉 다른 사람의 입장에서 생각해야 한다는 역지사지(易地思之)를 가르친 것이다. 사람의 생각과 행동에는 나름대로 이유가 있으므로 타인의 언동에 반대하기 전에 그 이유를 먼저 알아보는 것이 현명하다. 케네스 구드(Kenneth Good)는 저서 ≪황금같이 귀한 사람을 만드는 방법≫에서 “자신의 문제에 대한 강렬한 관심도와 타인에게 갖는 하찮은 관심도를 비교해 보라. 모든 사람들이 똑같이 느낀다. 인간관계의 성공은 역지사지를 실천하는 것이다.”라고 했다. 이런 법칙은 당연한 것이다. 왜냐하면 인간의 희로애락의 감정과 식욕, 물욕, 성욕 등 본성은 다 같기 때문에 내가 힘들면 상대방도 힘들고 내가 좋다고 느끼면 상대방도 그렇게 느끼는 것이다. 때문에 성공한 사람이 되려면, 항상 상대방의 관점에서 사물을 보고 상황을 판단해야 한다. 그래야만 상대방도 나를 인정하고 호감을 갖게 되어, 문제도 해결되고, 협상도 순조롭게 이루어진다.

5. 사람들에게 호감과 환영을 받는 방법

가. 첫인상을 좋게 하라

"첫인상이 마지막 인상"이라는 말이 있다. 한 번 받은 첫인상은 쉽게 바꾸기 어렵고, 첫 인상에 따라 그 사람에 대한 평가가 달라지기 때문이다. 심리학에 '초두 효과'(primary effect)라는 것이 있다. 이는 머릿속에 비슷한 정보들이 계속 들어올 경우 처음에 들어왔던 정보가 가장 기억에 오래 남는 현상을 말한다. 때문에 처세학 전문가들은 첫인상이 사교 성공의 50%를 차지한다고 충고한다. 첫인상이 좋으면 수많은 긍정적 효과가 따라온다. 특히 상대방의 나에 대한 호감, 신뢰감, 친화감 등을 선물로 받게 된다. 첫인상은 외모, 표정, 언어 구사에 의해 결정된다. 첫인상을 좋게 하려면, 옷은 세련되고 정갈하게 입어야 하고, 단정한 헤어스타일을 해야 한다. 표정은 부드러운 미소를 띠고, 안정감을 주는 나지막한 목소리가 좋다. 대화 시에는 품위와 교양을 갖춘 언어를 구사하고, 눈을 자주 마주쳐 신뢰감을 주는 것이 좋다. 특히 미소가 중요함은 두말할 나위가 없다. 미소는 호의를 전달하는 전령이며, 순간적으로 일어나지만 때로는 영원히 지속될 수도 있다는 것을 유념해야 한다.

나. 상대방을 인정하고 존중하는 태도를 보여라.

유명한 심리학자 윌리엄 제임스(William James)는 “인간성에서 가장 심오한 원칙은 타인에게 인정받고자 하는 갈망”이라고 했다. 공자는 “남이 자신을 알아주지 못함을 걱정하지 말고, 내가 남을 알지 못함을 걱정해야 한다(不患人之不己知, 患不知人也)."라고 했다. 내가 대접받기 전에 남을 먼저 알고 인정해 주는 것이 중요하다는 의미다. 대인 관계에서 항상 타인을 자신이 중요하다는 느낌을 들게 해야 한다. 예를 들어 은행에서 여직원에게 "당신의 머리카락이 너무 예쁘군요. 나도 갖고 싶네요."라고 칭찬해 주면, 바로 친절한 서비스가 되돌아온다. 제럴드 니렌버그(Gerald Nirenberg) 박사는 ≪사람을 사귀는 비결≫이라는 저서에서 "대화에서는 상대의 견해를 당신 것처럼 중시한다는 인상을 주어야 하며 그가 듣고 싶어하는 말을 하며, 조절해 나가야 한다."라고 강조했다. 상대방이 "내가 중요한 사람이며 중요한 일을 하고 있구나" 하는 느낌을 받도록 그를 존중해야 한다. 그래야 그도 나를 인정하고 존중해 준다. "남에게 대접받고자 하면, 먼저 남을 대접하라."라는 말은 역사상 모든 사상가와 성현들이 역설한 격언이다.

다. 진지한 관심과 동정을 표하라.

러시아 문호 솔제니친(Aleksandr Solzhenitsyn)은 "인류의 구원은 오로지 모든 것을 모든 사람의 관심사로 만드는 데 있다."라고 했다. 모든 인류가 서로 관심을 가져야 구원도 받는다는 의미다. 상대에게 좋은 인상을 받으려면 먼저 그에게 관심을 보여야 한다. 이 관심은 상호 호기심과 배려를 부른다. 그래서 사교 연결 고리의 첫 단초가 되는 것이다. 닭은 알을 낳아야 하고, 카나리아는 노래를 해야 가치가 있다. 허나 개는 오직 주인에게 관심을 보이며 살아간다. 짐승도 사람에게 관심을 표하면 사랑받는 것이다. 1차 대전 당시 독일 황제는 모든 사람의 증오의 대상이었다. 그러나 어느 소년이 그 황제를 진심으로 존경한다며, 동정과 관심 어린 편지를 보냈다. 이에 황제는 그 소년을 가상히 여겨, 그의 모자를 초청한 후 그 소년의 모친과 결혼까지 했다. 타인에 대한 관심과 동정의 대가가 이런 엄청난 결과를 낳는다. 관심은 또한 사람을 변화시키고 감동시킨다. "삶을 재발견하는 최고의 법칙은 관심이다."라는 말이 있다. 이렇게 사람을 움직이는 힘을 가진 관심을 교제에 적극 활용해야 한다. J.드라이든(J.Dryden)은 "동정은 마음을 녹여 사랑하도록 만든다."라고 했다. 동정심은 자비심의 발로이며, 동정을 베풀면 결국 자비가 자신에게 돌아온다는 사실을 명심할 필요가 있다. 이 세상 인구의 4분의 3 정도는 동정에 굶주려 있다. 그들에게 동정심을 보여주면, 그들은 당신을 당장 좋아할 것이다.

6. 사람들이 내게 협조하게 하는 방법

가. 상대방에게 먼저 기여하라.

≪논어≫에 "자기가 서고 싶으면 남을 세워 주고, 자기가 통달하고 싶으면 남을 통달하게 하라(己欲立而立人, 己欲達而達人)."라는 말이 있다. 인맥을 구축할 때는 상대방에게 먼저 기여(Contribution)를 해야 한다. 내가 도움을 받기 전에 먼저 내가 상대방에게 도움을 줄 수 있는 부분을 생각해야 한다. 서로 기여할 때는 과도하지 않게 주고받는 것이 좋다. 일본 '이토추 상사'의 에치고 마사카즈 사장은 "자신만을 위한 일을 생각하다 보면 결국 자신에게 도움되지 않는 경우가 많다. 다른 사람을 위한 것으로 생각하고 한 일이 자신에게 되돌아온다."라고 했다. 기여의 내용은 중요 고객이나 협력 업체를 소개해 주는 일부터 상대방에게 유익한 정보나 좋은 서적을 소개해 주는 작은 도움도 좋다. "있을 때 베풀지 않으면 궁할 때 주는 자 없다."라는 옛말이 있다. 상대방에게 먼저 주면, 그는 반드시 내 인맥이 되어 나에게 우호적인 태도로 협조를 잘해 줄 것이다.

나. 상대방이 나를 매력 있는 사람으로 느끼게 하라.

리처드 도킨스(Clinton Richard Dawkins)는 저서 ≪이기적 유

전자≫에서 “인간은 유전자의 꼭두각시일 뿐이며, 우리의 유전자는 이기적"이라 했다. 그렇다. 인간의 본성은 이기적인 면이 있다. 따라서 사람들은 자기가 접촉하는 사람이 나에게 무슨 유리한 점이 있는가를 생각하게 마련이다. 이러한 인간의 본원적 심리를 충족시키려면 내가 상대방에게 얼마나 필요하며 가치 있는 인물인가를 보여주어야 한다. 나의 선천적 재능은 물론, 강력한 매력 포인트를 발굴하고 다듬어서 나의 능력과 보유한 정보, 비전, 인맥 등을 은연중 자연스럽게 과시해야 한다. 부드러운 미소나 단정한 용모도 좋고, 지적이고 품위 있는 화술도 좋다. 재치있는 유머는 더 없는 보약이다. 목소리, 눈빛, 걸음 걷는 자세 등에서도 매력은 발산한다. 캘리포니아 대학에서 상품 구매자들에게 판매자의 어느 점이 좋아서 구매했는지 설문 조사를 했다. 결과는 놀라웠다. 판매자의 상품이나 서비스에 대한 지식이 7%, 판매자의 자신감과 열성적인 관심이 38%였다. 그런데 판매자의 걷는 모습이 좋아 구매했다는 대답이 55%나 되었다. 그만큼 신체 언어의 매력이 대단하다는 의미다. 그러므로 자신에게 어떠한 특징과 장점이 있는지 살펴서 말투, 농담, 옷차림, 타인에 대한 응대, 예술적 감각 등에서 매력을 발산하는 것이 중요하다.

다. 소통의 문을 활짝 열어라.

“궁극에 달하면 변하게 되고, 변하면 통하게 되며, 통해야만 오래 간다(窮則変 , 変則通 , 通則久. 通変則無窮).” ≪주역≫에 나오는 명언이다. 만물의 이치는 변화하고 통하면서 오래 지속된다는 의미다. 사람의 마음이 통해야 무엇이든 이루어지고 오래갈 수 있다. 수컷 공룡이 짝짓기 목적으로 암컷에게 접근하자 암컷은 새끼를 보호하기 위해 수컷을 공격했다. 결국 수컷이 새끼를 죽이고, 암컷은 새끼가 죽은 줄도 모르고 수컷에게 보복하여 죽였다. 소통의 부재가 어처구니없는 죽음을 낳은 것이다. 컨설팅 회사 ‘왓슨 와이어트’가 실패하고 개혁에 나선 CEO 500명에게 무엇이 후회되는지 물으니 모두가 직원들과 소통이 부족했던 탓이라고 답변했다고 한다. 소통을 위해서는 우선 상대에게 진지한 관심을 보인 후 상대를 인정하고 존중해 주는 것이 가장 중요하다. 남을 인정해 주는 방법은 경청과 칭찬이다. 문제는 상호 의견 충돌이나 이해 대립 등의 난관을 만났을 때이다. 이때는 이견이나 이해 문제를 부각하지 말고 상대방 의견을 먼저 수용하면서 인간 본성적 사리와 상생의 방법을 제시하며 동의를 얻어내야 한다. 이러한 논리 구사를 '소크라테스의 방법론'이라 한다. 소통에서 주의해야 할 점은 흥분과 논쟁을 피하고, 상대방이 듣고 싶은 말을 해야 한다는 것이다.

.

라. 상대방의 열렬한 욕구를 자극하라.

해리 앨런 오버스트리트(Harry Allen Overstreet) 교수는 저서 ≪인간의 행동을 지배하는 힘≫에서 "인간의 행동은 강한 욕구로부터 나온다. 그들을 설득하는 방법은 그들의 마음에 강한 욕구를 불러일으키는 것이다."라고 했다. 인간은 태어날 때부터 무언가를 하고자 하는 욕구가 있다. 이런 본성적 욕구 이외도 인지력과 지식의 축적에 따른 후천적 욕구도 많다. 때문에 사람들을 나에게 동조하게 하려면 그들의 이러한 욕구를 불러일으켜 나의 의사대로 행동하게 유도해야 한다. 카네기는 아들이 자신이 보낸 편지에 답장도 하지 않는다고 불평하는 형수에게 내기를 제안하며 한 번에 답장이 오도록 하겠다고 장담했다. 카네기는 조카에게 "간단한 안부와 함께 돈 5달러를 보낸다고 추신을 쓰고는 돈을 안 보냈다. 조카는 바로 "편지 잘 받았는데 돈이 안 보인다."라고 답장했다. 사람들은 이렇게 남이 원하는 것보다는 자기의 욕구에만 관심이 많은 법이다. 그러기에 상대방이 원하는 것을 어떻게 얻을 수 있는지 보여 주는 것이 바로 내가 의도하는 대로 상대방이 행동하게 하는 길이다.

7. 성공 법칙 10계명

가. 인생의 목표를 세우고 실천에 집중하라.

삶이란 자신의 앞에 놓인 길을 가는 것이다.(生即道). 행복한 인생길을 걸으려면 인생의 목표를 잘 설정해야 한다. 목표는 현실적이고 전략적이며, 단계적으로 설정해야 한다. 목표를 세우기 위해서는 자기의 능력과 장단점을 냉철하게 경영학적으로 비교 분석해야 한다. 그다음 꿈과 목표를 이루려면 반드시 확고한 비전을 가져야 한다. 빌 게이츠(Bill Gates)는 "비전이 없는 사람은 재주만 부리고 보상은 받지 못하는 곰이 될 수밖에 없다. 자신이 하는 일의 주인공이 될 수 있도록 반드시 비전을 세우라."라고 했다. 전략적 목표 분석이 완성된 다음에는 그 실행 방안을 치밀하게 수립하고, 꾸준하게 집중하여 추진해 나가야 한다. 여기서 '집중'이란 중요하고 자기가 재능 있는 일에 우선 시간과 에너지를 쓰는 것을 말한다. 전한(前漢)의 이광(李広)이라는 장수가 어두운 밤에 호랑이를 발견하고 일발필살(一発必殺)의 신념으로 활을 쏘아 명중시켰다. 그런데 호랑이가 꼼짝하지 않아 가까이 가서 보니, 그것은 호랑이가 아니라 큰 바위였다. 그가 제자리로 돌아와 다시 활을 쏘자 화살은 박히지 않고 튀어 오르고 말았다. 정신을 한데 모으지 않았기 때문이었다. 먼저는 호랑이로 알고 정신을 집중하여 화살을 쏘아 바위를 뚫은 것이다. 여기서 "정신을 한 곳으로 모으면 어떤 일인들 이루지 못하랴(精神一到 何事不成)."라는 말이 유래했다. 인생 목표 달성을 위해서는 이러한 집중의 정신이 필요한 것이다.

나. 시간 관리를 철저히 하라.

"소년은 늙기 쉽고, 학문은 이루기 어려우니 짧은 시간이라도 가벼이 여기지 말라(少年易老学難成, 一寸光陰不可軽)". 이는 송나라 주자의 명언이다. 아뷰난드는 "시간은 누구에게나 공평하게 주어진 자본금이다. 이 자본을 잘 이용한 사람이 승리한다."라고 했다. 시간 관리를 잘하기 위해서는 첫째, '정보와 시간의 융합'으로 시간 활용을 효율화해야 한다. 둘째, 자기 자신은 현재 시간을 어떻게 보내고 있는지를 살펴, 낭비되는 시간을 제거해야 한다. 셋째, 시간이 부족할 때는 가까운 일부터 해치워야 한다. 넷째, 아침 시간을 잘 활용하라. 일본의 사이쇼 히로시(Saisho Hiroshi)는 "아침에 일찍 일어나는 아침형 인간이 되면 인생을 두 배로 사는 셈이다."라고 했다.

시간은 여분이 있는 것이 아니라 짜내는 것이다. 시간을 짜내어 하루를 28시간처럼 만드는 사람은 자신의 생명을 연장하는 것과 다름없다. 필자의 경험에 의하면, 아침에 한 시간 정도 외국어 문장을 외운 후에 밖에 나가 조깅을 하면서 그 문장을 상기하여 외우면 일석이조의 효과를 거둘 수 있다. 한편, 하버드 대학에서는 사람의 차이는 여가 시간에 달려 있고, 한 사람의 운명은 저녁 여덟 시부터 열 시에 달려 있다고 가르치고 있다. 즉 일과가 끝난 여가 시간을 어떻게 활용하는 지가 매우 중요하다는 말이다. 승자는 시간을 관리하며 살고, 패자는 시간에 끌려 산다.

다. 결단력을 갖고 변화와 혁신을 도모하라.

중국 고전 ≪사기≫에 "결단을 가지고 행하면 귀신도 겁을 먹고 피한다(断以敢行 鬼神避之)."라는 말이 있다. 사람이 큰일을 하거나 중대한 문제를 처리할 때는 현명하고 과감한 결단이 필요하다. 결단을 적시에 못 하면 큰 실패를 보기도 한다. 미국 독립 전쟁 시 영국군 지휘관 시저는 본국 지휘부로부터 미국의 워싱턴 장군이 곧 델라웨어 강을 건너니 준비하라는 서신을 받았다. 그러나 그는 설마하다가 즉시 결단하지 못하고 포커를 치던 중 워싱턴에게 패망하고 죽었다. 결단을 미루다가 목숨을 잃은 것이다.

중국 고전 ≪대학≫에 "진실로 새로운 삶을 살려면 나날이 새롭게 하고 또 날로 새롭게 하라(苟日新 日日新 又日新).”라는 말이 있다. 자기 발전을 위한 “변화와 혁신”의 필요성을 강조한 명구다. 프래그머티즘의 철학자 윌리엄 제임스(William James)는 ≪심리학 원리≫라는 책에서 “인간 성격 형성에서 의식 개혁과 사고 혁명이 가장 중요하다.”라고 했다. 개인이든 기업이든 변화와 혁신을 두려워하거나 둔하게 대처하면 발전하기 어렵다. 미국 ‘포드’사의 영업 사원 리 아이아코카는 신차가 디자인, 성능 등 모든 면에서 뛰어난데도 판매가 부진하자 사장에게 월부제 판매를 건의했다. 그가 생각해낸 광고의 슬로건은 “56년형 신형 포드를 단돈 56불에!”였다. 이에 많은 미국인들은 가격 부담 없이 앞다투어 이 신형 포드차를 구입했다. 판매 전략의 변화와 혁신이 가져다 준 대성공 사례다. 반대로 변화와 혁신을 하지 못한 ‘코닥’은 디지털카메라 개발을 못 했고, ‘노키아’는 휴대폰 시장에서 도태되고 말았다.

라. 긍정적 사고와 인내를 배우라.

현대 심리학자들은 긍정 심리학을 중시한다. 이 학문은 사람들이 행복과 성공을 이루는 조건과 과정을 연구하는 것인데,이에 따르면 감사와 용서, 희망 등의 긍정적 정서를 가진 사람이 성취도가 높고 행복하게 산다고 한다. 그러니 우리는 일상생활에서 항상 긍정적이고 좋은 말을 할 필요가 있다. 정신 건강 의학자들에 의하면, 이 말은 뇌 의학적으로 근거가 있다고 한다. 평소 부정적인 말을 사용하게 되면 자신의 청각 기관을 통하여 이 부정적인 생각이 뇌에 저장이 되고, “힘들어 죽겠다!”라고 하면 그 순간부터 인체의 세포와 신경 등 모든 조직들이 위축된다고 한다. 반대로, 아무리 힘든 상황에서도 “나는 할 수 있다.”라고 긍정적인 말을 하면 신체의 모든 조직들이 활성화된다고 한다. 긍정적인 마인드는 사람의 언어, 태도, 행동은 물론 운명까지 바꾼다. 플랭크린 루스벨트는 뉴욕시 상원 의원에 당선된 직후 차가운 바닷물에서 수영하다가 소아마비에 걸려, 자살 충동까지 느끼고 있었다. 허나 그는 어느 날 천장의 거미를 보고 “거미는 날개가 없어도 공중에 매달려 집을 짓는데, 내가 걸을 수 없다고 일 못 할 게 무어냐” 하는 생각이 들었다. 바로 그는 재활 운동을 시작해 다리의 움직임을 많이 회복했다. 그 후 그는 대통령에 당선되었다. 긍정의 힘이 불구의 핸디캡을 극복하고 최고의 성공을 거둔 사례다. 반면에 부정적 사고의 폐해는 크다. “난 못해.”라는 말을 하는 순간 당신은 향후 아무것도 못 한다. 이런 부정적 감정이 잠재의식에 작용하면, 대부분의 사람들은 일에 착수하지 못한다.

한편, “백번 참으면 집안에 큰 평화로움이 있다(百忍堂中有泰和).”라는 말이 당나라의 장공예(張公芸)의 고사에 나온다. 장공예는 9대가 한집에서 살았다. 어느 날 친구가 찾아와 “3대도 한집에서 살기 어려운데 어떻게 9대가 한집에서 살 수가 있느냐?”라며, 그 비결을 물었다. 장공예는 아무 말 없이 '참을 인(忍)'자를 백번 써 보였다. 백번 참는 것이 기적 같은 가정의 평화로움을 가져왔다는 의미다. 하버드대 정치 철학 교수 마이클 샌델(Michael J. Sandel)은 “사회생활에는 인내가 매우 중요하다. 인내가 없으면 사회는 끝없는 보복과 원한들로 얼룩진다.”라고 했다. 우리가 참지 못해 분노를 표하면 도모하는 일이 잘못되거나 인간관계의 균열로 이어질 수도 있다.

마. 인맥을 잘 관리하라.

≪사기≫에 “인인성사(因人成事)”란 말이 있다. 요즘 말로 인맥이 성공의 요체라는 의미다. 인맥을 넓히는 방법은 첫째, 체면 불구하고 보다 적극적인 자세로 사람을 접촉해야 하는 것이다. 둘째는 알게 된 사람을 다소 선택적이고 차별화하여 관리하는 것이다. 비즈니스 네트워크 ‘링크드인’의 창립자 레이드 호프만(Reid Hoffman)은 “어떤 대가를 치르더라도 자신의 사업 분야에서 중요한 인물들과

우선 관계를 맺으라."라고 조언했다. 셋째, 대상자와 자주 연락하고 지내는 것이다. 평소 이메일, 문자 메시지 등을 통해 꾸준히 교류를 지속하는 것이 필요하다. 상호 연락이 없으면 당연히 마음도 멀어진다.

인맥 선정의 기준은 우선 나에게 필요하고 멘토가 될 수 있는 사람을 고르는 것이 기본이다. 그다음은 사람의 인성 및 인품을 잘 살펴야 한다. 즉 긍정적인 마인드를 갖고, 금전적 안정성, 좋은 습관, 책임감, 신뢰성 등을 갖춘 사람이 좋다. 나아가 지금 당장보다도 미래의 비전을 가진 사람, 그리고 강력한 의지와 열정을 지닌 사람을 선정하는 것이 좋다. 꾸준한 인맥을 이어 나가기 위해서는 나를 매력 있는 사람으로 보이게 하는 것이 필요하다. 이를 위해 상대방에게 새롭고 유익한 정보를 제공하거나, 간혹 식사와 티타임을 갖고, 부담스럽지 않은 선물을 주는 등 베풂을 잊지 말아야 한다. 한편, 네트워킹 컨설턴트 켈리 호이는 "각 분야에서 성공한 다양한 사람들과 느슨한 네트워크를 구축하는 것만으로 인생의 또 다른 기회를 만들 수 있다."라고 했다. 너무 특정한 그룹에만 집착하지 말고 다양한 계층과의 네트워킹이 필요하다는 말이다. 인맥 관리의 효율성 차원에서는 부정적인 면이 자주 보이고, 나의 자존감을 깎아내리는 언행을 하는 사람들은 서서히 정리하는 것이 좋다. 다만, 정리 대상자도 연락은 단절하되, 인맥 리스트에서 완전히 지우지는 말아야 한다. 언젠가는 그들이 필요할 때도 있기 때문이다. 이 점을 특히 유의해야 한다.

다음은 그 유명한 '탈무드 인맥 관리' 명구를 소개한다

- 지금 힘이 없는 사람이라고 우습게 보지 말라.
- 지인들에게 평소에 잘하고, 옛 친구들을 챙겨라
- 남을 도와 줄 때는 확실하게 도와주고 남의 험담을 하지 마라.
- 사람들과 불필요한 논쟁을 하거나 지나친 고집을 부리지 마라.
- 가능한 한 옷을 잘 입고 밥값은 자기가 내라.

- 조의금을 많이 내고 약간의 금액이라도 기부하라.
- 수위 아저씨, 청소부 아줌마, 음식점 종업원에게 잘하라.

바. 좋은 습관을 기르라.

영국 비평가 흄(David Hume)은 “습관은 인간 생활 최고의 길 안내자다.”라고 했다. 습관이 미래를 결정하는 데 중요한 역할을 한다는 뜻이다. 일상 행동의 90%는 습관에서 나온다. 삶의 질을 결정하는 것은 하나의 행동이 아니라 행동의 연속인 습관이다. 사람들의 실패와 성공, 가난함과 부유함, 행불행 등 모두가 자기 자신의 선택과 습관에 달려 있다. 미국의 리사 엘런이라는 여성은 흡연, 과음, 쇼핑 중독 등 고약한 습관을 가지고 있었다. 그런데 어느 날 그녀는 이집트 카이로에서 여행 중 택시를 타고 가다가 사막을 횡단하고 싶다는 마음이 들어 그때부터 담배를 끊고 삶이 달라졌다. 그날 카이로에서 그녀의 마음속에서 일어난 금연의 작은 변화가 일련의 대변화로 이어진 것이다. 이렇게 습관은 하나의 작고도 핵심적인 것에서 시작된다. 습관이 뇌를 변화시킨 것이다. 미국의 자기 계발 전문가인 스티븐 기즈는 ≪습관의 재발견≫에서 "문제는 당신의 의지가 아니라 당신이 쓰고 있는 습관 전략이다."라고 했다. 좋은 습관을 몸에 익히려면 전략적 방법이 필요하다는 말이다. 필자의 경우, 매일 아침 40분간 운동을 한다. 이 아침 운동을 습관화하기 위해 “일하지 않는 자는 먹지도 말라.”라는 성경 구절을 상기하며, 매일 “아침 운동을 하지 않으면 아침밥도 먹지 말자.”라는 다짐을 했다. 나쁜 습관은 인생의 장애물이 되지만 가치 있는 습관은 삶을 건강하고 풍요롭게 해 준다. 경영철학 연구의 대가 짐 론(Jim Rohn)은 “성공한 사람들은 단서를 남긴다.”라고 했다. 즉 그들은 뭔가 남다른 특징과 좋은 습관을 보여준다는 말이다. 그러기에 가끔 성공한 사람을 만나 좋은 습관을 배우는 것이 중요하다. 습관을 익히는 것도 배우는 학습이기 때문이다.

참고로 스티브 코비(Stephen Covey)의 ≪성공하는 사람들의 일곱 가지 습관≫을 다음과 같이 소개한다. 첫째, 자신의 삶을 주도하라, 둘째, 끝을 생각하며 시작하라. 셋째, 소중한 것을 먼저 하라. 넷째, 상호 이익이 되는 모습으로 이끌어라. 다섯째, 먼저 이해하고 다음에 이해시켜라. 여섯째, 시너지를 내라. 일곱째, 끊임없이 쇄신하라.

사. 성공을 예감하고 자신감을 가져라.

"시작하기 전부터 성공을 예감하라. 승자라면 어떤 게임을 하든 성공의 기대를 갖고 시작한다." 미국의 성공학자 데니스 웨이틀리(Denis Waitley)의 명언이다. 전쟁 영웅 나폴레옹은 "기쁨이란 예감이 실행을 만날 때 비로소 생겨난다."라고 했다. 우리는 간혹 "감이 온다."라는 말을 한다. 이때의 '감'은 희망에 대한 느낌 또는 '성공 예감'으로 풀이된다. 단순한 곤충류의 촉감과는 다른 인간의 영적인 예감을 말한다. 여기서 성공을 예감한다는 것은 육감을 넘어 탁월한 통찰력으로 성공을 견인해 나간다는 의지의 표현이다. 주변의 일상에서도 보듯이 유능한 낚시꾼은 감이 좋은 포스트를 알아내야 월척을 낚을 수 있다. 매사에 주의를 기울이고 무언가를 성취하기 위해 꾸준히 노력하면 예감 능력도 키울 수 있을 것이다.

인간이라면 누구나 그토록 갈망하는 성공의 비결은 바로 자신감이다. 야심과 자신감은 성공의 필수 조건이다. 미국의 하버드대 학생들은 대부분 야심만만하여 평소에 "나는 대통령이 될 거야, 최고 기업의 총수가 될 거야."라는 말을 자연스럽게 한다고 한다. 존 F. 케네디 대통령은 평소 농담조로 "나는 대통령 밖에는 할 줄 아는 것이 없는 것 같아."라고 했다. 이는 비록 농담이지만 대통령에 대한 꿈과 자신감이 넘쳤기에 무의식적으로 나온 말로 보아야 할 것이다. 오 헨리(O. Henry)의 ≪마지막 잎새≫에서 주인공 존시는 폐렴으로 병상에서 누워 창밖의 담쟁이넝쿨 잎이 떨어지는 모습을 보고, '마지막 잎새가 지면 나도 떠나겠지.' 하며 의지를 잃는다. 그때 늙은 옆집 화가가 벽에 나뭇잎 하나를 벽에 그려놓자 존시는 그걸 보며 살려는 의지와 자신감을 갖고 기적으로 살아난다. 긍정적인 희망과 자신감이 목숨을 살린 것이다. 아무것도 가진 게 없어도 희망과 자신감을 버리지 않으면, 모든 것을 가질 수 있지만, 모든 것을 가져도 희망과 자신감이 없으면, 가진 것도 모두 잃을 수 있다. 행위가 따르지 않는 지식은 꿀 없는 꿀벌과 같다. 그대의 행동만이 그대의 가치를 결정한다. 이 행동의 원동력이 바로 자신감이다. 성공의 주인공이 되려면 어떠한 실패와 난관에도 굴하지 않는 자신감이 필요하다.

아. 자아를 발견하고 잠재력을 계발하라.

도가(道家)의 시조 노자 老子는 "남을 아는 자는 지혜로우나 자신을 아는 자는 명철하다(知人者智, 自知者明)."라고 했다. 남의 마음과 인품을 알아보는 것도 지혜로운 것이지만, 자신의 장단점을 올바로 파악하는 것이 더욱 통찰력 있는 것이라는 의미이다. 중국 고전 ≪중용≫에는 "세상에서 가장 중요한 일은 자아실현"이라는 말이 나온다. 현대 심리학의 발견은 '자아 이미지'의 발견이라고 한다. '자아 이미지'는 '나는 어떠한 부류의 사람'이라는 주관적인 생각이다. 자기 자신에 대한 생각이나 믿음이 일단 형상화되면, 그것은 개인적인 측면에서 '진실'이 된다. 나는 '능력이 부족한 사람', '사람들과 접촉을 꺼려하는 사람'이라는 부정적인 자아 인식을 가진 사람은 긍정적인 자아 인식을 할 수 있도록 노력해야 한다.

자신을 깊이 성찰할 수 있는 사람들만이 자신의 '자아'에 눈을 돌릴 수 있다. 즉 성숙과 학습의 과정을 통해서 자아를 발견할 수 있다는 말이다. 자아의 발견이란, 단순히 자신이 존재한다는 사실을 아는 것만이 아니라, 자기 자신의 지력 및 능력, 처한 상황 및 대인관계, 주변 여건 등에 대하여 올바로 아는 것을 말한다. 자기를 올바로 알려면 자신에 대한 관찰이나 반성만으로는 부족하고, 인간과 사회, 문화와 종교 등과 같은 다양한 분야에 대한 지식 수준을 높여야 한다. 이를 위해서는 학식이나 경험이 많은 사람들의 충고와 가르침도 반드시 필요하다. 필립 맥그로(Phillip C. McGraw)는 "참된 자아란 자신의 가장 깊은 내면에서 발견되는 자아다. 그것은 자신만이 갖고 있는 재능,기술,통찰 등을 통틀어 일컫는 말이다."라고 했다. 우리는 참된 자아를 발견한 후에 "나도 천분과 재능이 있다."라고 당당하게 생각하며 긍정적인 자아 인식을 내세워 꿈을 실현해 나가야 한다.

참된 자아를 정확히 파악한 다음에는 그 자아의 여건 하에서 자기 내면에 깊숙이 잠들어 있는 잠재력을 계발하여 자아를 실현해 나가야 한다. 자아를 실현하려면 인내와 극기, 열정 등의 덕목을 갖추고 최대한의 잠재력을 끌어내어 창조 정신을 발휘하여야 한다. 우리 몸 안에 잠재해 있는 능력은 무한하다. 우리는 이렇게 무한한 잠재력을 가지고 있음에도 그것을 모르거나 발굴하지 못해 스스로 능력의 한계를 정하는 경우가 많다. 내 안의 성공 잠재력을 깨우는 방법은 수많은 도구와 기법이 있다.

우선 신념이 잠재력을 이끌어 낸다. 제한된 신념을 가진 사람은 자신이 보고 싶은 것만 보고, 자신의 믿음과 반대되는 것은 차단해 버린다. 열린 신념을 가져야 여러 잠재력이 보인다. 그다음에는 긍정적 사고와 행동이 잠재력을 부지불식간에 끌어낸다. '나는 많은 잠재 능력을 가지고 있다.'라고 긍정적으로 생각하는 사람과 '나는 왜 이렇게 능력이 부족하고 할 줄 아는 게 없을까?'라고 비관적으로 생각하는 사람의 사업 성공률은 엄청난 차이가 있다.

이렇듯 사고가 행동을 결정한다. 부정적 사고는 부정적 행동을 유발하고 긍정적 사고는 긍정적 행동을 유발하여 성취로 이끈다. 또한 잠재력을 끌어내는 방법으로서 상대방과의 경쟁심을 유발하는 것도 좋다. 하버드대 도서관에는 "지금 이 순간에도 상대는 쉴 새 없이 책장을 넘기고 있다."라는 문구가 붙어 있다. 학생들의 경쟁심을 유발하여 면학을 장려하려는 최상의 명언이다. 남에게 지지 않으려는 본성을 자극하는 경쟁은 잠재력을 끌어낸다. 링컨이 경쟁자 새먼 체이스를 재무 장관에 임명하자, 측근이 "그는 자신이 링컨보다 낫다고 생각하는 거만한 경쟁자"라며 반대했다. 그러나 링컨은 "오, 그 말고 누가 또 나보다 낫다고 한다면 모두 데려 오시오. 내각에 임명하겠소."라고 응대했다. 위대한 정치가 링컨은 자신보다 훌륭하다고 자부하는 사람과 함께 한다면, 서로 경쟁을 통한 상승 작용으로 업무의 성과가 배가될 수 있다고 생각한 것이다.

하버드대 교수 하네만은 성공 비결을 묻자 "내 자리를 찾는 것입니다. 아무리 가난하고 평범해도 누구나 비범한 장점을 지니고 있습니다. 다만 자기 재능을 발견 못 해서 성공을 못 하는 겁니다."라고 대답했다. 이는 바로 자기의 재능과 잠재력의 발견 여부가 인생 성공의 관건이란 말이다. 그럼 잠재력을 찾는 가장 쉽고 실제적인 방법은 무엇일까? 그것은 첫째, 남들과 비교했을 때, 내가 수월하게 배우고, 즐겁게 완성할 수 있는 것을 찾는 것이다. 둘째는 자기가 하고 싶은 일을 망설이지 말고 직접 행동에 옮기는 것이다. 즉 다양한 경험을 통해 내가 진짜 재미있어하고, 잘할 수 있는 것을 찾는 것이다. 심리학의 창시자 윌리엄 제임스(William James)도 "보통 사람은 자기 재능을 10%도 발휘하지 못한다. 이는 자기가 무슨 재능을 가졌는지 모르기 때문이다. 무언가 새로운 것들을 시도해 보아야 자기 재능을 발견할 수 있다."라고 했다.

벼룩을 책상에 올려놓고 책상을 치니 몸의 100배를 뛰었다. 병 속에 가두고 책상을 치니 항상 병마개에 닿을 정도로 뛰었다. 나중에 다시 책상에 놓고 책상을 치니 병마개 높이만큼만 뛰었다. 이는 벼룩의 잠재 능력이 그만큼만 발휘되도록 제어된 결과이다. 과학자들은 이처럼 움직이고자 하는 욕망과 잠재력이 자기 자신에 의해 말살되는 것을 "자기불구화"라고 부른다. 우리는 많은 잠재력을 가지고도 병 속에 든 벼룩처럼 한계에 부딪치지 말고 최대한의 잠재력을 발굴하여 인생 여정에 활용해야 한다. 금세기 "혁신의 아이콘"이었던 스티브 잡스는 "통속적 견해나 도그마에 빠지지 말고, 자기 내면의 소리를 중시하여 가슴이 시키는 일을 하라."라고 역설했다. 여기서 "자기 내면의 소리"가 바로 자기의 잠재력이다. 그도 위대한 잠재력에 호소하여 큰 꿈을 이루었음을 알 수 있는 대목이다.

다음은 잠재력 연구의 대가 조셉 머피(Joseph Murphy)가 쓴 ≪잠재력의 기적≫의 핵심 부분이다.

첫째, 좋은 일을 생각하면 좋은 일이 일어나고, 나쁜 일을 생각하면 나쁜 일이 일어난다.

둘째, 잠재의식은 받아들이는 것을 모두 실현시키는 성질이 있다. 잠재의식에는 농담이나 거짓말이 통하지 않는다.

셋째, 잠재의식은 만능의 기계와 같다. 그러나 그것은 제멋대로 움직이지 않는다. 움직이는 것은 당신의 현재 의식이다.

넷째, 고등어를 먹고 두드러기가 났던 사람은, 그 후에 고등어를 보기만 해도 두드러기가 난다. 잠재의식은 한 번 들은 것을 잊지 않기 때문이다.

다섯째, 잠재의식에 씨앗을 뿌리기에 가장 적합한 때는 의식하는 마음이 휴지 상태(休止狀態)이고, 근육이 느슨한 상태일 때이다.

여섯째, 암시의 힘은 놀랄 만한 것이다. 그러므로 나쁜 암시는 즉시 거부하고, 밝고 건설적인 암시만을 받아들여야 한다.

자. 상상력과 호기심을 키우라.

≪논어(論語)≫에 "배우기만 하고 생각하지 않으면 남는 것이 없고, 생각하기만 하고 배우지 않으면 위태로워진다(学而不思則罔, 思而不学則殆)."라는 말이 있다. 열심히 배우는 것도 중요하지만 배우고 나서 그 이치를 잘 음미하고 생각하고 상상해 보아야 한다는 의미

다. 임마뉴엘 칸트(Immanuel Kant) 는 감각적 지각의 자료들을 사유 속에서 능동적으로 종합하는 능력이 '상상력'이라고 규정했다. 상상력은 영감이나 직관처럼 우리의 체험을 새롭게 하고, 우리가 현실에서 보지 못한 것을 새롭게 창조한다. 이런 상상력의 기능은 두 가지로 나눌 수 있다. 첫째, 현실에서 만날 수 없는 세계, 즉 지각에도 없고 기억에도 없는 새로운 세계를 구체적으로 표현하는 기능을 가지고 있다 둘째, 체험을 표현하는 의식의 한 양식으로서의 기능이 있다.

천재 과학자 아인슈타인(Albert Einstein)은 "상상력이 지식보다 중요하다."라고 했다. 상상력은 인류 발전의 가장 근본적인 원동력이다. 특히 21세기 4차 산업 혁명 시대에는 상상력이 세계를 리드하게 될 것이다. 역사상 위대한 발명이나 예술 등은 모두 인간의 상상력에 의한 결과물들이다. 세계적 부호 워런 버핏(Warren Buffet t)은 성공 비결에 대해 묻자 "별거 아니다. 창업에 성공한 사람들의 스토리에 푹 빠진 후 그들처럼 성공한 나의 모습을 상상해 본 것이 주효했다. 상상이 나의 힘을 발견해 주었고 성공의 길로 안내해 주었다."라고 대답했다. 성공한 자신의 모습을 머릿속에 그려보니 그대로 성공한 사람이 되었다는 말이다. 그는 상상력의 기적 같은 힘을 맛본 것이다. 어느 심리학자가 실험을 했다. 학생들을 세 그룹으로 나누어 농구 골넣기 연습을 시켰다. 첫 번째 팀은 매일 자유롭게 연습하도록 하고, 두 번째 팀은 한 시간씩 정해 연습을 시켰다. 세 번째 팀은 공이 골인한다는 상정 하에 연습하되, 동작부터 들어가는 순간까지 상상하는 연습만 시켰다. 그 결과 첫 번째 팀은 골인하는 횟수가 2% 감소했고, 두 번째 팀은 2% 상승했으나, 세 번째 팀은 3.5% 상승하여 1위를 기록하였다. 이는 상상력이 팀의 잠재력을 끌어올려 골인 확률을 높인 것으로 상상력의 위력을 잘 보여 준다.

그럼 이렇게 위대한 힘을 가진 상상력을 키우는 방법은 무엇일까? 상상력을 계발하는 방법은 여러 가지가 있다. 가장 효과적인 방법은 바로 독서다. 특히 탐정 소설이나 공상 과학 소설 등을 많이 읽으면 좋다. 비행기나 컴퓨터의 발명이 모두 처음에는 이런 공상 수준의 상상에서 출발한 것이다. 독서를 한 후에는 반드시 줄거리를 다시 음미하며 상상해 보아야 한다. 특히 소설이라면 등장인물들의 성격과 행동을 분석해 보고, 만약 내가 그 주인공이라면 어떤 마음으로 어떤 행동을 했을까? 또한 주인공들의 행동에 반하는 행동은 어떠한 결과를 초래할까? 등 다각도로 상상해 보는 것이 좋다. 그 다음으로는 명상을 하여 잡념을 멈추고 뇌를 쉬게 한다. ≪법구경≫에는 "명상에서 지혜가 생긴다. 생과 사의 두 길을 알고 지혜가 늘도록 자기 자신을 일깨우라."라는 말이 나온다. 상상력은 영화에 몰입했을 때처럼 우리의 뇌가 비논리적인 사고를 잘할 수 있을 때 제대로 발휘된다. 사람의 두뇌를 측정해 보면 상상력과 관련이 깊은 알파파는 눈을 감고 있을 때 많이 발생한다. 눈을 감으면 마음이 눈을 뜨게 되는 것이다. 비용을 들이지 않고 어느 상황에서나 할 수 있는 무한 가치의 보배, 그것이 바로 상상이다. 상상을 통해 성공된 인생 활로를 활짝 열어 가자.

한편, 앞에서 상술한 위대한 상상력을 유발하고 인도하는 마음은 호기심이다. 영국 사상가 사무엘 존슨(Samuel Johnson)은 "호기심은 영원하고 확실한 활기찬 마음의 한 특징이다."라고 했다. 천재 물리학자 아인슈타인은 "나는 특별한 재능이 있는 것이 아니고, 단지 굉장히 호기심이 많다."라고 고백했다. 이 호기심이 바로 역사상 최고의 물리학 연구 업적이라는 '상대성 원리'를 증명하게 한 것이다. 빌 게이츠는 소년 시절부터 책에 빠지고 호기심으로 가득 찼다. 그는 썰물과 밀물의 원리에 지대한 관심을 보였고, 소비자들의 구매 심리 등에 호기심을 보였으며 학교 퀴즈대회에서 1등을 하기도 했다. 이러한 호기심을 바탕으로 그는 소형 컴퓨터용 새로운 버전을 발명하고, 마이크로 소프트를 창립하였다. 그는 지금도 항상 직원들에게 호기심 어린 질문을 하도록 유도한다고 알려지고 있다.

하버드대 총장 루덴 스타인(Rudenstine)은 ‘세계 유명 대학 총장 포럼’에서 “호기심이라는 원동력이 없었다면 인류 사회에 기여한 발명들은 불가했을 것이다”라고 역설했다. 그렇다. 모든 위대한 발명이 바로 이 호기심에서 비롯한다. 호기심이 많은 사람이 훌륭한 발명도 하고 문제 해결도 잘한다. ‘왜’라는 질문이 발명한 사례들을 들어보자. 스웨덴의 가구 회사 이케아는 ‘가구는 어차피 비슷한 모양을 하고 있는데 왜 완제품으로 만들어서 불편하게 배송해야 하나?’라고 의문을 던졌다. 그리하여 고객의 가구에 대한 보편적 기호를 추출하여 가구의 표준형을 만들고, 고객이 집에서 직접 조립하도록 설계하여 세계 제일의 가구 명문 기업으로 성장했다. <에드윈 랜드(Edwin H. Land)는 하버드대에서 화학을 공부하던 중 어린 딸이 “사진을 찍으면 왜 바로 안 나와요?”라는 딸의 질문에 아이디어를 얻어 1947년에 폴라로이드 사진을 발명했다. 어린이의 호기심이 엄청난 발명을 탄생시킨 것이다.

그러면 호기심은 어떻게 키울 수 있을까? 호기심의 출발점은 모든 사물 현상에 대해서 ‘왜’라는 의문 부호를 붙이는 데서 시작된다. ‘좀 다른 방법은 없을까?’, ‘더 재미있게 할 수 없을까?’라고 생각하는 연습이 호기심을 증가시킨다. 그러기에 프랑스 사상가 아나톨 프랑스(Anatole France)는 “모든 가르치는 기술은 젊은 사람들의 자연스런 호기심을 깨우쳐 주는 기술에 불과하다.”라고 했다. 사람은 보편적 사고에만 젖어 있으면 혁신과 발전이 없다. 망치만 사용하는 목수는 모든 문제를 못으로만 본다는 말이 있다. 우리는 항상 발전을 위해 ‘왜’라는 호기심을 발동시키고 살아가야 한다. 여기서 상상력과 호기심 향상을 위한 방법 몇 가지를 소개한다.

첫째, 모든 사물과 현상에 대해 '왜?'라고 질문하기를 습관화한다. 이는 호기심의 자연스런 발상이며 상상력 향상의 기본이다.

둘째, 만화 그림을 자주 그려 본다. 부담 없이 격식도 원근법도 다질 것 없이 손 가는 대로 상상해서 모든 것을 그려보면 자연히 상상력과 호기심이 늘어난다.

셋째, 사물을 모두 살아 있는 생명체로 알고 거기에 동작의 기능을 부여해 본다. 이렇게 하면 다양한 상상력이 늘어난다. 구름을 생물체로 본다면 매일 하늘에는 수많은 모습의 사람과 짐승 형태가 그려질 것이다.

넷째, 소설의 주인공을 내 마음대로 생각해서 사건을 전개해 보라. 스스로 엄청난 상상력의 소유자가 될 것이다.

다섯째, 낱말 풀이 퀴즈나 퍼즐 놀이, 각종 게임을 즐긴다.

차. 실패를 두려워 말고 과감하게 도전하라.

중국의 ≪신당서≫에 "일승일부 병가상세(一勝一負, 兵家常勢)"라는 말이 나오는데, 이는 이기고 지는 것은 전쟁에서 항상 있는 일이라는 뜻이다. 이는 당나라 헌종이 전쟁에서 패배하고 돌아온 장수 배도를 위로한 말이다. 그 후 이 말은 전쟁에서 패한 장군에게 용기를 북돋아 주기 위해 자주 인용되었으며, 현대에 와서는 주로 사업에 실패하거나 경쟁에서 밀린 사람을 위로하는 데 많이 쓰인다. 노벨 평화상 수상자 만델라(Nelson Rolihlahla Mandela) 대통령은 "인생의 가장 큰 영광은 절대 넘어지지 않는 것에 있는 것이 아니라, 넘어질 때마다 다시 일어서는 데에 있다."라고 했다. 실패에 좌절하지 않고 다시 일어서는 용기의 필요성을 강조한 말이다. 존. F 케네디 대통령이 어렸을 때 마차에서 떨어졌다. 그의 아버지는 아들을 일부러 부축하지 않고, "네 스스로 일어나라! 용감한 사람은 넘어지면 스스로 일어나고, 또 일어나야 한다"라고 훈육했다. 이렇게 키워진 용기가 위기에 처한 케네디와 그 부하를 구한 사례를 보자. 케네디는 2차 대전 시에 해군 중위로 참전하였는데 그의 군함이 일본 구축함에 부딪혀 침몰했다. 케네디는 등에 상처를 입었으나, 물에 빠진 대원들의 구명조끼 끈을 입에 물고 장장 열다섯 시간이나 헤엄쳐 섬으로 나왔다. 그 후 이 사실이 언론에 보도되어 그는 훈장을 받고 국민적 영웅이 되었다. 이 유명세를 타고 그는 하원 의원에 당선되면서 승승장구하며, 결국 미국 대통령 지위에까지 올랐다. 이 모두가 넘어져도 좌절하지 말고 스스로 일어나라는 그의 아버지 교훈 덕이라 하겠다.

사람들은 누구나 살면서 실패를 경험한다. 이 실패를 인정하며 활용할 줄 아는 사람만이 성공의 면류관을 쟁취한다. 어느 날 상대성 원리를 증명한 아인슈타인이 프린스턴 고등연구소 교수로 초빙되었다. 연구소 관리인이 그에게 방에 필요한 것을 물었다. 아인슈타인은 웃으며 "내게는 책걸상, 펜과 종이 그리고 큰 휴지통만 있으면 된다."라고 했다. 관리인이 왜 휴지통이 커야 하느냐고 묻자 그는 잘못된 것을 몽땅 다 버려야 하기 때문이라고 답했다. 위대한 발명 뒤에는 수많은 실패가 기다리고 있음을 잘 표현한 말이다.

좌절은 성공을 위해 지불해야만 하는 대가다. 좌절을 맛보지 않고 크게 성공한 사람은 별로 없다. 대만의 유명 화가 황메이란은 뇌성마비로 불구자였다. 입도 돌아간 상태였고, 다리도 절었다. 웬만한 사람은 좌절 속에서 인생을 포기할 상황이었다. 어느 학생이 그녀에게 "불편한 장애인이신데 뭐가 그리 즐거우신가요?"라고 의아하게 물었다. 그녀는 "저는 이미 충분히 괜찮은 사람입니다. 저는 사랑스럽고, 그림도 그리고 글도 쓸 수 있으니까요."라고 대답했다. 불우한 역경 속에서도 오로지 자신이 할 수 있는 능력과 자신감을 찾아내는 용기가 빛난다. 그녀는 결국 세계적으로 유명한 화가가 되었다.

하버드대 심리학자가 칭찬과 자신감에 대한 실험을 했다. 그는 외모가 추해 콤플레스를 가진 여자에게 매일 "당신은 정말 예뻐요. 정말 유능합니다. 오늘 참 잘하셨어요."라고 칭찬을 하고 자신감을 북돋아 주었다. 그러자 불과 몇 달 뒤 그녀는 정말 예뻐지고 멋을 내기 시작했다는 것이다. 그녀가 자신이 추녀라는 현실을 받아들이고 이를 만회하기 위해 피나는 노력을 한 덕분이다. 누구나 인생에서 처음부터 만족스럽고 완벽한 환경에 있지 않다. 좌절할 상황에서도 이를 극복하고 더 나은 내일을 추구하는 것이 곧 완벽을 기하는 것이다.

우리는 누구나 당하는 실패를 두려워 말고 이를 성공의 계기로 삼는 지혜를 터득해야 한다. 흑인 해방 운동가 앤절라 데이비스(Angela Yvonne Davis)는 "벽을 밀치면 문이 되고, 벽을 눕히면 다리가 된다."라고 말했다. 자신의 실패를 성공으로 바꾸려는 의지가 있다면 걱정이나 두려움을 떨치고 거대한 좌절의 벽을 무너뜨려 성공으로 나가는 디딤돌로 삼아야 한다.

여기서 실패의 좌절을 극복하는 방법을 알아보자. 우리는 실패를 겪으면 자책감과 실망감, 체념 등을 느끼기 마련인데 이런 부정적인 감정을 하루 속히 망각하는 노력을 해야 한다. 그다음은 실패의 냉엄한 현실을 받아들이고, 다른 사람을 원망하지 말아야 한다. 그리고 실패의 원인을 정확히 분석한 다음 대응책을 바로 세워야 한다. 실패 원인을 분석할 때는 주위 사람이나 자기의 멘토와 상의해 보고 과학적인 데이터도 찾아보며, 정확한 진단을 하는 것이 중요하다. 마지막으로 자기가 계획한 목표가 당초부터 실현이 지난하고 무리한 것이었다면 목표를 수정하거나 다른 방법을 찾아야 한다.

한편, 우리가 실패했다는 것은 새로운 도전이 우리를 숙명적으로 부른다는 의미이기도 하다. 미국 여성들의 롤 모델인 오프라 윈프리(Oprah Gail Winfrey)는 "도전은 우리로 하여금 새로운 무게 중심을 찾게 하는 선물이다."라고 했다. 치열한 무한 경쟁 시대를 사는 우리에게 도전은 필수 불가결한 운명일 수도 있다. 인도의 다스트라 만지(Dashrath Manjhi)는 산에서 굴러떨어져 다친 아내를 병원에 데리고 가지 못해 죽게 내버려 둘 수밖에 없었다. 병원에 가려면 바위산이 가로막혀 있어 읍내까지 88km나 돌아 가야 했기 때문이다. 그래서 그는 정 하나와 망치 한 자루를 들고, 바위산을 깨부수기 시작했다. 사람들은 그를 미친 사람으로 취급하였다. 하지만 결국 22

년 만에 만지는 그 바위산을 뚫었다. 총 길이 915미터, 평균 너비 2.3미터, 최고 높이 9미터까지 이르는 바위산을 파내는 데 성공한 것이다. 이 덕분에 마을 사람들은 88킬로미터를 돌아가던 읍내를 이웃 다니듯 하게 되었다. 도전 정신의 진수를 보여주는 유명한 고사다.

도전은 자기의 꿈을 실현시키는 기폭제이다. 우리는 꿈을 실현하기 위해 도전이라는 과정을 거친다. 도전에는 비교적 쉬운 도전도 있지만, 위대한 도전은 대개 커다란 위험을 동반할 때가 많다. 위대한 발명자들은 사람들에게 "다른 사람들이 할 수 없고, 하지 않을 일들을 하라."라고 주문한다. 남들이 안 하는 것을 하고, 가 보지 않은 길을 가는 것이 위대한 도전의 길이다.

또한 도전은 미지의 세계를 개척하는 것만이 아니다. 외부에서 운명처럼 다가오는 시련도 도전이다. 이는 성공을 쟁취하기 위해 반드시 극복해야 할 큰 도전인 것이다. 조슈아 J. 마린(Joshua J. Marine)은 "도전은 인생을 흥미롭게 만들며, 도전의 극복이 인생을 의미 있게 한다."라고 했다. 우리는 도전을 두려워 말고, 반드시 가야만 하는 길로 생각하고, 오늘도 끊임없이 도전의 문을 두드려야 한다. 동시에 외부에서 나에게 주는 시련과 난관의 도전이라면, 그 도전을 기꺼이 받아들여야 한다. 그러면 반드시 승리의 쾌감을 맛보게 될 것이다.

제2장 성공을 위한 전문 기술

대화술

미국 문호 에머슨(Ralph Waldo Emerson)은 "인생에서 가장 훌륭한 것은 대화다. 그리고 그 대화를 완성하는 가장 중요한 것은 사람들과의 신뢰다."라고 했다. 대화는 인간의 상징이며 문명 발전의 도구이다. 특히 대화술은 비즈니스 세계에서는 성패가 달린 관건적인 무기다. 말은 누구나 할 줄 안다. 하지만 수준 높고 설득력 있는 말을 하기란 그리 쉬운 일이 아니다. "입은 재물을 만들고, 화술은 운명을 바꾼다."라는 말이 있다. 이렇게 인생에서 가장 소중한 대화를 잘하기 위해 어떻게 해야 할까? 늘 향기로운 꽃이나, 감미로운 음악 같은 말로 상대방에게 감동을 줄 수는 없을까? 이에 대화의 기본과 상황별 대화술, 나아가 연설에 관해서도 방법론적 관점에서 핵심적인 대강을 서술하고자 한다.

1. 대화의 기본 원칙

가. 온화하고 유머 있는 말을 하라.

중국 고전 ≪시경≫에는 "온화하고 공손한 것이 덕의 기본이다(温温恭人 維德之基也)."라는 말이 있다. 말은 공손하고 부드러우며, 바른 예의와 태도로 해야 한다. 말은 그 사람의 인격이며, 품격이 있는 말은 상대방을 설득하거나 자신의 주장을 관철하는 데 매우 유리한 환경을 조성한다. 예를 들어 식당에서 종업원이 음식을 잘못 가져와도 질책 대신에 "수고스럽게 해서 미안한데 우리는 다른 것을 시켰습니다."라고 하면 종업원은 웃으며 바꾸어 준다. 훌륭한 사람들은 공손함을 표시하기 위해서 '죄송하다', '감사하다" 등의 겸손어를 자주 구사한다.

능숙한 유머는 사교 모임에서 입을 수 있는 가장 멋진 의상의 하나이다. 유머는 우리에게 단지 웃음만 주는 것이 아니다. 심리적인 안락과 쾌감도 주며, 자기만족도 느끼게 한다. 가정에서는 물론 직장과 사회에서도 유머는 매우 긍정적이고 생산적인 윤활유 역할을 하는 것이다.영국의 위대한 정치가 처칠(Winston Leonard Spencer Churchill)이 처음 하원 의원 후보로 출마했을 때 에피소드가 있다. 처칠의 상대 후보는 "처칠은 늦잠꾸러기라고 합니다. 저렇게 게으른 사람을 의회에 보내서야 되겠습니까?"라고 인신공격을 했다. 이에 대해 처칠은 아무렇지 않다는 듯 응수했다. "여러분도 나처럼 예쁜 마누라를 데리고 산다면 아침에 결코 일찍 일어날 수 없을 것입니다." 연설장은 폭소가 터졌고 청중들의 인기는 처칠 편으로 기울어졌다. 유머는 대화의 꽃이고, 양념의 역할을 한다는 것을 잊지 말자.

나. 상대방의 말을 경청하고 그의 말을 중간에 끊지 마라.

프랑스의 모럴리스트 라로슈푸코(La Rochefoucauld, François de)는 "경청하고 대답을 잘 해주는 것은 대화술에서 인간이 다다를 수 있는 최고의 경지다."라고 했다. 경청은 대화술의 으뜸가는 기본으로서 상대방을 존중하고 마음을 이해하는 작업이다. 다른 사람의 말을 경청하는 것은 그에 대한 최고의 찬사이다. 하버드대 총장 찰스 엘리어트(Charles William Eliot)는 "사업 성공의 비결은 상대의 말을 경청하는 것이다."라고 했다. 성공한 사람들의 특징은 상대방이 가진 정보를 제대로 얻어내기 위해 먼저 듣고 나중에 말한다.

존 듀이(John Dewey)는 "중요한 존재가 되려는 소망은 인간의 가장 깊은 욕망"이라고 했다. 발언권은 인간의 기본적인 욕구이다. 때문에 말을 누가 중간에서 못하게 하면 이를 저지당하는 입장에서는 매우 불쾌한 일이다. 간혹 남의 말을 중간에서 가로채어 자기가 대신하는 사람이 있는데, 이는 대화 예법의 기본을 모르는 사람이다. 상대방이 말을 하고 있을 때는 아무리 반론을 하고 싶거나 지적을 하고 싶어도 참고, 그 사람의 대화가 일단락된 다음에 자기의 의견을 말하는 것이 순리다.

다. 논쟁을 피하고 남을 비난하지 마라.

≪인간관계론≫의 저자 데일 카네기는 대화에서 가장 피해야 할 것은 논쟁이라고 역설한다. 대화의 궁극적 목적은 서로가 말을 통해 공감대를 형성하여 생산적인 결과를 얻는 데 있다. 논쟁은 상대방을 반박하고 공격하게 되어, 결국 대화는 격해지고 심지어 단절되는 경우도 많다. 벤자민 프랭클린(Benjamin Franklin)은 "당신이 사람들에게 따지고 반박하여 승리할 수 있지만 상대로부터 호감을 잃어 공허한 승리가 되는 것이다"고 논쟁의 폐해를 지적했다.

한스 셀리(Hans Seyle)는 "우리는 칭찬을 갈망하는 것만큼이나 비난을 두려워한다."라고 했다. 비난은 모두에게 원한을 주고 사기만 저하시킬 뿐 비난점을 개선하지도 못한다. 아무리 좋은 충고도 상대에게 비난받고 있다는 생각이 들게 하면 거부 반응이 일어나게 마련이다. 성공하는 사람들은 상대방을 비난하거나 잘못을 지적하는 대신 칭찬부터 한다. 꼭 지적해야 할 일이 있을 때라도 먼저 칭찬을 해 준다. 그런 후에 조심스럽게 충고를 한다. 링컨 대통령도 젊은 시절에는 남을 비난하기를 좋아했다. 하루는 링컨이 허영심 많고 싸움을 좋아하는 정치가 제임스 실즈를 비난했다가 그가 결투를 신청하여 하마터면 목숨을 잃을 뻔했다. 그는 그 후로 일체 남의 비난을 삼갔다. 심지어 부하 장군이 남북 전쟁에서 작전에 실패하였으나, 링컨은 문책성 편지를 썼다가도 책상 서랍에 넣고 보내지 않았다.

라. 긍정적인 표현을 사용하라.

“낙천주의자는 모든 장소에서 청신호밖에는 보지 않는 사람이고, 비관주의자는 붉은 정지 신호밖에는 보지 않는 사람이다.” 이는 위대한 생명의 전도사 슈바이처(Albert Schweitzer) 박사가 긍정의 힘을 강조한 말이다. 사물을 어둡게 바라보는 것보다 밝게 바라보는 것이 결국 자신의 삶에서 더 좋은 영향을 만든다. 좋은 일을 생각하면 좋은 일이 생기고 나쁜 일을 생각하면 나쁜 일이 생긴다. 대화술에서도 이 법칙은 그대로 적용된다. 아무리 힘든 협상의 테이블에서도 잘될 것이라는 긍정적 신념을 포기하지 않고, 인내력과 설득력을 발휘하면 의외의 좋은 결과를 볼 수 있다. 반대로 협상 테이블에서 부정적인 표현을 하면, 결과는 대화가 원만하게 진행되지 못하고 중간에 결렬되거나, 좋은 결말을 낳지 못하게 된다.

≪탈무드≫는 승자는 “다시 한번 해 보자.”라는 말을 즐겨 쓰고, 패자는 “해봐야 별수 없다.”라는 말을 즐겨 쓴다고 적고 있다. 즉 승자는 포기하지 않고 계속 시도한다는 것을 암시하고 있는 것이다. 대화에서도 어려운 국면이 도래하면 “그래도 한번 잘해 보자.”라는 긍정의 말을 자주 해서 사람들을 설득해야 한다.

마. 상대방의 입장에서 말하라.

≪맹자≫에 “역지즉개연(易地則皆然)”이라는 말이 있다. 즉 "내가 만약 당신과 같은 처지였으면, 나 역시 그랬을 것이다."라는 뜻이다. 우리가 흔히 상대방의 입장에서 생각해 보라는 의미로 사용하는 역지사지(易地思之)라는 말은 바로 여기서 유래한 말이다. 대화를 원만히 진행하고 좋은 결과를 낳으려면 늘 상대방의 입장과 처지에서 생각하고 말을 해야 한다. 그래야만 상대방도 나를 이해하고 존중해 주며, 대화를 순조롭게 이끌어 갈 수 있다. “당신이 그렇게 생각하는 것은 지당합니다. 나라도 그렇게 생각했을 테니까요.”라고 하면, 상대가 기분 좋게 대해주게 마련이다. 역지사지를 모르는 사람들은 상대방의 입장을 헤아리지 못해 대화의 장에서 바로 갈등과 대립각

을 만들어 분위기를 경색시키기 일수다.

성공하는 사람들은 상대방의 입장에서 말을 하여 감동을 줌으로써 그들의 마음을 사로잡는다. 미국의 시어도어 루스벨트(Theodore Roosevelt) 대통령은 손님이 관심을 보인 문제에 대해 늘 책을 보며 연구했다고 한다. 이는 상대방의 입장과 사유의 방식을 잘 알아야 상대방 입장에서 정확하게 말할 수 있기 때문이다.

바. 객관적이고 정확하게 말하라.

"진실한 말은 꾸밈이 없고, 아름다운 말에는 진실이 없다(信言不美 美言不信)." 이는 ≪도덕경≫의 마지막 81장에 나오는 말이다. 말은 객관적이고 꾸밈없이 사실대로 해야 신뢰가 생긴다는 말이다. 세기의 달변가 마크 트웨인(Mark Twain)은 "거의 정확한 낱말"과 "정확한 낱말"의 차이점은 '번갯불'과 '반딧불'의 차이처럼 크게 다르다고 했다. 사용하는 하나의 단어가 얼마나 정확하고 객관성을 갖느냐에 따라 대화의 결과에 엄청난 차이를 가져온다는 말이다.

중국 문학가 후스의 ≪차부다 선생전(差不多先生伝)≫에 이런 말이 나온다. '차부다'란 중국말로 '별 차이가 없다'라는 뜻이다. 주인공인 차부다 선생은 몸이 아파 가족을 시켜 의사를 불러왔다. 그런데 그 의사는 자기가 아는 왕(汪)씨가 아니고, 한자가 다른 왕(王)씨였다. 이 의사는 수의사였다. 차부다 선생은 같은 '왕' 의사면 되지, 수의사나 사람 의사나 무슨 차이가 있는가 하면서 수의사의 치료를 받고 바로 죽었다. 비객관적이고 부정확한 사고 방식이 결국 사람의 목숨까지 앗아간 결과다. 객관성이 결여된 주장이나 사실과 다른 논리로 대화를 이끌면 이는 바로 대화진전의 장애가 되어 좋지 않은 결과를 초래한다. 객관성을 높이기 위해서는 실제 사례나 통계 수치를 활용하는 것이 좋다.

사. 상대방이 관심과 흥미를 갖는 질문을 하라.

대화할 때는 우호적인 분위기를 만들기 위해 노력해야 한다. 이를 위해 상대방이 들어서 기분 좋은 말을 먼저 하는 것이 좋다. 그다음에 상대방이 관심을 갖고 흥미로워하는 질문을 하라. 찰리프라는 미국 보이 스카우트 연맹 단원의 대회 참가비 지원 요청을 위해 대기업 사장을 찾아갔다. 그는 사장에게 "당신께서 백만 불짜리 수표를 끊은 이야기를 해 달라."라며 호기심 있게 요청했다. 사장은 자기가 늘 자랑삼아 하는 화제가 나오자 한참 열을 올리며 그에 관한 이야기를 했다. 찰리프라는 사장의 열변이 끝난 후에 바로 사장에게 보이 스카우트에 대한 지원을 정중하게 요청했다. 사장은 자기 열변의 흥이 다 식지도 않은 분위기 속에서 기꺼이 지원을 약속했다. 상대방의 흥미를 자극하여 얻고자 한 것을 쉽게 손에 넣은 사례다.

상대방이 자신의 말에 공감할 수 있도록 하기 위해서는 우선 그들의 입장을 두둔하고 지지하는 어법을 사용해야 한다. 실제 대화에서 "아,그랬군요!그 상황이라면 저라도 속상했겠어요.그래 얼마나 당황하셨어요."라고 상대방의 마음을 헤아리는 화법들을 사용하라. 그러면 당연히 상대방도 당신에게 호감을 갖고 공감대를 형성하게 된다. 보통 사람은 '미중 양국의 무역 분쟁 문제'보다는 자기 식당의 요리사가 일을 그만두는 문제에 더 관심을 둔다. 이러한 인간의 심리를 고려하여 사전에 대화 상대자의 관심 사항을 파악한 후 이를 화제로 활용해야 한다. 이것이 바로 대화의 성공적인 기법이다.

아. 상대방을 진정으로 칭찬하라.

"칭찬은 우리에게 가장 좋은 식사다."라는 말이 있다. 칭찬은 상대방에게 자신감을 갖게 하고 원만한 대인 관계를 만든다. 타인의 기대나 관심으로 인해 능률이 오르거나 결과가 좋아지는 현상을 '피그말리온 효과'라고 한다. 칭찬은 듣는 사람에게 이러한 피그말리온 효과를 가져온다. 이 효과는 실제 미국에서 교육 심리학자들의 연구 결과로 입증되기도 했다. 심리학자 BF 스키너(B. F. Skinner)는 칭찬받은 동물은 나쁜 행동으로 벌을 받은 동물보다 더 빨리 배운다는 것을 실험으로 증명했다. 칭찬은 이렇듯 대화에 긍정적인 효과가 있지만 방법을 잘 알고 해야 한다. 켄 블랜차드(Ken Blanchard)는 그의 저서 ≪칭찬은 고래도 춤추게 한다≫에서 칭찬의 방법을 소개했다. 그 요지는 "사랑하는 사람을 대하듯 칭찬하되, 거짓 없이 진실한 마음으로 칭찬하라."는 것이 핵심이다.자칫 과장된 칭찬은 위선이 되어 오히려 역효과가 나는 경우도 있다. 때문에 칭찬은 진실되고 은근히 하는 것이 효과적이다. 어느 여자 교수가 남편에게 "나의 연구 자료 중 다섯 가지만 고쳐 달라."라고 요청했다. 남편은 고민 끝에 아내에게 장미꽃 다섯 송이를 배달시켜 주었다. 그 꽃다발 속에는 "나는 당신이 고쳐야 할 다섯 가지를 발견할 수 없소, 지금 당신 그대로의 모습을 사랑하기 때문이오." 라고 적힌 카드가 들어 있었다. 그날 저녁 아내는 눈물 어린 미소로 남편을 맞이했다. 칭찬은 이렇게 은근하고 매력 있게 하는 것이 더욱 진가를 발휘한다.

자. 간단히 말하고 상대방이 결론을 내리도록 하라.

대화는 일방통행이 아니라 쌍방 교류다. 때문에 말은 독점하지 말고 상대방에게도 말할 기회를 주면서 간단히 해야 한다. 그래야 대화가 원만하게 이루어진다. 세기의 명연설로 일컬어지는 링컨 대통령의 게티즈버그 연설은 약 2-3분 정도에 끝난 매우 짧은 연설이다. 그러나 그 내용이 명쾌하고 감동적이기에 명연설문으로 평가되고 있다. 말과 글은 결코 장황하다고 좋은 것이 아니다. 간명하고 논리 정연해야 타인에게 감명을 줄 수 있다.

대화를 잘하는 사람들은 화제의 결론을 자신이 먼저 내리지 않고 상대방이 결론을 내리도록 유도하는 기술을 구사한다. 한 예로 미국의 대통령이나 국무 장관은 대외 전쟁에 군인을 파병할 때 국민들에게 당장 미군을 참전시켜야 한다고 직접적으로 말하지 않는다. 먼저 미국이 참전하지 않으면 안 되는 이유에 대해서 관련국 정세의 위험성과 미국에 미치는 영향 등에 대해서 분명한 대국민 메시지를 낸다. 이러한 대국민 메시지를 통해 국민을 설득하므로써 미국 국민들이 스스로 파병의 당위성을 인식하고 스스로 결정토록 한다.이런 방식으로 상대방의 기분을 저해하지 않고 논리적으로 접근하여 결국 상대방이 스스로 결론 내려 나의 설법에 찬동하도록 하는 것이 성숙한 대화술이다.

차. 대화의 형식을 중시하고 화술을 연습하라.

영국의 체스터필드(Philip Dormer Stanhope Chesterfield)는 "공손한 태도와 예의는 장점과 재능을 장식하는 데 반드시 필요하다. 그것이 없다면 모든 사람들은 불쾌한 사람들이다."라고 했다. 대화는 그 내용 못지않게 형식과 예의, 태도도 중요하다. 대화의 외형적 관점에서 동작이나 표정, 시선 하나하나에도 신경 써야 할 요소들이 많다. 때로는 단정하고 적절한 패션감각도 갖춘 복장을 해야 한다. 그래야 좋은 기운의 파장이 주위를 둘러싼다. 달변의 연설가로 알려진 미국의 오바마(Barack Hussein Obama) 대통령은 매일 출근하기 전에 그날 착용할 복장은 물론, 대화나 연설에 구사할 단어들까지 세심하게 챙겼다고 한다.

말을 능란하게 잘하려면 부단한 연습을 해야 한다. 자신의 감정, 경험, 행동이 구체적으로 명료하게 설명되어 상대방의 공감을 불러오게 하는 연습을 해야 한다. 말을 잘하기 위한 가장 좋은 방법은 독서이다. 독서를 통해 폭넓은 지식을 함양하여 다양한 화제를 예비해야 한다. 또한 표정이나 제스처, 복장 등 외형적인 대화술도 부단히 연습해야 한다. 예를 들어 미소 짓기 연습이나 맑고 부드러운 발성 연습을 반복적으로 하면 한 차원 높은 대화술을 구사할 수가 있다. '철의 여인' 마거릿 대처(Margaret Thatcher) 수상은 수려한 용모와 품위, 지식 등 모자랄 것 없는 인물이었다. 다만 가늘고 너무 날카로운 음성이 상대에게 거부감을 준다는 평가가 있었다. 그래서 그녀는 곧바로 발성학 전문가를 찾아가 오랫동안의 교정과 훈련을 통해 보다 부드럽고 온화한 음성을 갖게 되었다고 한다.

2. 상황별 대화 기법

가. 초면 인물과의 대화

루이 14세는 "첫인상은 가장 자연스런 것이다."라고 했다. 한편, 첫인상이 마지막 인상이라는 말도 있다. 상대에게 호감을 주기 위해서는 좋은 첫인상을 각인시키는 것이 중요한데 이를 위해 먼저 미소와 밝은 표정으로 인사하는 것이 좋다. 미소는 그 사람을 반갑게 맞이한다는 의미여서 첫 만남의 어색한 분위기가 해소된다.

화제는 서로 공통의 관심사인 음식과 장소, 또는 날씨 등 가벼운 것을 화제로 하는 것이 상식이다. 모임에서라면 이벤트 주최자를 잠시 소개하는 것도 좋다. 다만 첫 대면의 자리인 만큼 긍정적이고 명랑한 화제로 시작하는 것이 좋다. 이를테면, 우리나라 골프 선수가 세계 대회에서 우승했다거나, 문화 예술 분야에서 우리나라 사람이 빛나는 수상을 했다는 소식 등을 꺼내는 것이 상쾌한 출발이다. 말을 전문적으로 하는 사람들은 흥미로운 화젯거리를 찾기 위해 인터넷 뉴스를 체크하고 모임에 임하기도 한다.

대화를 연결해 나가려면 먼저 상대방에게 취미나 기호, 관심 분야를 묻고, 그에 대해 상대방이 말을 하도록 한다. 그 후 자신도 그 분야에 관심이 있으니 한 수 지도해 달라고 하면 상대방은 바로 열변을 토할 것이다.

또한 상대방이 대답하기 쉬운 질문을 하여 대화를 쉽게 풀어 나가면서 상대방의 성격과 취미 등을 파악하는 것이 좋다. 예를 들면 "주말에는 보통 무엇을 하면서 보내세요?"와 같은 질문이 적절하다. "인생이 뭐라고 생각하세요?"라는 등 갑자기 철학적 사색을 논하는 무거운 테마는 피하는 것이 원칙이다.

대화의 분위기 진작을 위해서는 상대방을 적절히 칭찬하고, 상대방의 언급에 대해 말과 표정으로 동정을 표시하여 공감대를 형성하는 것은 기본이다.상대가 말을 마치면 이제 본인에 대해 소개하면서 취미, 인생관을 진솔하고 담담하게 이야기하는 것이 대화의 예법이다.

또한 대화 상대의 이름을 자주 불러주는 것이 좋다. 예를 들어 "그것에 대해 어떻게 생각하세요, OO씨?"와 같이 이름을 많이 불러주면 금방 친구처럼 친근감을 느껴 대화의 윤활유 역할을 한다.

상대방에게 인상적인 사람으로 각인되기 위해서는 대화 내용면에서 기본적인 화법을 다 갖추어야 함은 물론,표정이나 제스처 등 언어 외적인 면도 신경 써야 한다. 미국 UCLA 심리학 교수 앨버트 메러비언(Albert Mehrabian)의 저서 ≪침묵의 메시지를 통한 커뮤니케이션 단계 이론≫에 따르면, 우리가 처음 만난 사람에게 호감을 갖게 되는 비중은 목소리 38%, 태도 20%, 표정 35%, 대화 내용 7%라고 한다. 대화를 나눌 때도 상대에게 호감을 주기 위한 중요한 요소는 목소리와 표정이 중요하다는 뜻이다.

나. 업무적인 대화

≪시경≫에 "말이 아니면 하지 말고 이유 없으면 말을 말라(匪言勿言, 匪由勿語)라"는 명구가 나온다. 이는 유익하고 이유 있는 말을 하라는 의미다. 특히 비즈니스 대화에서는 말하는 이유를 논리있게 구성하여 유익한 결과를 도출하는 것이 생명이다. CNN의 명사회자 래리 킹(Larry King)은 업무 대화의 기본적인 세 가지 원칙을 제시했다. 첫째, 자기 자신의 마음부터 열고, 경청하라. 둘째, 가능한 전문 용어보다는 쉬운 말로 분명히 표현하라. 셋째, 시간은 돈이므로 상대방의 시간을 너무 뺏지 말라. 이 세 가지는 간단하지만 금과옥조와 같은 비즈니스 대화의 기본 원칙이다.

비즈니스 대화의 시작은 먼저 우호적인 분위기를 조성하는 일이다. 상대의 협조를 구하거나 도움이 필요한 경우 중요한 것은 상대의 기분이다. 누구나 기분이 나쁜 상태에서는 다른 사람을 도와 줄 의사가 안 생긴다. 따라서 처음부터 상대에게 최대한 예의를 갖추어서 기분을 좋게 해야 한다. 상대와 대화시 이견의 문제를 먼저 꺼내지 말고, "아니오" 보다는 "예"를 자주 사용하라. 소크라테스는 인간의 사고방식을 송두리째 바꾼 현인이다. 그는 다른 사람을 틀렸다고 지적하지 않는다. 그는 반대하는 사람의 의견을 먼저 수용하면서 그 기초 위에 자연적 인간 본성적 사리를 들어 상대가 반대하다가 나중에는 동의하지 않을 수 없도록 논리를 구사한다. 업무상 대화를 나눌 때도 이런 방식을 활용하면 좋다. 일상적인 대화에서도 상대에게 요점을 분명히 전하는 것이 중요하지만, 비즈니스 대화에서는 분명한 의사 전달이 대화 성공의 관건이 된다. 때문에 핵심적인 부분은 가능한 간단명료하게 해야 한다. 이를테면 부하 직원에게 업무 지시를 할 때도 짧고 간략하게 이해시킨다. 같은 얘기를 반복하거나 아는 내용을 길게 설명하면 상대방이 싫증을 느껴 효과가 반감된다.

그다음은 대화할 때는 자신감을 갖고 의사를 표현하고, 상대의 선입견과 태도를 변화시킬 수 있다는 신념이 필요하다. 옥스퍼드 대학 테오도르 명예 교수는 그의 저서 ≪대화: 대화가 우리 삶을 바꾸는 방식≫에서 "21세기에는 새로운 의식, 즉 단지 말하는 게 아닌 사람들을 변화시키는 대화가 필요하다. 진정한 대화는 활기를 얻게 해주며 정보를 전달하고 얻는 것 이상의 것을 가져다 준다."라고 했다. 이 말처럼 비즈니스 대화에서는 기존의 생각을 넘어 발전적인 것으로 변화시킬 수 있는 능력을 발휘해야 한다. 또한 긍정적이고 희망적인 단어를 주로 사용하여 논리를 전개해야 한다. 만약 상대방이 부정적 태도를 보일 때에는 상당한 사유를 들어 논리적으로 설득해야 한다. 예를 들어 은행에서 가족 사항 기재를 거부하는 고객이 있다면, 은행원이 고객에게, "고객님을 번거롭게 해 드린 점은 죄송하나 만약 고객님 사망 시에 이 아까운 저금액을 누구에게 상속할 근거가 없지 않습니까?"라고 설득하면, 그는 바로 수긍할 것이다. 그리고 상대방의 견해를 존중하고, 결코 당신이 틀렸다고 단정하여 말하지 마라. 상대가 이견을 내세우면서 자기주장을 고집하면, 일단은 들어 주고 서로 일보씩 양보하는 절충의 방안을 모색해야 한다. 자기 생각을 관철하기 위해 "내가 당신에게 이러한 것을 증명해 보이겠소."라고 하는 것은 좋지 않은 설득 방법이다. 상대방이 거부감을 갖기 때문이다. 알렉산더 포프(Alexander Pope)는 사람을 가르칠 때는 가르치지 않는 것처럼 하라고 했다. 이와 같이 상대를 설득할 때도 우회적으로 상대의 기분을 상하지 않게 하는 것이 능숙한 대화술이다.

다. 사교장에서의 대화

피터 크로포트킨(Peter Kropotkin)은 "사교 본능은 생존 경쟁과 같은 자연의 법칙이고, 상호 협조는 동물적 생활의 법칙이다."라고 했다. 우리가 살아가면서 갖게 되는 사교 모임은 작은 규모의 친구들 모임부터 대형 칵테일 파티에 이르기까지 다양하다. 여기서는 칵테일 파티와 같은 대형 모임을 전제로 다루어 보자.

우선 파티에 참석하면 일대일로 대화를 할 수 있는 상대를 찾는다. 찾기가 여의치 않으면 이미 흥미 있게 대화가 진행되고 있는 그룹을 찾아 슬며시 동참하는 것도 자연스럽다. 아무리 큰 규모의 사교 모임이라도 처음에는 흔히 '잡담' 정도로 해석되는 스몰토크(small talk)가 어색한 분위기를 해소하는 시발점이 된다.

세계적 대화코치 데브라 파인(Debra Fine)은 그의 저서 ≪스몰토크≫(원제: The Fine Art of Small Talk)를 통해 화려한 대화술이 없어도 친밀하게 대화를 이끌어 갈 수 있는 노하우를 소개했다. 저자는 기본적으로 다음 두 가지 원칙을 실행하라고 강조한다. 첫째, "위험을 감수하라. 다른 사람들이 먼저 접근해 오기를 기대하지 말고 친해지고 싶은 사람을 스스로 선택하고 그에게 다가가서 말을 걸어라." 둘째, "대화의 짐을 떠맡아라. 대화를 할 때는 각자 몫의 짐이 있다. 화제를 생각해 내는 일, 사람들의 이름을 기억하고 어색한 분위기를 이어가는 것 등이 역시 대화의 짐이다."라고 했다.

이런 원칙 하에 사교 모임의 실전에 들어가면, 우선 상대방과 눈을 맞추고, 입가에 미소를 띤 채 가장 접근하기 쉬운 상대에게 다가가 당신의 이름을 알려라. 그다음은 앞서 상술한 대화의 기본 예법에 따라 자연스럽게 대화를 진행하면 된다.

사교 모임의 대화에서는 가장 좋은 질문이 가장 좋은 대화 비법이다. 토크쇼의 달인 래리 킹(Larry King)은 이 질문 비법을 좋아하여 많은 대화장에서 "왜 그렇게 된 것이냐?", "왜 그렇게 하느냐?"라는 식의 질문을 가장 많이 한다고 토로했다. 이 질문은 대화에 생기와 흥미를 불어넣는 가장 확실한 방법이기 때문이다.

한편, 다중이 대화하는 장소에서는 대화에서 이탈하는 시기도 중요하다. 만약 대화 상대자가 너무 지루하게 대화를 끌어간다면 "실례합니다. 화장실에 좀 다녀오겠습니다. 혹은 오늘의 주인공에게 인사 좀 하고 오겠습니다."라고 분명히 의사 전달을 하고 한참 후에 돌아와 다른 사람과 대화를 시작하는 것이 좋다.

대화를 충분히 했다고 생각되면, 바로 "오늘 얘기 즐거웠습니다. 좋은 말씀 잘 들었습니다."라고 정중히 인사하며 물러나는 것도 품위 있는 이탈이다.

또한 어느 그룹에 너무 머무르는 것은 좋지 않다. 칵테일 파티에서 자신을 성공적으로 보이게 하기 위해서는 한 사람보다는 여러 사람과 함께 어울리는 것이 유리하다. 마지막으로 주의할 것은 대화를 시작할 때처럼, 끝낼 때도 반드시 웃는 얼굴로 악수를 나누면서 끝내야 한다는 것이다. 악수를 통해 마지막 인상을 남기는 것이다. 테이블이 너무 넓어 자리에서 일어나 이동을 해야 하더라도 반드시 그렇게 하는 것이 유종의 미를 거둘 수 있는 방법이다.

라. 의식 장소에서의 대화

우리는 살면서 관혼상례를 치르게 되는데 이러한 의식이 치러지는 장소에서의 대화는 기본적인 법칙과 상식이 지배한다. 결혼식이나 생일 파티 등 축하가 전제되는 모임에서는 화제도 당연히 유쾌하고 가볍고 축복하는 내용이면 된다. 별다른 화법이나 제약이 따르지 않는다. 가령 결혼식이라면, "신랑 또는 신부를 잘 아시느냐?"라는 식의 기본인 질문에서부터 이들의 인품과 능력이 어떻다는 등 칭찬과 덕담 일색으로 대화를 이어가면 무난하다. 신혼여행지에 대해서도 몇 가지 특징과 좋은 점을 들어 말하고 평가하는 것이 좋은 화제다.

생일 파티라면, 당연히 주인공에 대한 최근의 축하할 만한 일이나 위로의 말을 화두로 꺼내면 된다. 그리고 주인공의 희망찬 장래를 축복하는 복음으로 마무리하는 것이 원칙이다. 이를 위해 결혼이나 생일을 축하하는 축하 메시지 몇 개는 준비해 두어야 한다.

여흥의 자리에서는 과음을 하여 말실수를 하거나 사소한 일로 시비가 일어나지 않도록 유의하는 것이 중요하다.

문제는 장례식장에서의 대화다. 장례식장에서의 대화는 사교 대화 중 가장 어려운 것의 하나이다. 왜냐하면 경건한 애도 속에서 진지한 위문이 이뤄져야 하기 때문이다.

장례식장에서의 대화는 주로 상주들에게 위로를 표시하고 애도하는 마음을 전하는 것이 주가 된다. 물론 조문객들 간의 대화도 이루어지나 이 경우도 고인에 대한 존경과 애도의 표시가 대화의 핵심이 될 것이다. 이때 주의해야 할 것은 상주들에게 애도의 진심을 전한다면서 장황하게 말을 하면 안 된다는 것이다. 상주들은 이미 고인의 죽음에 대한 충격과 슬픔에 사로잡혀 심신이 지쳐 있고, 또 다른 문상객들을 해야 하기 때문이다.

상주에게는 "얼마나 상심이 크시겠느냐?"라는 간단한 위로의 말과 함께, 평소 본인과 고인과의 돈독한 관계나 잊지 못할 추억, 상주들도 몰랐던 고인의 선행 등을 말하는 것이 효과적이다. 이 말도 간단명료하게 하는 것이 좋다.

만약 고인이 유명 인사여서 조사를 부탁받았다면, 이 조사는 연설체를 바탕으로 경건하고 장중하게 비탄의 심경과 가족을 위로하는 내용을 담아야 한다. 그 위에 고인의 업적과 인생 역정, 인간관계, 인품 등을 칭송하되, 실례를 들어가며 사실적으로 해야 청중에게 감동을 준다. 또한 고인의 명복을 비는 뜻에서 묘비명을 지어 주는 것도 인상 깊은 조사가 될 것이다. 예를 들어, “여기에 음악은 보배를 묻었다. 아니 더 충분한 가능성을 묻었다.”라는 요절한 천재 음악가 슈베르트의 묘비명처럼 말이다. 그리고 조사는 경건한 흐름이 주류를 이루어야 하나, 비통하고 딱딱한 분위기 반전을 위해 가벼운 유머를 첨가하는 것도 조사에 생기를 더할 수 있다.

마. 이성 간의 대화

프랑스 사상가 루소(Jean-Jacques Rousseau)는 “남자는 자기가 아는 것을 말하지만, 여자는 남의 마음에 드는 것을 말한다.”라고 했다. 이는 남자는 타인을 의식하기보다는 자기 소신대로 말하기를 좋아하고, 여자는 타인들을 의식하여 그들이 마음에 들 만한 것을 말한다는 의미다. 남녀 간의 대화 스타일과 습성의 차이를 잘 표현한 말이다. 이러한 차이가 있어 이성간의 대화는 동성간의 대화보다 더 어렵고 조심스러운 것이 사실이다. 이것은 전통적인 남녀간의 기본 예절과 이성의 본성적 차이가 있기 때문이다.

이성 간 대화에서는 부드럽고 공손한 화법으로 예절부터 잘 지키는 것이 기본이다. 시선은 상대방의 얼굴에 두고, 주위를 두리번거리거나 대화 중 엉뚱한 곳을 바라보는 실례를 범하면 안 된다. 팔짱을 끼거나 다리를 포개지 말고, 다리 떨기, 머리카락 만지기, 손 비비기 등 경망한 행동은 삼가야 한다. 특히 남자들은 속어나 비어를 사용하지 말고 품위있는 언어를 사용해야 한다. 물론 여성들은 공손함을 기조로 하여 대화를 하고, 경박해 보이는 단어나 문구를 자제해야 한다.

이성 간 첫 만남에서는 상대와 걸맞는 화두를 잘 꺼내는 것이 특히 중요하다. 좋은 말이 잘 떠오르지 않을 땐 신문, 잡지를 참고하거나 그날의 대화 주제와 관련된 옛 경험을 떠올려 사용하는 것도 좋다. 이성 간 대화에서 가장 빛나는 효과를 보는 것은 첫째, 부드러운 미소, 둘째, 진실 어린 칭찬, 셋째, 상대에게 공감을 표시하는 것이다.그다음 유념해야 할 것은 남녀는 대화 스타일이나 관심사에 차이가 있음을 인정하고 이에 잘 적응하는 것이다.

남자들은 논쟁을 좋아하고, 자기 자랑이 많고, 우월감 속에 대화에 임하는 사람이 많다. 또한 정치, 경제, 스포츠 등에 관심이 많아 이에 관한 화제를 주로 다루는 반면 여성은 일상생활이나 예술, 문화, 패션 등에 관한 화제를 주로 사용한다. 한편 여성들은 소소한 이야기를 길게 하는 경향이 있어 때로는 수다스럽다고 폄하되는 경우가 있는데 이는 환경적 요인이나 전통적 풍습의 영향을 받은 자연스러운 측면으로 이해해 주는 아량이 필요하다.

반면에 남성들은 자기 잘난 척을 잘하기 때문에 여성에게 거부반응을 줄 수가 있다. 하지만 여성들은 이런 남성들의 속성을 이해해 주어야 한다. 남성들은 연약해 보인다거나, 쩨쩨하다는 등 남성적 자존심에 상처를 주는 말들을 싫어한다. 이런 점을 고려하여 여성들은 남성들의 자존심을 침해할 수 있는 말을 조심해야 한다.

여성들은 공감 위주의 대화를, 남성은 해결 위주의 대화를 하기 좋아한다. 따라서 여성은 과정과 친교를 중시하고, 남성은 정보와 결과를 중시한다. 이러한 특성도 잘 배려하여 이성 간 대화를 진행해야 무리 없이 좋은 결과를 맺는다. 남녀의 대화 방식의 차이를 모르면 이성 간 대화에서 오해와 편견이 생겨 처음부터 대화 진행이 어려워진다는 점을 명심할 필요가 있다.

이성 간의 대화에서 남성이 여성에게 말을 먼저 거는 경우가 종종 있는데 이때 남성들은 진솔하게 자신을 소개하는 것이 좋다. 이를테면 "나는 여성들과 대화를 많이 안 해 보아서 여성들 앞에 서면 좀 작아집니다."라는 식으로 소개하는 것이다. 그리고 상대 여성이 관심을 가질 만한 질문을 해보고, 여성이 대화에 잘 응하면 다행이나, 반대로 별 관심이 없어 보이면, 대화를 조용히 중단하는 것이 좋다.

바. 면접을 위한 대화

학교 입학시험이든 취업 면접이든 면접은 첫인상이 관건적인 요소다. 면접에서 첫인상을 좋게 하려면 대화의 예절이나 논리 전개 기법 등을 사전에 충분히 연습해야 한다. 물론 목소리, 표정 등 언어 외적인 부분도 신경 써서 대비해야 한다.

말하는 논리의 포인트는 면접을 시행하는 주체에 따라 그에 적합한 화제를 선정하도록 한다. 공무원 면접이라면 애국심과 대국민 봉사정신 등을 강조해야 한다. 기업의 면접이라면 그 기업의 창업 정신과 장점 등을 거론한 후 자신이 어떤 점에서 이 기업에 적임자라고 생각하는지 설명해야 한다. 대학 면접시험이라면 지원 대학의 우수성과 아울러 자기의 적성과 장래 포부 등에 대해서 논리 정연하게 말을 해야 한다. 취업 면접에서는 특히 자기소개를 감명 깊게 하는 것이 요체다.

면접에서는 우선 자신의 경험 중에서 가장 보람 있고 인상적이었던 사례를 들어 생동감 있게 표현하는 것이 상책이다. 이를테면 공무원 시험이라면 재난 극복을 위한 봉사 활동에 참여한 사실이나 충절이 뛰어난 위인들에게 감동받은 사실을 말하는 것이다. 봉사 활동의 경험이 없다면, 길가에 떨어져 있는 작은 휴지를 주운 일이나 노약자를 도와 준 미담도 괜찮다.

그다음으로는 자기 인성이나 회사 직무와 관련된 예상 질문서를 작성해 보고 연습해야 한다. 단 자기소개나 질문에 답변할 때는 자신감을 가지고, 또렷한 발음으로 장황하지 않게 해야 한다. 지식을 자랑하고 싶어 지나친 전문 용어나 미사여구를 사용하면 거부반응을 준다. 질문에 대답할 때는 학창 생활이나 단체 활동, 군대 생활 등에서 얻은 소중한 경험담을 스토리텔링 형식으로 활용하는 것이 좋다.

면접시험을 잘 본다는 것은 결국 자기를 잘 소개하는 것이다. 즉 자기를 채용할 기관에 잘 파는 행위다. 이 점에서 성공학의 대가들은 다음 몇 가지를 강조한다.

첫째, 내가 취업하고자 하는 기업이나 국가 및 공공 단체 등을 위해 나는 어떤 능력으로 보답할 수 있는지를 말하라. 자기를 소개할 때는 내가 그 기업이나 회사를 위해, 혹은 국가나 국민을 위해 무엇을 다른 사람보다 잘할 수 있는지를 소신 있게 말해야 한다. 당신을 채용하면 그 회사는 어떤 쓸모가 있을지를 명확히 설명하라. 당신은 무엇에 능하며, 어느 분야의 전문가인지,그 분야에 대해서 얼만큼 알고 있는지 소상히 말해야 한다.

둘째, 항상 준비하라. 면접 전에 자기소개 방법과 예상 질문 및 답변 요지를 정리하고, 몇 번이고 반복하여 연습을 해야 한다. 자기 장점 소개도 중요하지만 자기 단점과 이를 극복할 수 있는 대책도 말할 수 있어야 한다.

셋째, 열린 자세를 가져라. 개방적인 태도는 개인의 발전이나 대인 관계에서 필수적인 덕목이다. 취업 면접에서도 마찬가지다. 면접이라고 너무 긴장하지 말고 개방적이고 신축성 있는 사고로 임해야 자신 있고 열의 있는 태도를 보일 수 있다. 면접관은 면접 대상자가 자기 회사나 업무에 대해 열의를 보이면, 매우 진취적인 인상을 받게 된다. 그러기에 열린 마음으로 열의를 보이는 태도가 중요하다.

넷째, 면접관에게 오히려 질문하라. 혹자는 면접을 보는 지망생이 질문에 답하는 것이지 면접관에게 질문을 어떻게 하느냐고 반문할 수도 있다. 그러나 좀 더 적극적이고 창조적인 사람이라면 면접 응시생도 질문하는 것이 유리하다는 것을 알 것이다. 다만 질문을 하되, “저는 평소 이 회사를 사랑하고 일하고 싶은 기업으로 생각해 왔는데, 이렇게 발전할 수 있는 동력이 무엇입니까?”라는 식으로 질문하면 면접관은 이를 반가워하고 인상 깊게 볼 것이다.

3. 연설

가. 연설의 의미

미국 시인 에머슨(Ralph Waldo Emerson)은 “웅변은 전쟁과 평화의 저울을 수백 번이나 제멋대로 움직였다.”라고 했다. 이 말은 웅변이 인류의 역사 그 자체인 전쟁과 평화를 손에 넣고 재단했다는 뜻이다. 웅변은 조리 있고 막힘이 없으며, 청중을 감동시키는 훌륭한 연설을 일컫는다. 연설은 대화의 꽃이고 언론의 정상이다. 이 언론의 최고봉인 연설을 잘하기 위해서는 상당한 기량 연마를 필요로 한다.그러기에 로마 제일의 웅변가이자 정치가인 키케로(Cicero, Marcus Tullius)는 “시인은 태어나는 것이고, 웅변가는 노력으로 탄생하는 것이다.”라고 했다. 연설은 단순히 의사를 전달하거나 재미를 위해 하는 말이 아니다. 자기 주장의 목적이 명확하고, 청중에게 감명과 유익함을 주어야 하는 것이다. 나아가 우리가 속한 사회나 단체, 국가의 발전과 이익을 위한 메시지가 담겨야 한다. 그러기에 연설을 잘하려면 기본적으로 유명한 고전은 물론, 위대한 문호와 철학자들의 명문장을 많이 알아야 한다. 게다가 정치, 경제, 역사, 문화 등 각 분야에 해박한 지식과 경험을 갖추어야 한다. 그래야만 연설을 통해 대중을 선도하고 일깨우며, 사회와 인류 역사를 발전시키는 데 기여할 수 있다.

나. 연설문 작성법

연설은 다수의 청중을 상대로 하는 말이기 때문에 청중의 공감과 감동을 불러일으키는 것이 생명이다. 따라서 연설문은 무엇보다 청중이 알아듣기 쉽게 쉬운 말로 정확하고 논리적으로 써야 한다. 그리고 자기 주장의 정당성과 미래 지향적 희망을 주는 메시지를 분명히 담아야 한다.

장의 길이는 너무 길게 쓰지 않도록 유의해야 한다. 연설할 때 리듬감을 살릴 수 있으며, 호흡에 무리가 없도록 간결하게 정리해야 한다. 링컨, 처칠, 케네디 등 명연설가들의 연설의 특징은 간결하다는 것이다. 가장 간단하면서도 전하고자 하는 내용이 다 들어 있는 문장을 보자. "왔노라, 보았노라, 정복했노라!" 카이사르가 아나톨리아(터키) 전투에서 승리하고 로마 원로원에 보낸 전승 보고서의 전문이다. 그리고 연설 효과를 높이기 위해 청중의 가슴을 울리는 실제 사례를 들거나 명문장을 인용하면서 설득력 있게 주장해야 한다.

연설문은 도입, 핵심, 결론, 또는 기승전결의 짜임새로 구성한다. 모든 글이 그렇듯이 연설문도 도입 부분이 매우 중요하다. 청중의 이목을 집중시키는 시발점이기 때문이다. 보통은 자신을 소개한 후 모인 자리의 성격과 연설을 하게 된 배경을 밝히며, 서문을 시작한다. 물론 청중의 관심을 집중시키기 위해 최근의 화제가 된 사건이나, 국제적 이슈를 서두에 끌어내어 시작하는 것도 좋다. 그리고 천하의 명문장을 소개하거나 청중에게 질문을 먼저 하여 이목을 집중시키는 방법도 있다.

본론의 핵심 부분은 자기가 역설하고 싶은 내용을 논리적이고 감동적이며 명쾌하게 써야 한다. 중요한 생각을 한 문장으로 정리해 반복하는 것도 효과적이다. 반복법의 명연설로는 비스마르크(Otto Eduard Leopold von Bismarck)의 "내가 청년에게 해 줄 말은 세 마디뿐이다. 일하라. 더 일하라. 죽을 때까지 일하라."라는 표현이 있다. 또 마틴 루터 킹(Martin Luther King) 목사는 연설문에서 “나에게는 꿈이 있습니다. 이글거리는 불의와 억압이 존재하는 미시시피주가 자유와 정의의 오아시스가 되는 꿈입니다.”라고 했다. 그는 “나는 꿈이 있습니다.”라는 말을 다섯 번이나 반복하여 강조했다.

만약 핵심 부분에서 현실의 문제점과 대책을 주장하기 위해 논리적인 설명이 필요하다면 다소 문장이 길어져도 무방하다. 그러나 아무리 본론 부분이라 해도 각 문장 자체가 너무 길고 산만하면 안 된다.

결론 부분은 연설의 핵심 부분을 다시 한번 요약하여 강조한 후 청중의 찬동과 동참을 유도하는 호소로 마무리한다. 이때 멋진 명언이나 시구 하나 정도를 인용하는 것도 좋은 여운을 남길 수 있는 방법이다.

다. 연설을 돋보이게 하는 표현 기법

첫째, 은유나 환유, 역설법 등의 표현 기법을 사용하여 상황이나 주장을 더욱 뚜렷이 부각시킨다. 예를 들어 “히틀러가 오늘 아침 9시에 죽었다.”라는 말을 “오늘 아침, 독일의 심장이 멎었다.” 혹은 “오늘 아침 독일의 암이 사라졌다.”라고 표현한다면 매우 차원 높은 표현이 된다. 역설법 표현으로는 루소의 “인간은 자유롭게 태어났으나 도처에서 사슬에 묶여 있다.”가 있다. 달라이 라마(Dalai Lama)는 “우리는 요즘 집은 커졌지만 가족은 줄어들었고, 편리해졌지만 여가는 줄어들었다.”라고 했다. 이는 외화내빈의 현실을 역설적으로 잘 표현한 말이다. 이런 화법들은 촌철살인의 효력을 가지고 있어 잘 활용하면 청중을 감동시키는 데 큰 도움이 된다.

둘째, 역사상 명연설의 주요 구절을 직접 인용하여 비교하거나, 그 문구를 상황에 맞게 각색하여 표현한다. 타임지가 선정한 20세기 4대 명연설은 프랭클린 루스벨트의 취임 연설, 윈스턴 처칠의

나치 침략에 대한 전쟁 독려사, 존 F. 케네디의 취임 연설, 마틴 루터 킹 목사의 워싱턴 평화 행진 연설 등이다. 이러한 명연설은 참고해 볼 만한 가치가 있다. 그들의 연설문은 모두 논리 정연하고, 설득력이 있으며, 비유와 대비가 훌륭하고, 청중에게 희망과 용기를 주고, 통합을 호소한다. 만약 시장 선거 유세를 하는 후보자라면, 링컨의 게티스버그 연설문 중 "국민의, 국민에 의한, 국민을 위한 정부"를 인용하면 좋다. 즉, "저는 우리 시민의, 우리 시민에 의한, 우리 시를 위한 창조적 과업에 일생을 바치겠습니다."라고 할 수 있다. 또한 회장이 신입 사원에게 훈시를 하는 자리라면, 케네디의 연설인 "국민 여러분, 조국이 여러분을 위해 무엇을 할 수 있을지를 묻지 마십시오. 여러분이 조국을 위해 무엇을 할 수 있을지를 물으십시오."를 인용하면 좋다. 즉, "여러분은 회사가 여러분을 위해 무엇을 할 수 있을지를 묻지 마시고, 여러분이 회사를 위해 무엇을 할 수 있을지를 걱정해 주시는 사원이 되기를 희망합니다."라고 하면, 훌륭할 것이다.

셋째, 생생한 자기 경험담이나 매우 감동적인 타인의 사례를 이야기한다. 인간의 희로애락에 대한 감정은 누구나 비슷하다. 때문에 자기가 직접 경험한 일이나 감동을 줄 만한 사례를 거론하면 청중의 공감을 기대할 수 있다.

라. 연설의 실전

연설을 잘하려면 기본적으로 지켜야 할 원칙들이 있다.

첫째, 원고를 철저히 외워야 한다. 대통령 취임사 등을 제외하면, 명연설가들은 대부분 원고를 외워서 연설한다. 원고를 보고 읽으면, 청중들은 누가 써 준 것이라 생각하고 별 감동을 받지 않을 수도 있다. 연설 내용이 길다면 메모지에 첫 글자를 기록하거나, 그 문장을 상징하는 삽화 같은 것을 그려 가지고 하는 방법도 좋다. 연설가들은 원고를 집에서 직접 작성하고 기억을 위해 큰 소리로 읽는다.

둘째, 연설할 때 시선은 청중을 향해야 한다. 원고나 메모를 본 후 고개를 들 때마다 여러 곳의 청중을 골고루 쳐다보라. 그래야 청중은 연설자가 자신을 바라본다고 생각하여 친근감을 갖는다.

셋째, 말의 속도와 강약을 적절히 조절하라. 강조하고 싶거나 중요한 대목은 힘주어 말해야 한다. 사람들이 피로감을 느끼며 주의가 산만해진다면 갑자기 작은 소리로 해라. 그러면 사람들은 잘 들으려고 다시 귀를 귀울인다.

넷째, 적절한 유머를 사용하라. 대통령 취임사나 전쟁 등 주요한 정치적 선언의 연설문 말고는 연설에서 적절한 유머는 청중의 흥미를 유발하고 친근감을 형성해 연설을 더욱 생기 있게 한다.

다섯째, 청중을 의식한 공포심을 해소하는 훈련을 하라. 영국 최고의 달변 정치가 디즈레일리(Benjamin Disraeli)는 “처음 하원 의원들 앞에 섰을 때 차라리 기병대 돌격 선봉에 서는 편이 낫겠다는 생각이 들었다.”라며 청중에 대한 두려움을 토로했다. 청중 공포증을 해소하기 위한 방법은 여러 가지가 있다. 첫째, 청중을 하나의 나무나 바위처럼 생각하면 두려움이 가신다. 둘째는 청중은 나에게 채무자이고, 나는 채권자라는 가정을 하면, 공포심이 사라진다. 채권자는 항상 채무자에게 당당하게 큰소리칠 수 있는 입장이기 때문이다.

협상술

중국 고전 ≪안자춘추(晏子春秋)≫에 “준조절충(樽俎折衝)”이란 말이 나온다. 이는 술잔과 고기 담는 그릇 사이에서 적의 충차(衝車)를 꺾어 버린다는 뜻이다. 즉, 무력을 사용하지 않고 술자리에서 외교 협상을 통해 적을 이기는 능란한 외교술을 비유하는 말이다. 우리는 살면서 눈만 뜨면 숙명적으로 협상의 대상자들과 마주하게 된다. 부모가 어린 초등생 아이에게 공부를 잘하면 좋은 옷을 사 주겠다고 흥정하는 것에서부터 취업 시 처우를 계약하는 것이나 국가 간 외교적 협상까지 많은 것들이 해당한다. 그러므로 우리는 이렇게 생활에 필수 불가결한 협상에 대해 그 원리와 기술을 아는 것이 매우 중요하다. 그러기에 그간 수많은 협상술에 대한 저서가 나왔다. 그중에서도 뉴욕 타임즈의 베스트셀러였던 허브 코헨(Herb Cohen)의 ≪협상의 법칙≫이 교과서처럼 알려져 있다. 그다음으로는《포춘 Fortune》지 설문 조사에서 '최고의 협상 전문가' 1위로 지목된 짐 토머스(Jim Thomas)의 ≪협상의 기술≫이 있는데, 저자는 미국 대통령들과 정부 관계자들이 제일 먼저 조언을 구한다는 "협상의 코치"로 불리운다. 또한 하버드 경영 대학원에서 편찬한《하버드식 협상의 기술》도 유명하다. 기타 일본 나이토 요시히토(Naito Yoshihito)의《협상 기술》도 우리나라에 소개된 바 있다. 이러한 세계적인 협상학의 대가들이 주장하는 핵심 내용을 참고로 하여 협상의 기법을 논해 본다.

1. 협상 일반론

가. 협상의 개념

협상술의 대가 허브 코헨은 협상이란 "당신에게 무엇인가를 원하는 상대로부터 오히려 당신이 원하는 것을 얻어내는 일이다."라고 했다. 또 필립 해리스는 "협상이란 상호 이익이 되는 합의에 도달하기 위해 둘 또는 그 이상의 당사자가 서로 상호 작용을 하여 갈등과 의견의 차이를 축소 또는 해소시키는 과정이다."라고 했다. 즉, 협상(negotiation)은 당사자들 간에 이해가 충돌할 때 상호 접촉하여 양보, 교환, 타협의 과정을 통해 문제를 해결하고 서로 이익을 창출해 나가는 행위를 말한다. 여기서 중요한 것은 서로 이익을 창출하는 점이다. 현대적 개념에서 특별한 경우를 제외하고는 어느 일방이 상대방을 희생시키는 협상은 진정한 협상이 아니다.

나. 협상의 4대 요소

1) 협상 목표

협상의 목표는 가장 기초적이고 중요한 요소이다. 이 목표를 정확하면서도 전략적으로 정하는 것이 필수다. 협상 목표의 종류는 큰 이익을 얻기 위한 낙관적 목표, 자기 보호와 안전성 확보를 중시하는 낮은 목표, 낮은 단계에서 점차로 목표를 높여 설정하는 단계적 목표의 세 가지가 있다.

2) 힘

협상에서 힘이 성패를 가를 수 있는 제일의 요소다. 힘에는 여러 가지 유형이 있다. 협상에서 우선 검토할 것은 '경쟁의 힘'이다. 만약 선택 사항이 없어 경쟁의 힘이 없을 경우에는 협상에 절대로 임해서는 안 된다. 백전백패가 기다릴 뿐이다. 둘째는 '합법성의 힘'이다. 당신은 이익이 되는 경우 합법성의 힘을 최대한 사용하고, 그 반대라면 합법성에 도전해야 한다. 합법성은 객관적인 타당성을 가지고 있으므로 상대를 설득하는 큰 무기가 되기 때문이다. 셋째는 '위험을 감수해서 얻는 힘'이다. 협상을 할 때 당신은 기꺼이 위험을 감수할 수 있어야 한다. 위험을 감수하기 위해서는 용기가 필요하다. 위험을 감수하려면 확률에 대한 지식과 감당할 수 있는 손해를 수용할 의지가 있어야 한다. 넷째는 '동참의 힘'이다. 제3자의 참여를 유도하고 그들로 하여금 행동을 취하게 하면 막강한 힘을 발휘할 수 있다. 다수가 참여하는 힘을 활용하는 것은 상대방에게 매우 효과적인 압력 수단이 된다. 다섯째는 '전문 지식의 힘'이다. 쟁점을 토론할 때 설득력을 가지기 위해서는 무엇보다도 관련 사안에 대한 전문 지식을 갖추어야 한다. 여섯째는 "설득력의 힘"이다. 일반대화에서 논리는 긍정적인 설득력으로 작용한다. 그러나 협상에서는 틀에 박힌 일반적 논리보다는 상대방의 필요와 욕구를 충족시키는 데 타당한 말을 해야 설득력이 생긴다. 이것이 바로 설득력의 힘이다.

3) 시간

우리는 대부분 시간 단위로 설계된 계획 속에서 살고 있다. 특히 협상에서는 어느 편이나 항상 시간 제약을 받고 있게 마련이다. 따라서 이 시간은 협상에서 주요 요소가 된다. 그러므로 시간을 잘 활용하는 것이 좋은데 이를 위해서는 첫째, 인내의 힘을 길러야 한다. 협상할 때 양보 행위나 쟁점 해결은 협상 종료 시간 가까이나 혹은 그 시간이 지나서 일어나는 경우가 많다. 이때 인내하는 자가 더 많이 얻는다. 둘째는 협상의 마감 시간을 공개하지 않는 것이다. 상대측이 냉정하고 평온해 보일지라도 그들에게도 마감 시간은 정해져 있고, 그에 대한 긴장감과 압박감을 느끼고 있다. 상대방의 이런 점을 먼저 이용해야 한다. 협상에서 성급한 행동은 이익이 확실히 보장되어 있을 때에만 취하고 보통은 느긋이 기다릴 줄 알아야 만족한 결과를 창출할 수 있다.

4) 정보

정보는 협상에서 가장 보배 같은 전제이다. 외교계에서는 "상대에 대한 정보가 없이 협상 테이블에 나가는 것은 이미 진 게임장으로 들어가는 것이다."라는 명언이 있다. 정보는 전쟁에서뿐만 아니라 개인이나 단체 국가 간의 협상에서도 필수 불가결한 요소다. 그래서 협상에서는 상대의 진정한 관심 사항과 능력 등을 알아내되 나에 대한 정보는 숨기는 것이 기본 전략이다. 이런 중요한 정보 획득을 위해서는 첫째, 조기에 협상 준비에 들어가야 한다. 그래야 관련 정보를 상대보다 하나라도 더 수집하는 데 유리하다. 둘째, 협상 주체나 대상자들의 주변 인물을 자연스럽게 탐문하여 정보를 보강해야 한다. 셋째 이 정보들은 상대가 알지 못하는 가운데 은밀하고 지속적으로 축적해야 한다. 넷째 수집한 정보는 사실 확인 과정을 거쳐야 한다. 만약 상대의 술수에 의한 허위 정보를 믿게 되면 큰 낭패이기 때문이다.

2. 협상 전략의 기본 모델

가. 협상 준비

1) 먼저 협상 목표를 세워라: 단기 혹은 장기적인 기간에 따른 협상 목표를 정확히 세우는 것이 협상의 시작이며, 성공의 열쇠다.
2) 협상의 장애물을 파악하라: 협상에는 변수와 장애물이 나타나는 경우가 많으니 사전에 무엇이 장애물이 될지 예측해 보고 그에 대한 대책을 강구해야 한다.
3) 협상 참여 대상자의 목록을 작성하라: 상대방 협상 주체, 의사결정자, 제3자 등에 대해 리스트를 작성해야 한다.
4) 최악의 시나리오를 예상하라: 협상 결렬 위기까지 상정하여 준비해야 협상을 끝까지 추진할 수 있다.
5) 정보를 수집하라: 상대측 협상 참여자들에 대한 정보는 물론, 그들의 현안 업무와 장단점, 관련 법규 등 제반 정보를 협상 전에 수집해야 한다.

나. 상황 분석

1)양측의 필요성과 관심 사항을 파악하라:상대방의 요구사항을 정확히 파악한 후 나의 요구사항과 그 가치 등을 비교 분석해야 한다.

2) 상호 인식의 정도를 파악하라: 상대가 협상 사안을 어떻게 인식하고 있으며, 머릿속에 어떤 그림을 그리고 있는지 개요를 알아야

한다. 만약 협상 과정에서 걸림돌이 생긴다면 상호 인식의 차이는 있는지, 있다면 그 이유는 무엇인가를 분석해야 한다.
3) 표준에 대한 인식을 하라: 상대방이 주로 선호하는 약속 시간이나 장소 등의 표준을 파악해야 한다.
4) 목표 재검토 여부를 판단하라: 진행 상황이 여의치 않거나 변수가 생기는 등 문제가 발생 시에는 협상 목표를 확대 또는 축소 및 변경하는 등의 대책을 강구해야 한다.

다. 옵션 선택과 리스크 관리
1) 옵션에 대해 치열하게 토의하라: 협상 목표 달성을 위한 옵션에 대해서는 혼자 고민하는 것보다 여럿이 함께 모든 경우의 수를 상정하고 치열한 토론을 해야 한다.
2) 점진적으로 접근하라: 처음부터 만족하려 하지 말고 상대를 파악하고 나의 리스크를 줄이기 위해 단계적인 협상 진행이 필요하다.
3) 제3자의 존재 유무를 파악하라: 나와 상대에 영향을 미칠 수 있는 적이나 우군을 파악하여 적절히 활용한다.
4) 프레이밍을 확립하라: 협상 전체의 틀을 구성해 보고, 자기의 비전을 만들고 상대방에게는 창의적인 질문으로 협상 진행 구성을 완성해야 한다
5) 대안을 반드시 준비하라: 협상을 하다 보면 대부분 난항을 겪게 되거나 새로운 변수가 나타날 수도 있다. 이에 대비하기 위해서는 제2의 플랜, 즉 대안을 준비해야 한다.

라. 확인 행위
1) 손익 계산을 정확히 점검하라: 협상을 진행하면서 반드시 챙겨야 할 핵심 이익과 타협을 위한 양보나 포기할 사항을 파악한다.
2) 협상의 목표와 결정적 요인을 다시 한번 확인하라: 협상이 최초 의도대로 진행되고 있는지 협상 타결의 결정적 요인이 무엇인지 다

시 한번 확인한 후에 결론을 내야 한다.

3) 중요 사항을 계약 전에 상대방에게 최종 확인하라: 협상의 최종 단계로서 나와 상대방이 얻을 이익과 양보 사항 등을 상대에게 최종 확인한 후 계약에 임한다.

3. 협상의 테크닉

가. 기본 법칙

1) 정보 수집과 사전 작업을 충분히 하라: 협상에서는 관련된 정보 수집이 최대 무기이다. 즉 상대방에 대한 인적, 물적 정보는 물론이고, 상대의 입장과 전략에 대해 사전에 충분히 연구하는 것은 필수다. 또한 상대의 논리성, 치밀성, 인내성, 지적 수준, 감정 표현, 취미 등을 미리 파악해야 성공적으로 협상을 진행할 수 있다.

2) 협상 분위기를 잘 조성하라: 쾌적한 장소에 다과를 준비하는 외형적 분위기를 갖추고, 정중한 예의로 우호적인 협상 분위기를 조성해야 한다. 좋은 향기가 나는 장소에서 협상이 성공할 확률은 56%라는 연구 결과도 있다.

3) 권한을 가진 자와 협상하라: 협상 타결의 결정권을 완전히 가지고 있지 않은 사람과 협상하면 헛수고가 되거나 전략만 노출시키게 된다. 그래서 반드시 결정의 힘을 가진 사람과 협상을 해야 한다.

4) 입지보다 전략에 주력하라: 이미 주어진 쌍방의 입지를 고려하는 것보다 그 입지의 바탕 위에서 최선의 전략을 수립하는 것이 효과적이다.

5) 먼저 신뢰를 형성하고 공감을 표시하라: 상대방에게 나의 정직성과 신뢰를 뒷받침할 수 있는 자료와 과거 사례를 들어 신뢰를 먼저 얻어야 한다. 그다음 상대의 주장이나 제안에는 우선 공감을 표시하면서 협상을 진행해야 한다.

6) 상대가 먼저 제안할 때까지 참고 기다려라: 상대가 먼저 제안하도록 유도하여 그의 의도를 파악하는 것이 상책이다. 상대에 대한

답변이나 계약 등을 서두르지 말고 보다 신중하게 검토해야 한다. 참고 기다리는 것이 오히려 상대방의 초조함을 유발하여 나에게 유리한 결정에 도움이 될 수도 있다.
7) 크게 생각하고 선택의 폭을 최대한 넓혀라: 목표 실현 가능성을 높이기 위해서는 한 수 폭넓게 생각하고 다양한 선택지를 마련해야 성공 가능성이 높아진다
8) 난제는 단계적으로 분리하고, 최악의 경우를 예상하라: 복잡한 난제는 단계적으로 분리하여 순차적으로 풀어 나가고, 최악의 경우를 대비해야 실수를 줄이고 위험을 방지할 수 있다.
9) 발로 뛰고 지렛대를 이용하라: 자료나 상대방 말만 믿지 말고, 직접 조사하고 현장 점검을 해야 정확한 현황 파악이 가능하다. 혼자의 힘만으로 상대를 설득하기 어려울 때는 제3자나 유리한 상황을 지렛대로 활용하면 유리하다.
10) 구체적으로 말하고 아닌 것은 정확히 NO!를 하라: 자기 주장을 할 때는 통계 수치 등을 구체적으로 언급하여 신뢰를 주어야 한다. 상대가 무리한 요구를 할 경우에는 정확이 안 된다고 말해야 대화가 정확히 정리된다.
11) 결정은 중용을 택하고 상대가 알아차린 술책은 사용하지 말라: 협상 조건이나 교환, 양보 등 모든 면에서 무리하지 말고 적절한 중용의 원칙을 택하는 것이 효율적이다. 그리고 상대가 알아차린 술책을 쓰면 안 된다. 오히려 나의 전략만 노출하는 역효과만 발생한다.
12) 양보를 교환에 활용하되 최초에 많이 하라: 상대방의 절실한 요구에는 다소 양보하고 대신에 그 교환 가치를 요구하는 것이 좋다. 또한 최초에 다소 많다는 생각이 들도록 양보해야 상대방이 고맙다고 여기게 된다. 그 후에는 별 양보 없이 상대방에게 양보를 요구한다.
13) 나의 요구는 높게 하고 상대방의 첫 제안을 받아들이지 말라: 처음에는 가격이든 교환 조건이든 상대방의 요구를 대비하여 나의

목표치를 높게 요구해야 한다. 반면에 상대방의 첫 요구는 목표치를 높게 잡은 것이거나 상대를 시험해 보기 위한 수단일 수도 있으므로 일단 검토해 보자고 보류하는 것이 좋다.

14) 하나의 패키지로 매듭짓고 덤을 추가하라: 여러 가지 쟁점을 하나씩 결정하지 말고, 최후에 일괄적으로 결정하는 것이 생산적인 기법이다. 게다가 추가로 하나 더 요구하면서 일단 대화를 종료하면 다음 기회에 유리해진다.

15) 합법성의 영향력을 잘 활용하라: 협상 때 자기의 주장을 합법성과 결부하여 정당성을 확보하되, 상대방이 이를 이용하는 것은 대비하고 경계한다.

나. 상황별 협상 기법

1) 물건 구매 협상

첫째, 경쟁의식을 유발하라: 어느 백화점에서 물건을 흥정할 때, 그 점원에게 경쟁 관계에 있는 다른 백화점에서는 유사한 모델을 더 낮은 가격으로 판다고 은근히 귀띔해 주면, 그들은 당장 또는 며칠 후에 가격을 할인해 주는 경우가 있다. 둘째, 필요의 충족을 활용하라: 협상이란 필요를 충족시키는 일이다. 물건을 구매할 때 판매원에게 이 전시품보다 더 고급의 디자인과 다른 색상을 원한다고 말하며 나의 필요를 충족시켜 줄 것을 표명한다. 혹은 전시된 옷에 손때가 묻었다면 이것을 이유로 가격 할인을 요구한다. 셋째, 만약이라는 가정으로 유리한 국면을 만들라: 판매자에게 내가 만약 여러 가지 상품을 함께 구매한다면 가격 할인이 가능한지 타진해 본다.

2) 신제품 판매 협상

어느 기업이나 개인이 신제품을 거래처에 판매하거나 수출을 하고자 할 때는 자기 제품에 대한 신뢰감 홍보가 관건이다. 구매자는 당연히 신제품이라는 측면에서 다음과 같은 의구심을 갖게 된다. 첫째, '제품에 품질이나 기술적인 면에서 문제가 생기지 않을까?', 둘째, '주문량을 늘리면 공급할 능력이 있을까?' 하는 문제다. 이 경우에는 더 좋은 가격이나 조건을 제시하기보다는 기술상의 완벽성과 품질상의 무결점 증명에 초점을 두고 설명하고, 만약 하자가 발생할 시에는 신속하고도 만족할 만한 대응 조치를 할 수 있다는 신뢰감을 보여 주어야 한다.

3) 노사 협상

기업인 입장에서의 협상 전략으로는 첫째, 노조의 조직과 간부들에 대한 성향과 당시 분위기를 잘 파악해야 한다 둘째, 임금 인상, 복지 개선 등 피고용자가 요구하는 주요 이슈에 대해 회사의 매출액, 타 회사의 사례, 세계적 추세 등을 비교하여 그 타당성 여부를 따진다. 셋째, 노사 회담에 참여하는 간부들의 입장을 충분히 고려하여 그들에게 적절한 타협안을 도출해 냈다는 명분을 주어야 한다. 넷째 지나친 요구를 선동하는 강성파들을 먼저 접촉하여 이들을 잘 설득해야 한다. 다섯째, 평소에 노조 간부들과 우호 관계와 일체감을 형성하는 등 잘 소통해야 한다.

한편, 피고용자 입장에서는 첫째, 임금과 후생 복지의 불만족한 부분에 대해 처우가 좋은 타 회사의 사례나 자기의 가정 경제 상황 등을 들어 현실적인 고충을 토로한다. 둘째, 폭력이나 극한적인 대립보다는 논리적인 대안으로 자기주장을 관철하도록 노력해야 한다. 셋째 자신들의 요구가 관철되지 않으면 고용자측에 어떠한 피해가 갈 수 있는지에 대해 압박용 경고를 한다.

4) 임금 인상 협상법

첫째, 임금 인상 요인의 근거를 정확히 설명하라. 그간 자기가 이룩한 업적을 육하원칙에 의거하여 증거를 대며 설명해야 한다.

둘째, 같은 업종의 타 사원이나 자기 회사 내의 동료 임금을 자세히 분석한 후 고용자측에 임금이 만족스럽지 못하다는 점을 이해시킨다 혹은 어필한다.

셋째, 현재의 실적 이외도 향후 자신이 가진 다른 우수한 기능이나 연구 비전 등을 설명하여 몸값을 올린다.

5) 국제 비즈니스 협상

첫째, 국제 무역에 관한 상식과 상대국에 대한 관련 법규, 금융 제도, 무역 관행, 문화, 교통 등에 관한 기본 정보를 파악하라.

둘째, 국내보다 리스크가 더 크다는 점을 감안하여 거래 전에 파트너나 바이어에 대한 인적, 물적 정보를 사전에 면밀히 파악하라. 그다음 상대방과 연계된 배경, 소개자, 기존 업계의 성공 및 실패 사례 등도 세밀히 검토하여 위험 요소에 대비하라.

셋째, 바이어나 사업 파트너 등과 가능한 직접 협상을 하고, 대화는 국제 규범에 의거하여 논리적으로 해야 한다. 특히 국제 비즈니스는 논리가 안 맞으면 신뢰가 저하되어 실패의 원인이 된다

넷째, 상대방과 친교가 있는 자를 잘 활용하여 우호적이고 신뢰분위기를 조성하라

다섯째, 거래 방법상 사기나 클레임에 대한 해결 방안 등을 사전에 충분히 연구하고 상대방으로부터 확약을 받는 문서 위주의 협상을 하라.

여섯째, 비용을 감수하고라도 현장 방문 및 실사 위주의 협상이 이루어지도록 하라.

6) 약자의 처지를 극복하는 협상

첫째, 협상에서의 약자적 입지에 있는 사람에게는 정보가 최고의 무기다. 상대의 재력, 인맥, 취미, 경력 등에 대한 다양한 정보를 수집하라.

둘째, 협상하기 쾌적한 분위기를 조성해야 한다. 이를테면 분위기 있고 은은한 향기가 나는 장소로 초청하고, 협상 중간에 필요한 고급 다과나 음료수 등을 준비하는 것이다.

셋째, 정중하고 예의를 갖춘 언어를 구사하여 상대에게 호감을 주어 인간애를 느끼도록 해야 한다. 이는 상대에게 협상 결렬에 부담

을 느끼게 하는 기법이다.

넷째, 상대방을 칭찬함으로써 내가 덕을 베푸는 덕망가로 보이게 하고, 상대로 하여금 약간 양보는 했으나 결국 자신이 이겼다고 생각하게 하라.

다섯째, 지금은 내가 다소 어려운 입장이나 향후 거래가 성사되면 상대방은 더 좋은 거래의 이익을 볼 수 있다는 비전을 설명하라.

여섯째, 협상을 천천히 진행하고, 여러 번 나누어서 조금씩 열세를 만회해 간다.

일곱째, 상대가 너무 무리한 주장을 하거나, 완고하여 협상 진행이 곤란하면, 협상 결렬을 각오하고 강하게 주장하는 것도 필요하다.

4. 주요 협상 사례

가. 고려 서희의 외교 담판

우리 역사상 외교 협상의 대표적인 성공 사례로 고려 서희의 담판이 있다. 거란은 중국의 중원에 있는 송나라를 정벌할 준비 작업으로 우선 고려를 침입하여 항복을 요구했다. 이에 고려를 대표해서 문신 서희가 거란의 소손녕을 만나 외교 담판을 시작했다. 이 회담에서 소손녕은 "고구려 땅은 거란의 영토인데 고려가 일부를 점령하고 송나라를 섬기고 있다."라면서 송나라와 단교를 하고, 거란과 국교를 맺을 것을 요구했다. 이에 대해 서희는 "고구려가 곧 고려의 옛 땅으로서 오히려 거란이 우리의 영토를 침식한 것이다."라고 했다. 이어서 서희는 "거란과 외교가 없는 것은 여진족이 고려와 거란 간의 중간에 있어 교통에 방해가 되니 압록강 일대의 여진족들을 축출하라."라고 설득했다. 결국 거란은 이를 수용하며 군대를 철수하였고 고려는 강동 6주를 얻었다. 거란은 또한 전쟁 없이 고려와 국교를 이루었다. 이 협상은 서희가 사전에 역사적 사실과 국제적인 주위 환경 등을 면밀히 파악하고 분석했다는 점에서 협상 준비가 철저했다고 평가할 수 있다. 그리고 서희가 거란의 목표가 고려 정벌보다는 거란의 중원 진출에 있다는 것을 알고, 여진족이 고려와 거란의 수교에 방해가 된다는 명분으로 여진족 축출을 요구한 점이 협상 성공의 요인으로 작용했다. 즉, '윈윈'의 협상 전략이 성공한 것이다.

나. 한국 전쟁 정전 협상

1950년 6월 25일 북한의 남침으로 발발한 한국 전쟁은 1953년 7월 정전 협상이 타결되어 종식되었다. 정전 회담은 UN의 제안으로 1951년 7월부터 개시된하여 2년여 만에 막을 내렸다. 이때 UN측 협상 수석 대표는 미국의 해군 제독 C. T. 조였고, 북한 및 중국측 수석 대표는 북한 인민군 총참모장 남일(南日)이었다. 한국군의 백선엽(白善燁) 소장 등도 참여했으나 발언권이 없는 옵저버 자격이었다. 휴전 회담은 ①협상의 개시와 군사 분계선 설정 합의, ②휴전의 세부 사항에 관한 일괄 타결, ③장기 휴회의 지속과 협상의 급진전, ④전쟁 포로 문제 합의와 휴전 협정 체결 등으로 전개된다. 회담은 초반부터 양측의 군사 분계선 설정과 비무장 지대의 설치에 관한 내용에 있어 의견 불일치로 중단되었다. 휴전 협상에서 가장 장애가 된 것은 포로 교환 문제였다. UN측은 개인 권리 불가침을 내세워 '개별 자원 송환'을 주장했다. 이에 반해 북한과 중국측은 제네바 협정 제118조에 따른 '전원 자동 송환'을 주장했다. 쌍방의 강경한 주장이 첨예하게 대립되어 장기간 휴전 회담이 지연되면서 전쟁은 더욱 소모적이고 치열한 고지 쟁탈전으로 진행되었다.

1953년 3월 소련의 스탈린이 사망하자, 4월부터 휴전 회담이 재개되어 6월 8일 양측은 포로의 자유 송환을 원칙으로 하는 '포로 교환 협정'을 체결한다. 이로써 휴전 협상의 모든 의제가 타결되어 1953년 7월 27일 비무장지대(DMZ) 설정, 군사정전위원회 및 중립

국감시위원회 설치, 포로 교환, 고위급 정치 회담 등에 관하여 규정한 정전 협정이 조인되었다. 이 협정서에는 미국의 유엔군 사령관 마크 클라크(Mark Wayne Clark)와 중국의 인민 지원군 사령관 펑더화이(彭德懷), 북한의 북한군 최고 사령관 김일성이 서명했다. 대한민국은 '휴전 협정'에 서명하지 않았는데, 당시 이승만 대통령이 중국군 철수, 북한의 무장 해제, 유엔 감시하의 총선거 등을 내세우며 '휴전 반대 운동'을 전개하고 있었기 때문이다.

이 정전 협상의 타결은 다음과 같은 요소들이 만든 결과물이다. 양측이 모두 장기간의 전쟁으로 막대한 피해를 입었고, 미국과 북한의 최고 지도자들도 정치적 입지가 약화되는 상황에서 정전은 양측에 강렬한 요구 사항이 되었다. 이 정전 협상에서는 당사자만이 아닌 UN이나 소련 등 제3자도 적절한 역할이 있었다. 포로 문제가 '자유교환'으로 결정된 것은 국제 여론과 인간의 자유 보장이라는 논리성이 힘을 발휘했기 때문이다. 이러한 요소들은 협상의 기본 원칙인 상호 요구의 충족, 상호 양보의 필요, 제3자의 적절한 활용, 논리의 타당성, 시간의 긴박성 등이 적용된 사례로 분석된다.

다. 하노이 북미 핵 협상

2019년 2월 27일 미국과 북한은 베트남 하노이에서 한반도 비핵화 문제로 제2차 정상 회담을 개최했다. 결과는 '하노이 노딜'로 불리는 협상 결렬로 끝났다. 이 회담은 사전에 준비가 제대로 안 된 상태에서 서로 자기의 목표만 챙기려다 실패한 국제 협상의 전형적인 사례가 되었다. 북한은 이미 노후되어 쓸모 없어진 영변 핵 시설을 내주는 한편, 노출되지 않은 또 다른 핵 농축 시설은 숨기고 그 대가로 핵심적인 대북 경제 제재 해제를 얻어내려 했다. 반면에 미국은 소위 빅딜이라는 협상 전략으로 영변 핵 시설 이외 다른 곳의 핵 시설을 공개하고 그곳도 폐기 대상으로 포함할 것을 요구했다. 그러자 미국의 정확한 정보망을 간과한 김정은은 미국이 이런 곳을 다 알고 공개할 것을 요구할 줄은 몰랐던 것이다. 이에 당황하여 그런 곳은 없다고 우기다가 트럼프가 협상 테이블에서 일어서자 하는 수 없이 결렬을 선언하고 평양으로 돌아가야만 했다. 미국이 협상의 3대 요소인 힘과 시간 그리고 정보의 압도적 우위에서 북한의 허무한 잔꾀를 물리친 결과로 분석된다. 즉 미국은 정확히 줄 것은 주고 받을 것은 확실하게 받는다는 협상의 원칙에 입각했고, 북한은 얄팍한 게임 전략으로 나섰다가 망신만 당한 것이다. 어쩌면 북한의 외교사에서 가장 자존심이 상하는 최악의 협상으로 기록될 것이다. 이 사례를 통해 협상에서는 힘과 정보가 있어야 한다는 것과 사전 준비가 안 된 협상은 실패로 끝난다는 교훈을 얻을 수 있다.

라. 미중 무역 협상

1919년 12월 13일 근 2년간 끌어오던 미중간 무역 전쟁을 종료시킬 1단계 미중 무역 협상이 타결되었다. 미중 무역 전쟁의 핵심 쟁점은 미국 측에서 중국 측에 요구하는 사항은 첫째, 중국과 합작한 미국 기업에 대해 기술 이전을 강요하지 말 것, 둘째, 사이버 절도로 미국의 핵심 기술을 절취하지 말것, 셋째, 미국의 지식 재산권을 철저히 보장할 것, 넷째, 금융 및 서비스업을 더욱 개방할 것, 다섯째, 중국이 통화(환율)를 조작하지 말 것, 여섯째, 미국의 농산품을 더욱 개방할 것, 일곱째, 비관세 장벽을 철폐하고 중국의 대미 무역 흑자를 줄일 것 등이다. 이에 대해 중국 측 요구는 '미국산 농산물, 반도체, 에너지 등의 구매 확대를 통해 무역 불균형을 해소할 테니 미국의 중국 상품에 대한 관세를 인하하라.'는 것이었다. 그리고 사이버 절도, 기술 이전 강요, 환율 조작 등은 없다고 강변해 왔다. 결국 이 협상에서 중국이 "미국의 농산물을 추가 수입하고, 지식 재산권을 보호하고, 시장 개방을 확대하겠다."라고 약속했다. 미국은 중국산 수입품에 대해 이미 부과됐거나 부과될 예정이었던 관세를 일부 취소하겠다고 약속했다. 이로써 협상은 미국의 중국 측에 대한 무역 불균형 해소 및 시장 개방 확대라는 긴박한 요구가 다소 충족되어 불완전하나마 타결된 것이다. 여기서 주목할 대목은 양측이 상호 평등과 존중, 양보의 원칙에 기초한 협상이 성공의 포인트가 된다는 점이다.

마. 미소 간 핵 위기 협상

1962년 쿠바 핵미사일 위기가 발발했다. 미국이 터키에 주피터 핵미사일을 배치하자 소련은 이에 맞서 미국 바로 밑에 있는 쿠바에 핵미사일을 일부 반입하고 본격적인 미사일 기지를 건설하고 있었다. 이에 미국은 U-2기 등 정보 기술을 총동원하여 이런 사실을 확인하고, 긴급 국가 안보회를 수차례 열고 논의했다. 미 군부와 CIA는 핵전쟁을 불사하고 쿠바 내 소련 핵미사일 기지 건설 현장을 폭파하자는 강경론을 주장했고, 민간인 전문가와 관료들은 선제 핵공격을 반대했다. 이에 따라 케네디 대통령은 핵전쟁을 염두에 두되, 우선 쿠바 영해에 대한 해협 봉쇄를 결정했다. 10월 24일, 케네디 대통령은 전군에 '데프콘3'의 비상 경계령을 발령하고 항공 모함 8척을 포함, 무려 90척의 대규모 함대를 집결시켜 쿠바의 모든 영해를 봉쇄했다. 케네디 대통령은 카리브해로 미사일 기지 건설 자재를 싣고 오는 모든 선박에 대한 강제 수색 명령을 내리고 이를 거부할 시 격침 시키라는 초강수를 둔다. 소련 흐루시쵸프(Nikita Khrushchyov)는 미국의 쿠바 봉쇄를 "해적 행위"라고 강하게 비난하며, 미사일 부품과 기술자를 태운 자국 선박에게 이 조치를 무시하고 핵 잠수함 6척의 호위 하에 쿠바로 강행 진입하라는 명령을 내린다. 하지만 소련은 미국에 비해 핵무기 수량의 열세에다가 당장 미국의 영해 봉쇄를 뚫을 해군력이 없었다. 때문에 결국 소련은 미국 측에 "터키에 있는 미국의 핵미사일을 철수시키면 쿠바 내 핵무기와 미사일을 철수하겠다."라는 협상 조건을 내세워 타협을 보게 되었다. 미국의 벼랑 끝 전술((brinkmanship)이란 대담한 협상으로 핵전쟁 위기를 넘긴 역사적인 사례다. 이 협상은 직접 회담이 아닌 통신을 통한 비상 의견 교환 형식이었으나, 정보력과 힘의 우위가 얼마나 중요한지를 잘 보여준다. 그리고 강력한 최후통첩의 위력과 상호 교환의 법칙이 작용하고 있음을 알 수 있다.

바. 파나마 운하 협상

프랑스의 건설 회사는 경영난에 봉착하자 파나마 운하 개발권을 포기하고 미국에 매각하기로 결정했다. 회사의 대리인 필립 장 뷔노 바리야(Philippe-Jean Varilla)는 직접 미국으로 건너가 미국 정부에 파나마 운하 개발권을 팔겠다고 제안했다. 미국은 1880년부터 두 대양을 연결하는 운하를 개발하는 계획을 세우고 있었던 참이라서 이 제안에 흥미를 가졌다. 처음에 미국의 전문가들은 파나마 운하 건설은 공사 비용 총 2억 5,000만 달러가 소요된다며 차라리 1억 불로 '니카라과 운하'를 건설하는 것이 합리적이라는 보고서를 대통령에게 올렸다. 이에 미국의 루스벨트 대통령은 관련 보고서를 검토하고서 속내를 내보이지 않고 시큰둥한 반응을 보였다. 한편 뷔노 바리야 역시 이 보고서를 읽고, 만약 미국이 니카라과에서 운하를 건설하면, 회사는 한 푼도 회수하지 못한다는 판단에서 즉각 미국 정부에 개발권 가격으로 4,000만 달러면 충분하다는 뜻을 전달했다. 하지만 루스벨트는 "만약 적당한 시기에 콜롬비아 정부와 합의가 되면 파나마 운하를 건설하겠지만, 그렇지 않으면 니카라과 운하 쪽으로 돌아서겠다."라고 일부러 부정적 반응을 보냈다. 상황이 이렇게 되자 콜롬비아 정부도 다급히 미국과 협상을 벌였다. 그 결과 미국은 100만 달러에 파나마 운하의 독점 운항권을 차지했다. 미국은 이후 수년간 운하를 빌리는 데 매년 단 10만 달러만 지불하면 되었다. 이 협상 성공의 비결은 상대에게 협상에 필요한 시간이 부족함을 인지시켜 상대방이 먼저 조건을 제시하도록 한 것과 자신의 전략을 노출시키지 않고 반대의 반응으로 상대를 기만한 전술이었다. 이 사례는 협상에서 시간과 정보의 힘, 그리고 기만 전술의 효력이 얼마나 중요한지를 잘 말해 주고 있다.

사. 파나소닉과 필립스의 합작 회사 설립 협상

1952년 일본의 마쓰시타 전기는 세계의 톱 브랜드를 자랑하는 네덜란드의 필립스와 합작 회사를 설립하기 위해 서로 협상 테이블에 앉았다. 당시 필립스는 일렉트로닉스 분야에서 세계 최고 수준이었고, 마쓰시다는 별로 내세울 만한 것이 없던 신흥 전기 기업이었다. 이 협상에서 필립스 측은 합작 제휴를 하는 조건으로 파나소니 측에서 선불금 15만 달러와 지분 30%, 기술 지도료 7%를 지불해 줄 것을 요구했다. 이에 맞서 파나소닉의 마쓰시타 고노스케(まつしたこうのすけ) 사장은 "당신들이 기술 지도료까지 요구한다면, 그럼 당신들도 우리에게 경영 지도료를 지불하라."라고 요구했다. 마쓰시타 고노스케는 "당신들이 아무리 뛰어난 기술을 제공하더라도 마쓰시타 전기의 경영 능력이 없다면 결코 성공할 수 없다. 합작 회사가 들어서는 곳은 일본이다. 그러므로 당신들에게 기술 지도료를 낼 수는 있지만, 마쓰시타 전기도 똑같은 맥락에서 경영 지도료를 받아야 한다."라는 논리를 대었다. 이에 필립스사 측에서 경영 지도료는 불합리하다고 하여 1차 협상은 결국 결렬되었다. 그 후 두 회사는 세계 기업들의 경쟁이 격화되는 현상에서 서로 시너지 효과를 위해 합작을 해야한다는 필요성을 느껴 1년 후에 다시 협상을 재개했다. 결국 마쓰시타 전기는 기술 지도료 4.5%를 필립스에 내고, 대신 경영 지도료 3%를 받는다는 파격적인 제휴 조건으로 두 회사는 마침내 계약서에 서명했다. 이 협상의 교훈은 서로의 강력한 요구가 협상 타결의 원동력이라는 점과 양보에 상응하는 대가를 얻을 수 있다는 점이다.

전략론

“백 번 싸워 백 번 이기는 것은 최상의 병법이 아니다. 싸우지 않고 적을 굴복시키는 것이 최상의 병법이다(百戰百勝, 非善之善者也. 不戰而屈人之兵, 善之善者也).” 이는 그 유명한 손자병법에 나오는 최고의 전략 개념이다. 영국의 세계적 전략 연구가인 바실 리델 하트(Basil Henry Liddell Hart)도 그의 저서 ≪전략론≫에서 직접 싸우지 않고 적을 제압하는 간접 접근의 전략이 상책이라고 주장했다. 이는 모두 최소의 경비로 최대의 효과를 거두는 경제 원칙과 통하는 논리이기도 하다. 일반적으로 전략이라고 하면 군사적 의미의 전략을 의미한다. 하지만 현대 사회에서는 경영학에서 경제적 측면의 전략을 심도 있게 연구하고 있고 전 세계의 대부분 경영 대학원에서 전략을 주요 과목으로 가르치고 있다. 우리는 일상생활에서 거래와 계약, 분쟁과 협상, 취업과 기업 운영 등 제반 분야에서 전략이라는 보이지 않는 룰의 지배를 받고 있다. 조엘 로스는 “전략이 없다면 방향 없이 제자리를 빙빙 도는 키 없는 배와도 같다.”라고 했다. 이 말대로 우리는 살면서 전략이 없다면 삶의 방향을 모르고 헤매다가 패배와 손해만을 맛볼 것이다. 눈만 뜨면 무엇인가를 선택하고 결정해야만 하는 상황에 우리는 어떠한 전략적 사고로 임해야 하는가? 특히 리더가 되기를 희망하는 사람은 영민한 전략가가 되지 않으면 안 된다. 전략은 단순히 게임의 승리나 문제 해결의 도구 역할만 하는 것이 아니다. 국가나 사회, 단체의 리더가 구비해야 할 중요한 덕목이기도 한 것이다. 이제 손자, 나폴레옹, 피터 드러커 등 전략가들과 데이비드 요피, 애비너시 딕시트 등 유명 전략가들의 핵심 주장을 토대로 전략의 이론과 실제를 살펴보기로 한다.

1. 전략의 일반론

가. 전략의 개념

"전략(strategy)"이라는 단어의 어원은 고대 그리스어인 Strategos에서 나온 것이다. 이는 "전반적 지배"라는 뜻으로 stratos(군대나 집단)와 agein(이끌다)의 합성어이다. 군사적 의미의 전략이란 전쟁을 전반적으로 이끌어 가는 방법이나 책략을 뜻하며, 전술보다 상위의 개념이다. 작전과 비슷하면서도 좀 더 상위의 개념이다. 따라서 전략은 본래 군사에서 쓰이는 낱말로, 특정한 목표를 수행하기 위한 행동 계획의 의미로 정의할 수 있다. 한편, 경영학적 의미에서의 전략 개념은 1940년대 초 존 폰 노이만(John von Neumann)과 오스카르 모르겐슈테른(Oskar Morgenstern)이 게임 이론과 함께 도입했다. 즉 이들은 전략을 "전체를 위해 중요한 목표를 장기적이며 미래지향적으로 추구하는 행위"로 정의한다.

나. 전략과 전술의 차이

전략은 근대에 확립된 개념으로서, 현대의 전쟁에서는 군사 및 경제 자원을 총동원하는 것을 전제로 한다. 이 용어가 사용되기 시작한 초기에는 전투를 계획하고 지휘하는 기술과 전투 부대를 이동하고 배치하는 기술을 뜻했다. 전략은 전통적으로 전술과 구별되어 사용된 개념이다. 그 차이는 첫째, 전략은 전쟁의 전반적인 국면을 다루고 전쟁에서 이기기 위해 전투를 어떻게 이용할 것인가에 초점을 두는 반면, 전술은 주로 전투에서 이기기 위해 병력과 장비를 어떻게 이용할 것인가에 초점을 둔다. 둘째, 전술은 전쟁터에서 병력을 다루는 문제와 관련되어 있는 반면, 전략은 전투의 준비 행위로서 이 병력을 유리한 위치에 배치하는 문제를 다룬다.

다. 전략 목표와 성과 목표

전략 목표는 군대나 어느 조직의 임무를 수행하기 위해 수립하는 체계적인 전략의 중점 방향을 의미한다. 성과 목표는 전략 목표의 하위 개념으로서 목표 달성 여부의 비교, 즉 성과 측정이 가능한 보다 구체적인 목표를 의미한다. 전략 목표는 포괄적이고 추상적인 개념인데 반해, 성과목표는 측정 가능한 구체적인 활동 목표이다.

2. 전략의 기본 원칙

가. 전략의 목표는 가용 수단을 고려해 수립하라.

아무리 훌륭한 전략적 목표라 해도 그 실현 가능 수단이 없다면 무의미하다. 즉 제반 여건과 자신의 역량을 충분히 고려하여 목표를 설정해야 한다.

나. 상대방의 입장을 우선 고려하는 전략을 세워라.

경쟁 상대가 있는 상황에서는 상대의 목적과 전략을 간파한 후 상대 플레이어의 입장에서 전략을 수립해야 성공 가능성이 높다.

다. 대용 목표를 세워 대체가 가능한 전략을 수립하라.

전쟁이나 프로젝트 전략이 반드시 의도한 대로 상황이 전개되는 것은 아니다. 만약의 경우를 대비하여 예비 목표를 세워야 낭패를 막고 대처할 수 있다. 사업 추진이나 협상에서도 마찬가지다

라. 계획과 준비가 상황에 따라 변경될 수 있게 유연성을 확보하라.

모든 전략은 상황에 따라 계획을 신속하게 변경할 수 있는 유연성을 갖춰야 한다. 즉, 전략은 적절하게 변화시키고 배합하여 사용해야 효과적이다. 목표 달성에 집착하여 경직되게 전략을 운용하면 실패할 가능성이 높아진다.

마. 미래를 예측해서 역방향을 추론하라.

전략적 상호 작용의 법칙은 결론부터 시작하는 것이다. 미래를 예측해서 역방향으로 추적하면 전략 게임의 결론을 추정할 수 있다. 이 역방향 추론에 근거하여 전략을 수립하고 수정해 나가야 한다.

바. 공략의 코스와 표적은 상대방의 예측과 대항이 힘든 곳을 선택하라.

상대방이 예측하거나 대항하기가 가장 어려운 루트를 선택해야 나의 전략이 노출되지 않고 내 의도대로 공략할 수 있다. 비즈니스에서도 이런 예측 불가능성은 상품 기획 등 각 단계에서 중요한 전략이 된다.

사. 상대의 전력과 준비가 가장 허약한 곳을 선택하라.

상대의 전력상 가장 허약한 곳이나 약점을 골라 공격하는 것은 군사 전략의 기본이다. 협상이나 비즈니스 경쟁에서도 같은 전략이 통용된다.

아. 경쟁자가 경계 태세일 때는 한 곳에만 집중하지 마라.

적의 아군에 대한 경계가 심할 때는 공격 목표를 한 곳에만 집중하지 말고 상황을 보아가며 혼란과 분산책으로 경계를 이완시킨다. 비즈니스에서도 상대가 나를 경계할 때는 내가 경영기법을 다른 방향으로 바꾸는 것처럼 하여 혼란을 주는 것이 전략적이다.

자. 패배를 택함으로써 승리를 취하는 전략을 세워라.

현재 상황이 매우 불리하거나 하나를 양보하면 더 큰 이득이 예상될 때, 패배를 택하여 최후의 승리를 노린다.

차. 배수진을 친 비상의 전략

배수진을 침으로서 상대가 물러설 수 없도록 선택권을 제거하는 전략이다. 아테네 장군 크세노폰(Xenophon)이 병사들에게서 ‘후퇴’ 라는 선택권을 박탈하기 위해 일부러 계곡을 등지고 전투를 하는 전략으로 승리를 쟁취했다.

카. 한 번 실패한 전술이나 기법은 다시 사용하지 마라.

전략은 적에게 노출되면 이미 그 가치를 상실하고 오히려 역용의 빌미만 준다. 따라서 한 번 사용해 실패한 전법은 다시 반복하면 실패한다.

3. 상황별 맞춤형 전략

가. 전략적인 선점의 기술

1) ‘전략적 수’로 게임의 방식을 바꾸어라.

‘전략적 수’란 당사자가 어떤 행동을 취함으로써 더 나은 결과가 보장되도록 게임을 변화시키는 것을 말한다. 이를테면, 다이어트를 하겠다는 사람이 스스로 “이를 어기면 큰 손실과 수치심을 감수하겠다.”라고 공약하는 것이 전략의 수이다. 이렇게 게임의 방식을 바꾸면 다이어트를 최대한 실천하게 된다.

2) 위협과 약속으로 상대의 수를 변화시켜라.

위협은 상대가 내가 바라는 행위를 하지 않을 경우 처벌하는 대응 규칙이고, 약속은 상대방이 내가 바라는 행위를 했을 경우 보상을 한다는 규칙이다. 때문에 위협과 약속은 좀 복잡한 조건부 전략의 수다. 조건부 수가 성립하려면 상대방의 수에 어떻게 대처할 것인가를 규정한 ‘대응 규칙’을 사전에 정해 두어야 한다. 이러한 위협과 약속으로 상대방이 다른 수를 선택하도록 하여 나에게 유리하게 한다.

3) 억제와 강제로 상대가 내게 손해가 되는 전략적 수를 쓰지 못하게 하라.

상대가 내게 불리한 특정 행위를 못하도록 사전에 중지시키는 것이 억제고, 상대방이 취하지 않아도 될 행위를 하도록 하는 것이 강제다. 이러한 억제와 강제를 적절히 구사하여 상대가 나에게 손해를 끼치지 못하도록 해야 한다.

4) 상대에게 나의 유리한 정보를 전달하라.

상대의 전략에 영향을 주고, 나의 전략 추진에 유리하도록 상대방에게 정보를 전달할 필요가 있다. 이런 정보에는 경고와 보장이 있다. 다만, 위협과 약속이 진정한 전략적인 수인데 반해, 경고와 보장은 그저 정보 전달의 기능만을 한다.

5) 상대의 전략적 수를 읽어내는 방법을 찾아라.

상대의 수를 읽는 방법은 대응하기 전에 상대방이 "무조건적인 수"를 두도록 놓아두고, 행위를 취하기 전에 위협과 약속을 기다리는 것이다.

6) "벼랑 끝 전술'"을 올바르게 사용하라.

위협을 할 때는 그 효과를 기대할 수 있는 최소 수준으로 유지해야 한다. 하지만 어느 정도 위협이 최소 수준인지 알 수 없을 경우 작은 위협으로 시작해 점차 증대시켜 감으로써 어느 수준의 위협이 효과적인지 알아내는 것이 정석이다. 벼랑 끝 전술의 핵심은 의도적인 위험의 창출이다. 따라서 이 위험은 충분히 커야 한다.

나. 나의 전략이 먹혀들게 하는 기술

1) 공약을 뒷받침할 수 있는 계약서를 쓴다.

대부분의 계약은 제3자가 계약의 이행을 책임지도록 규정한다. 제3자는 계약이 이행되든 안 되든 개인적으로 이해관계가 없다. 계약의 이행을 강제하고자 하는 인센티브는 다른 데서 온다.

2) 명망을 쌓고 이를 이용하라.

나에 대한 평판이 확고해야만 내가 구사하는 전략적 수에 신빙성을 부여받게 된다. 명성과 좋은 평판을 갖고 있으면 상대가 나에게 신뢰를 가지며 함부로 술수를 쓰지 못한다.

3) 배수진의 전법으로 퇴로를 차단하라.

배수진의 전법은 전쟁에서 자주 사용되는 고전적 전법이다. 퇴로를 차단하면 아군은 죽을 때까지 싸우는 방법밖에 없어 결국 결사적인 전투로 승리한다는 전략이다.

4) 조금씩 단계별로 움직여라.

상대에 대한 행위를 여러 개로 나누어 실행하면 공약은 신빙성이 높아지고, 위협이나 약속은 반작용을 줄이는 장점이 있다. 예를 들어 판돈이 너무 크면 서로가 신뢰하지 못하는 경우가 많다.

5) 팀워크를 통해 신빙성을 높여라.

사람들은 개별적으로는 약해도 집단을 형성하면 강해진다. 동료 간의 영향력을 모아 역량의 시너지 효과를 내는 것이다

6) 권한을 위임한 대리인을 활용하라.

평소 유대 관계가 있거나 지속 거래를 해야 할 상대와의 협상은 대리인에게 위임하는 방법이 유용하다. 대리인은 인정에 관계없이 냉철하게 협상에 임함으로써 불필요한 양보 등을 할 필요가 없기 때문이다.

다. 상대방의 전략에 대한 신빙성을 훼손하는 방법

1) 상대방이 배수진의 전법을 사용하면, 손자병법의 ‘퇴로를 열어 주라’는 전법을 사용하라. 그러면 상대방은 퇴로가 열려 필사의 전투를 하지 않는다.
2) 상대가 단계별 행동으로 위협해 오면, 역으로 상대방의 위협을 조금씩 침해하여 그 위협의 신빙성을 훼손한다.
3) 상대가 대리인을 활용해 이득을 취하려 할 경우에는 대리인과의 협상을 거부하고 직접 대화를 요구한다.

4. 기업 경영 전략

가. 경영 전략의 기본 원칙
1) 미래 비전을 최우선하여 경영 전략을 수립하라.
2) 신속한 전략 변경이 가능한 조직을 만들어라.
3) 개방된 조직 문화와 환경을 조성하라.
4) 자기 능력을 정확히 평가하여, 투자의 한계와 우선순위를 정하라.
5) 원가 우위 전략으로 효율성 높은 생산 설비를 구축하고 비용을 철저히 관리하라.
6) 차별화 전략으로 제품을 설계하며 브랜드 이미지를 제고하고 고객 서비스를 향상시켜라.
7) 집중화 전략으로 특정한 구매자 그룹과 지역 시장에 집중하라.
8) 고객의 니즈를 예측하고, 역량을 니즈에 맞춰라.
9) 경쟁자들의 움직임과 전략적 변곡점을 예측하라.
10) 진입 장벽을 만들고 고객들을 묶어 둬라.

나. 경영 효율화 전략

1) 시간 관리를 철저히 하라.

자신과 모든 회사 사원이 시간을 어떻게 사용하고 있는지 철저히 점검한 후 자신들이 통제할 수 있는 시간이면 미미한 시간이라도 체계적인 관리를 통해 활용하도록 해야 한다.

2) 강점을 기반으로 성과를 도모하라.

자신과 상사, 동료, 부하의 강점과 상황의 유리한 점을 바탕으로 성과를 내라. 약점을 기반으로는 성과를 낼 수 없다.

3) 월등한 결과를 얻을 수 있는 주요 부분을 선택하고 집중하라.

업무의 우선순위를 스스로 결정하고, 가장 중요한 일을 먼저 하는 것이 최상책이다. 그리고 끝까지 집중해야 한다.

4) 목표 달성을 위한 올바른 의사결정을 내려라

의사 결정은 바른 순서에 따라, 다양한 의견에 기초하여 한다. 그것이 경영의 효율화를 보증한다.

다. 변화와 대처의 전략

1) 대체 산업과 업계 내의 유사한 다른 전략적 그룹에서 배워라.

1) 기업의 혁신과 발전을 위해서는 자기 성공에 만족하지 말고, 새시대에 적응할 대체 산업과 선도적인 타사로부터 전략을 배워야 한다.

2) 실제 구매자들에게 눈을 돌린다.

모든 상품의 최종 소비자는 구매자이다. 따라서 관리자나 생산자들의 의견보다 실제 구매자들의 니즈를 파악해서 그 요구에 호응해야 한다.

3) 보완재나 보완 서비스를 생각한다.

시장 환경이나 제품의 품질 등에 따라 항상 변수가 있으므로 이에 대비한 보완재 개발이나 보완서비스를 준비해야 한다

4) 제품의 기능 지향과 감성 지향을 서로 바꾸어 본다 :

현대 경영에서는 제품은 기능만으로 평가받는 것이 아니라고 본다. 제품을 사용하는 소비자의 감성적 측면도 고려하여 제품의 기능과 고객의 감성을 잘 배합해야 한다.

5) 미래를 내다본다.

현대는 광속적인 급변의 시대이다. 어제의 기술이 오늘의 고전이 될 수 있다. 때문에 항상 미래 비전을 염두에 두고 경영전략에 임해야 한다.

라. 이노베이션을 성공시키는 전략

1) 조직을 새롭게 단장하라(조직의 혁신).

조직을 보다 혁신적으로 개편하여 기업에 활력을 불어넣고 생산성을 향상시킨다. 독점적인 지위를 형성하거나 다른 회사의 독점적인 지위를 깨뜨림으로써 새로운 조직을 만들어낼 수 있다.

2) 새로운 재화를 창출하라(제품기술의 혁신).

기술을 혁신하여 소비자들 사이에서 아직 알려지지 않은 재화나 새로운 품질의 재화를 생산해야 한다.

3) 새로운 생산 방식을 강구하라(생산 방식의 혁신).

해당 산업에서 실제로 미지의 새로운 생산방식을 도입하여 성공시킴으로써 동종업계를 선도한다.

4) 미지의 판로를 개척하라(유통의 혁신).

해당 국가의 산업이 지금까지 진입하지 않았던 시장을 개척해야 한다.

5) 원재료 혹은 반제품의 새로운 공급원을 획득하라(공급원의 혁신).

공급원이 기존에 존재했는지, 아니면 그것의 존재를 간과했는지는 상관없다. 또한 반드시 처음 만들어진 공급원일 필요도 없다. 새로운 공급원을 찾아야 제품 생산의 안정성을 확보하고, 다양한 제품을 생산할 수 있다.

5. 손자병법의 핵심 전략

손자병법의 핵심 전략은 싸우지 않고 이기는 방법과 적의 의표를 찔러서 소(小)가 대(大)를 이기는 데 있다. 즉 병법의 목적은 전투가 아닌 승리이며, 승리를 위해서는 적과 나를 알고, 사전에 철저히 준비하여 상대의 허점을 공략해야 한다는 것이다. 주요 내용은 아래와 같다.

가. 한번 결단을 내리면 즉시 실천하라.

심사숙고 후 일단 전략 목표를 정하라. 그에 따른 과감한 실천만의 전략의 성공을 보장한다.

나. 배수진을 치고 싸우라.

싸우지 않으면 죽는 길만 있다고 처절하게 각오하라. 그러한 배수진의 전략이 승리를 가져온다.

다. 군대의 형상은 물과 같으니 높은 곳을 피하고 낮은 곳을 취하라.

적의 주력을 피하고 그 허술한 곳을 쳐야 한다는 것이다.아무리 강한 군대도 약점은 반드시 있는 법이다.

라. 아군이 강하다고 자부하고 있을 때 약함이 나타나게 된다.

방심과 태만은 모두 재앙의 근본이다. 모든 전략에서는 방심의 위험성을 경계해야 한다.

마. 궁한 적은 쫓지 말아야 한다.

협상이나 대결에서 상대가 곤궁에 빠질 경우 잔인하게 공격하지 말고 여유와 인정을 베푸는 것이 좋은 결과를 가져온다.

바. 적의 기선을 제압하면 주도권을 잡는다.

모든 대결과 경합에서 먼저 기선을 제압하는 것이 승리의 열쇠다.

사. 적의 전략을 살피고 이를 무력화한 후, 적과 교류하고 있는 대

상을 파악하여 둘 사이를 이간시켜라 :
  이는 현대 협상술에서도 상대의 전략을 먼저 간파하고, 그의 우군도 차단하는 주요 전략이다.
아. 백전백승이 최선이 아니다. 싸우지 않고 적을 굴복시키는 것이 가장 좋다.
  이는 손자병법의 최고 전략으로서 최소의 비용으로 최대의 효과를 거두는 방법이다.
자. 상대를 알고 나를 알면 백 번 싸워도 위태롭지 않고, 상대를 알지 못하고 나만 알면 승패의 비율은 반반이다. 상대를 알지 못하고 나도 알지 못하면 싸울 때마다 패배한다.
  이는 상대의 힘과 나의 힘을 알아야 한다는 것은 대결과 협상에서 승리할 수 있은 기본원칙이다.
차. 전장의 상황은 여러 가지로 나타날 수 있다. 상황 판단이 승부를 결정한다.
  나와 상대방의 전략 여건과 상황은 여러 가지로 변할 수 있다는 점을 유념해야 하며 정학한 상황진단이 승부의 관건이다.
카. 싸움에서 승리하는 군대는 먼저 이겨 놓은 뒤에 싸운다. 패배하는 군대는 먼저 싸움을 시작해 놓고 뒤에 이기려고 한다.
  모든 협상과 경쟁에서는 상대의 능력을 완전히 간파하여 준비를 철저히 해놓고 실전에 임해야 한다는 뜻이다
타. 상대를 언제나 의심하고 경계하여야 한다.
  상대방도 나의 힘과 여건을 간파하고 전략을 수립하기 때문에 항상 상대방을 의심해보고 경계를 해야 한다
파. 우회(迂回)를 하는 것이 지름길일 수도 있다 :
  때로는 우회적이고 간접적으로 접근하는 것이 상대가 모르는 사이에 먼저 목적지에 도달하는 방법이다. 일종의 형세 역전 전략이라고 할 수 있다.
하. 이익이 있으면 위험도 있다.

전략과 게임에는 기본적으로 이익이 있는 만큼 위험 요소도 따르니 이를 주의해야 한다.

6. 전략 구사의 실제 사례

가. 한신의 배수진 전략

중국 한나라의 명장 한신이 조나라 군을 공격할 때의 일이다. 한신이 조군(趙軍)에게 쫓기며 진을 쳤는데, 큰 강을 뒤로하고 진을 쳤다. 한신의 군대가 친 진을 바라보던 조군은 그 어리석은 진법에 코웃음을 쳤다. 그러나 한 발짝이라도 뒤로 물러서면 강물에 빠져 죽게 되어 있는 한신의 군대는 이 같은 막다른 진용에서 모든 병사들이 적군을 맞아 죽기 살기로 싸워 드디어 승리할 수 있었다. 이 싸움에서 조나라 장수 진여는 전사했고 조왕 헐과 이좌거는 포로로 잡혔다. 전투가 끝난 후 장수들이 한신에게 "병서에 따르면, 진은 산이나 언덕을 뒤에 두고 물을 앞에 두는 것인데 장군께선 반대로 물을 등지고 진을 치게 하셨으니 무슨 까닭입니까?"라고 물었다. 이에 한신은 "병서에 이르길 '사지에 빠뜨린 뒤에야 살 수 있고 망할 곳에 둔 후에야 생존할 수 있다(陷之死地而後生 , 置之亡地而後存)'는 말이 있다. 이번 병사들은 새로 급조한 신병들이라 사지에 빠뜨려 필사적으로 싸우게 한 것이다. 만약 그렇게 하지 않았더라면 병사들은 모두 달아났을 것이다."라고 대답했다. 한신은 정공법과 기습 공격을 함께 구사하는 전략가였던 것이다. 이 고사에서 바로 '배수진(背水陣)'이란 고사성어가 유래되었다. 그러나 '배수진'은 항상 통용되는 정공법은 아니다. 한신이 배수진 전법을 쓴 것은 당시 급하게 모집한 오합지졸의 병사들이 배수진 전략이 아니면 모두 도망갈 것이라고 판단하였기 때문이다.

나. 제갈량의 공성계(空城計)

제갈량은 양평(陽平)에 군대를 주둔시키고, 부하 장수 위연(魏延)에게 정예병을 이끌고 동쪽을 향해 진공하게 하였다. 제갈량 자신은 1만 명만 남겨 성을 지키고 있었다. 이때 진(晉)나라 사마의(司馬懿)가 20만의 군사를 이끌고 제갈량에 대항했다. 진군의 정찰병이 사마의에게 “제갈량의 성안에 있는 병력이 적고 약한 것 같다.”라고 보고했다. 제갈량 역시 사마의가 눈앞에 와 있는 상황에 위연의 부대로 가자니 너무 멀리 떨어져 있고, 되돌아서 사마의의 군대를 쫓자니 세력이 미치지 못한다는 것을 알았다. 장병들은 모두 대경실색하고 어찌해야 할 바를 몰랐다. 그러나 제갈량은 태연자약하게 군대에 “깃발을 내리고 북을 울리지 말고, 함부로 장막을 벗어나지 말며, 성문 네 개를 모두 열어 바닥을 쓸고 물을 뿌리라.”라고 지시했다. 사마의는 제갈량이 신중하다고 평소에 말하곤 했는데, 이렇게 조용하고 기세가 약한 것을 보니 반드시 복병이 있으리라 의심하여 군사를 이끌고 북쪽 산길로 철수했다. 다음 날 식사 때에 제갈량은 부하들에게 “사마의는 분명 내가 겁이 많다고 말하면서 복병이 있는 줄 알고 산으로 달아났을 것이다.”라고 말하며 자기의 계략이 성공한 이유를 설명했다. 이는 제갈량이 상대인 사마의가 병법에 통달한 사람이기 때문에 당연히 복병의 계략을 의심할 것을 예측한 결과다. 이 고사는 성을 비운다는 뜻에서 공성계(空城計)라 부르는 데, 상대의 능력을 정확히 파악하는 것이 전략의 핵심임을 잘 증명해 준다.

다. 노르망디 상륙 작전

1944년 6월 6일, 미영을 중심으로 하는 연합국은 북부 프랑스의 ‘노르망디’ 상륙 작전을 개시했다. 작전 총사령관은 미국의 아이젠하워(Dwight David Eisenhower) 대장이었다. 상륙 작전 지점을 노르망디로 정한 것은 이곳의 지형이 가파른 절벽으로 이루어져 있고 조수 간만의 차가 크기에 독일군이 이곳에서는 상륙이 불가능하다고 판단할 것이라고 생각했기 때문이다. 연합군은 12개 기갑 사단을 포함한 39개 사단, 287만의 병력과 항공기 1만 2천대, 함정 5천3백여 척 등 막강한 화력을 동원했다. 연합군은 작전 개시 몇 달 전부터 영국과 가장 가까운 프랑스 '빠 드 깔래(Pas-de-Calais)' 지역이 상륙 지점이 될 것처럼 위장 전술을 사용했다. 위장 무전 송신, 근해 해군 기동 연습 등을 통해 적을 기만하였으며, 지도상에만 존재하는 가상 부대와 모형 전차 등을 해협 건너편에 집중 배치하고, 거짓 정보도 흘렸다. 실제 '노르망디 상륙 작전'이 개시된 이후에도, 독일군은 이것을 깔래 지역에 주둔한 독일군의 주 병력을 '노르망디'로 유인하려는 연합군의 양동 작전으로 생각하여 제15군단을 계속 깔래 지역에 묶어 두었다. 독일군은 1944년 5월경에 58~59개에 이르는 사단을 서부 전선에 배치하였는데, 전체 사단의 40%에 해당되는 25개 사단은, 평균 연령이 매우 높았으며, 중화기와 탄약, 유류 등의 장비 및 보급 상태가 매우 좋지 않았다. 연합군 공수부대가 낙하하여 기습 작전에 돌입했는데도 독일군 사령관 폰 룬트슈테트(Karl Rudolf Gerd von Rundstedt) 원수는 연합군 공수부대의 낙하가 깔래 지역에 상륙하기 위해 독일군의 시선을 노르망디로 분산시키고자 하는 기만 차원의 양동 작전일 것이라고 의심하고 대응 결단을 주저했다. 결국 독일군은 판단 착오와 지휘 체제의 불안정 속에서 저항다운 저항도 못 해 보고 혼돈만 겪다가 대패했다. 이 작전의 성공으로 프랑스는 해방되고, 독일은 패망의 나락으로 떨어졌다. 이 상륙 작전의 성공 요인은 연합군의 압도적인 화력, 전술적 기습, 상륙 지점의 위장 전략, 독일군의 지휘 체계 문란 등을 들 수 있다. 일찍이 손자는 "전쟁은 속임수다(兵者 詭道也)."라고 했다. 이 작전은 손자병법대로 위장 전술, 승산 있는 싸움, 피아의 능력 파악 등 모든 전략 조건을 구비한 필승 작전이었다.

라. 엔테베 인질 구출 작전

1976년 6월 27일, 팔레스타인 게릴라들에 의해 이스라엘인들이 탄 프랑스 항공기가 납치되었다. 이에 이스라엘 라빈(Yitzhak Rabin) 수상은 대책 위원회를 개최, 무력 기습 작전으로 인질을 구출하기로 결정했다. 작전상 문제점은 항공기가 납치되어 있는 우간다의 엔테베 공항까지는 4천 킬로미터 이상 떨어져 논스톱 수송이 어렵다는 점, 수송 항로가 적대국들인 점, 납치범들이 우간다 아민(Idi Amin Dada Oumee) 대통령의 지원을 받고 있다는 점 등이었다. 그럼에도 모사드(Mossad)는 납치범, 인질, 공항 구조, 우간다 정부군의 배치 상황에 대한 상세 정보를 수집했다. 작전 팀은 누차 작전 리허설을 실시했다. 7월 4일 밤 11시경, 작전 대원들은 3대의 이스라엘 공군 수송기에 분승하고, 공군 소속 보잉 707기 한 대를 동반하여 엔테베 공항을 급습했다. 엔테베 공항 관제탑에는 투옥된 테러범들을 석방해 오는 것이라고 속여 특공대 수송기의 착륙 허가를 받았다. 첫 번째 수송기가 착륙하자 우간다 대통령 아민의 전용차와 동일하게 검은색으로 재 도색된 벤츠 한 대가 나와 우간다 공군 부대 쪽으로 향했다. 여기에는 우간다 대통령 경호대로 위장한 아프리카계 유대인 특공 대원들이 타고 있었다. 이들 중 한 명은 아예 아민의 정복을 입고 그로 위장했다. 우간다 공군 헌병이 대통령 방문으로 알고 부대 게이트를 열어주었다. 뒤따라 온 트럭에 탄 이스라엘 특공 대원들이 우간다 공군 헌병들을 사살하고 추격을 막기 위해 MiG-17 전투기 11기 및 관제 시설을 파괴하였다. 한편 인질 구출조는 곧장 공항 건물로 밀고 들어가 납치범 전원과 20여 명의 우간다 공군 장병들을 사살하였다. 이스라엘 측 인명 피해는 현장에서 총상으로 사망한 인질 한 명, 특공 대원 한 명이었다. 테러리스트들을 사살하고 인질들을 구출할 때까지의 총격전은 불과 1분 45초로 끝남으로써 총 작전을 최초 계획대로 53분 만에 완료했다. 인질을 무사히 구출한 특공대는 이스라엘 전투기의 호위 속에 텔 아비브 공항으로 무사히 귀환했다. 이 작전의 성공 요인으로는 첫째, 이스라엘 정보부 모사드가 엔테베 공항의 구조와 인질 억류 상황 등 필요한 정보를 정확히 수집한 점, 둘째, 이스라엘 정부 지도자들의 상상을 초월한 의지와 결단, 셋째, 과학적이고 치밀한 계획과 철저한 실전 연습 등을 들 수 있다. 전략적으로는 엔테베 공항 관제탑 측을 속여 착륙 허가를 받고, 아민 대통령 행사로 위장한 점 등의 위장술이 돋보인다.

마. 역발상의 일본 전산 경영 전략

일본 전산의 창업주이자 현직 회장인 나가모리 시게노부(永守重信)는 괴짜 경영주라고 불러야 할 만큼 파격적인 경영 방식과 철학을 가진 인물이다. 그의 경영 방식과 철학은 크게 세 가지로 나뉜다. 첫째는 할 수 있다는 자신감과 열정을 높게 평가하는 그의 독특한 인재 선발 방식이고, 둘째는 부하 직원에게 따뜻한 칭찬보다는 호통을 쳐서 가르치는 인재 육성 방식이고, 셋째는 기업에 열정과 희망을 심기 위해 노력하는 리더십이다. 요즘의 인간성과 감성을 중시하는 경영 전략과는 다소 거리가 있으나 창업과 기업 발전의 전략으로서는 충분한 연구 가치가 있는 전략이다. 일본 전산의 입사 시험은 크게 네가지로 큰 소리로 말하기, 밥 빨리 먹기, 화장실 청소하기, 오래달리기이다. 이것에 충족되면 무조건 합격이었다. 이것에는 다음과 같은 의미가 있다. 첫째, 목소리가 큰 사람은 평소 자신감이 있고 반성도 빠르며 일도 잘한다. 둘째, 밥을 빨리 먹는 사람은 평소 동작도 빠르고 일하는 것도 빠르다. 셋째, 화장실 청소를 잘하면 밑바닥 일조차도 미루지 않고 제대로 해낸다. 넷째, 오래달리기를 한 번도 안 쉬고 완주하는 사람은 일을 끝까지 포기하지 않는다. 내용을 알고 보면 매우 합리적이고 멋진 입사 시험이다.

나가모리는"어설픈 정신 상태의 일류보다 하겠다는 삼류가 낫다. 인간의 능력이란 비슷하다. 문제는 '못할 것'이라는 부정의 관념을 버리는 것이다."라고 가르친다. 일본 전산의 기업 정신은 '첫째, 즉시 한다. 둘째, 반드시 한다. 셋째 될 때까지 한다.'라는 단 세 마디로 표현된다. 마치 군대의 훈령과도 흡사하다. 허나 목표 달성을 향한 강인한 의지와 열정, 집념이 응축된 최고의 사훈이다. 하루는 나가모리 사장이 한 사원에게 충고했다. "당신이 신발 정리하는 일을 맡았다면, 신발 정리를 세계에서 제일 잘할 수 있는 사람이 되어라. 그렇게 된다면 누구도 당신을 신발 정리만 하는 심부름꾼으로 놔두지 않을 것이다." 이는 기초와 전문성의 중요함을 시사하는 말이다. 나가모리는 또 "이 사업은 안 된다."라는 리포트를 제출한 간부에게 호통을 치며, 이런 사고가 기업 발전을 저해하고 결국 회사의 문을 닫게 하는 일이라며, 당장 사표를 내라고 질책한 일도 있다. 일본전산의 이러한 전략은 기업의 주체인 직원들에게 일에 대한 열정과 집념을 고취하고, 창조적이고 긍정적인 사고를 함양한다는 측면과 어떠한 난관에도 포기하지 않는 프로 정신을 강조하고 있다는 측면에서 모든 기업이 참고해야 할 가치가 있을 것이다.

바. 애플의 신경영 전략

스티브 잡스의 애플은 21세기 가장 혁신적인 기업으로 자리매김했다. 스티브 잡스의 경영 이념은 크게 네가지로 요약된다. 첫째, 고정 관념을 뛰어넘어라. 둘째, 무슨 일이든 되게 만들어라. 셋째, 완벽한 제품을 만들어라. 넷째, 불가능한 것도 가능하게 하라. 매우 명료하지만 실현하기가 쉽지 않은 대 주제이다. 또한 스티브 잡스의 경영 전략으로는 크게 마케팅 전략, 엔드 투 엔드(End to end) 전략, 인사 관리 전략 등으로 분류할 수 있다. 특히 스티브 잡스는 마케팅 전략에서 탁월한 전략을 선보이며 경쟁사들을 압도하고 있다. 그의 마케팅 전략은 우선 "체험 마케팅"을 실시했다. 즉, 소비자들에게 직접 애플의 제품들을 만져 보게 하여 스스로 애플에 매력을 느껴 구매 심리를 갖게 한다. 이와 더불어 '신비주의 마케팅'을 통해 소비자들로 하여금 애플의 신제품에 대한 호기심을 유발시켜 애플의 홍보효과를 극대화하는 전략을 구사했다. 또한 '고객창조 마케팅'으로 부단히 신제품을 개발하여, 새로운 고객을 창출해 나갔다. 그리고 하드웨어와 소프트웨어를 동시에 생산하고 통제하는 회사로서의 장점을 최대한 살려 경영에 활용하였다. 즉, 이 여건을 십분 활용하여, '엔드 투 엔드 전략'의 경영 방식으로 모든 제품에 대한 통제를 시행하고, 이를 통하여 애플의 모든 제품에 대한 일관성을 유지할 수 있게 했다. 애플은 직원들에게 자율성을 최대한 보장하면서도 혁신과 경쟁 의식을 고취하는 인사 관리를 한다. 모든 직원들로 하여금 항상 긴장감 속에 혁신과 신제품 창조에 전념하도록 하는 인사 시스템을 운용하는 것이다. 이상에서 보듯이 애플의 경영 전략은 한 기업이 성공을 쟁취하기 위해서는 최고경영자의 경영 이념이 승패를 좌우하며, 사원 스스로가 긍적적 마인드로 최선을 다하는 기업문화의 구축과 부단한 혁신과 변화가 관건적이라는 점을 시사해준다.

사. IBM 경영 혁신과 현지화 전략

IBM은 80년대 초 초우량 기업 1위였으나, 80년대 중반 이후 시장 환경 변화에 따른 고객의 기대에 부응하지 못해 심각한 경영 위기에 처했다. 그러나 그 후 처절한 변화와 혁신으로 오늘날 다시 세계 최대의 기술 회사, 서비스 및 컨설팅 회사로 우뚝 서면서 업계를 선도하고 있다. 최초로 외부에서 영입된 CEO였던 루 거스너(Louis Gerstner) 전 회장은 첫째, 과감한 구조 조정으로 조직을 통폐합하여 경비 절감과 사업 추진의 효율성을 제고했다. 둘째, 변화된 시장 환경에 맞추어 혁신적인 사업 전략을 수립했다. 셋째, 공통의 관리 시스템을 도입해 최적화를 이루면서, 대표적인 e-비즈니스 회사로 변신했다.

한편, IBM은 해외 진출 전략도 특출하다. 그 전략은 첫째, 100% 투자 현지 자회사 설립을 기본 방식으로 한다는 점이다. 많은 기업들이 해외 진출 시에 당사국 기업과 합작하거나 현지 판매 대행 회사를 통해 마케팅을 한다. 그러나 IBM은 이와는 전혀 다르게 해외에서도 100% 단독 투자로 하여 기업을 운영한다. 물론 IBM의 이런 투자 방식은 각 현지국 정보 시장에 대한 IBM의 영향력과 통제력을 강화하고 현지국의 경영 간섭을 배제하기 위한 것이다. 게다가 마케팅에 탁월한 강점을 가진 IBM으로서는 현지국 시장에 대한 주도권을 장악하기 위해 이러한 투자 전략이 훨씬 유리하다고 할 수 있다.
둘째, 현지국과 마찰을 줄이기 위한 수출입 균형 정책을 잘 활용한다. 다국적 기업으로서 IBM은 기술 이전의 문제, 자국 유치 산업의 보호 문제 등으로 현지국 정부와 마찰을 일으킬 소지가 있다. 따라서 이런 부작용을 최소화하기 위해 IBM은 수입과 수출의 균형을 맞추는 전략을 취하고 있다. 즉 현지국의 국제 수지에 기여하는 정책을 실행하고 있는 것이다.

IBM의 혁신 경영 전략은 현대 경영 전략의 기본 원칙이 총동원된 종합적이고 효율적인 것으로서, 고객 중심의 핵심 원칙은 물론, 기술 개발, 프로세스, 인사, 홍보, 마케팅 및 기업 문화 등의 혁신과 창의성이 매우 돋보이는 전략이라 평가할 수 있다.

제3장 세계를 변화시킨 서양 고전

1. 인생론 분야

≪인생론≫ 톨스토이(1828-1910): 러시아 작가

가. 개요

인생은 무엇이며, 종교란 무엇인가? 이 책은 이성적인 삶의 방식, 존재와 죽음에 대한 공포 등의 의미를 근원적으로 접근한다. 그리고 참된 사랑만이 사람을 행복으로 인도한다고 보며, 이성적이고도 객관적인 사랑인 인류애가 중요함을 강조한다. 특히 예수의 아가페 정신인 이웃에 대한 사랑을 본받아야 한다고 역설한다.

나. 주요 주장 및 내용

인간에게 진정으로 중요하고 필요한 것은 오직 개인적인 행복뿐이다. 그러나 인간은 자기 자신의 행복을 손에 넣으려고 노력하는 동안 그 행복은 다른 사람들에 의해 좌우된다는 사실을 알게 된다. 이것이 인생의 근본적 모순이다. 인생이란 더 큰 행복에 도달하려는 끊임없는 영혼의 편력이며, 완성이다.

결국 인생이란 신과 이웃에 대한 사랑이다. 즉 인간에게 행복을 주는 것은 사랑이다.

모든 사람들이 다른 사람의 행복을 위해 살고, 자기 자신을 사랑하는 것 이상으로 다른 사람들을 사랑하는 조건하에서만 인간의 행복과 삶이 가능하다. 그래야 생존 경쟁, 고통, 죽음의 공포가 사라지는 것이다.

인간 상호 간의 봉사 없이는 세계의 존재도 무의미한 것이다. 즉, 봉사는 자신 및 세계의 행복(완전히 얻을 수 있는 행복)을 지향하는 활동이다.

인생이란 이성의 법칙을 따르는 동물적 자아의 활동이며, 이성이란 인간의 동물적 자아가 자신의 행복을 위해 반드시 따라야 하는 법칙이다. 그리고 사랑이란 인간의 유일한 이성적 활동이다.

사랑이라는 감정에는 인생의 모든 모순을 해결하고, 인생의 목적인 완전한 행복을 주는 특별한 힘이 있다. 사랑은 현재의 활동이며, 행하지 않는 사람은 사랑이 없는 사람이다.

진정한 사랑은 개인의 행복을 버린 결과로 탄생하며, 사랑은 진정한 생명의 단 하나뿐인 완전한 활동이다. 예수의 가르침은 사랑의 접목이다.

죽음에 대한 공포는 해결되지 않은 인생의 모순에 대한 의식일 뿐이다. 죽음이 공허와 암흑처럼 생각되기 때문이고 생명을 이해하지 못하기 때문이다.

삶은 세계에 대한 관계이다. 생명의 활동은 고차원의 새로운 관계를 확립하는 것이다. 따라서 죽음은 새로운 관계로 들어가는 것이며, 죽은 사람의 생명도 이 세상과 단절되는 것이 아니다.

육체의 고통은 인간의 삶과 행복에 불가결한 조건이다. 개인과 인류가 겪는 고통의 원인을 이해하고 그것을 감소시키기 위해 활동하는 것이야말로 인생에서 해야 할 유일한 일이다.

≪수상록≫ 몽테뉴(1533-1592): 프랑스 사상가

가. 개요

저자는 자신을 소재로 하여 논리를 전개하는데, "지식과 학문의 가치는 인간의 가치에 의해서 결정된다."라는 사고를 가지고 인간들은 자연을 즐기며 자연 그대로 살아갈 것을 주장한다. 또한 자신에 대한 성찰을 강조하면서 주어진 그대로의 인간적인 면을 고찰하고 있다. 아울러 학문, 정치, 연애 등에 대해서도 다양하게 자기 사상을 기술한다.

나. 주요 주장 및 내용

"나는 무엇을 아는가? 우리가 우리 자신을 알 수 없다면 무엇을 알 수 있겠는가?"라는 자아 인식이 지혜로운 정신의 출발점이다. 인간의 행위는 의도(意図)에 의해 판단되며, 행불행은 대체로 우리의 견해에 의해 좌우된다· 그리고 행복은 사후(死後)가 아니면 판단해서는 안 된다.

부유함과 궁핍함은 개인의 마음에 달려 있다. 부든, 명예든, 건강이든, 그것을 소유한 이가 부여한 의미 이상의 아름다움이나 즐거움을 지니지 못한다.

플라톤의 말을 항상 되뇌자.

"무언가 이상하다고 느끼는 것은 바로 나 자신이 이상하기 때문이 아닐까? 내가 잘못된 것은 아닐까? 내가 하는 비난이 나에게 돌아올 수 있지 않을까?"

진리를 말할 때는 단순하고 기교 없이 말해야 한다. 특이하고 별난 복장으로 눈에 띄고 싶어 하는 것이 소심하기 때문이듯, 언어를 사용할 때 새로운 문장과 생소한 단어를 고집하는 이유는 학자인 체하고 싶어 하는 유치한 욕심 때문이다.

악이 우리 영혼을 사로잡고 있을 때 영혼은 스스로 벗어나지 못한다. 그러므로 영혼을 되찾아 자기 안에 가두어야 한다. 이것이 진정한 고독이다.

"고독 한복판에서 스스로 군중이 되어라."

물질적인 욕망과 타인에게 인정받고자 하는 생각은 결국 인간을 약화시킨다. 주변의 평판에 지나치게 집착하게 되면 그로 인해 타락의 길로 빠지거나 이성을 잃어버릴 수 있다.

성서는 인간이 즐겁게 행복하게 살아갈 것을 목적으로 지어진 책인데, 왜 교회는 정신적으로만 살 것을 요구하며, 신이 부여한 육체적 쾌락을 경멸하는 것인가? 철학자들이 무엇이라고 하든 우리의 최종 목표는 쾌락이다.

철학을 한다는 것은 어떻게 죽을 것인가를 배우는 것으로서, 보다 깊이 알고 보다 깊히 고찰하는 것을 뜻하며, 이는 바로 죽음에 대해서 알기를 뜻하는 것이다.

죽음에 대해 미리 생각하는 것은 곧 자유에 대해 미리 생각하는 것이다. 죽음이 뭔지를 알면 모든 굴복과 속박에서 벗어날 수 있다. 나는 죽음이 결론일지언정 삶의 목표는 아니라고 생각한다.

≪잠언과 성찰≫ 라로슈푸코(1613-1680): 프랑스 모럴리스트

가. 개요

정치와 사랑에 실패한 저자가 자신의 과거를 성찰하며 자서전 격인 인생 처세술을 논한 책으로 연애와 우정, 그리고 겸양과 미덕 등 인간 삶의 전 과정에 걸쳐 특유의 예리한 비판과 풍자로 고찰하고 있다. 우리는 열정을 갖고,지닌 능력을 십분 발휘하여 살되, 우리가 서로 의지하는 동물임과 피할 수 없는 죽음을 인식하고 살라고 훈계하고 있다.

나. 주요 주장 및 내용

우리의 미덕은 거의 언제나 가장된 악덕에 지나지 않는다. 인간은 서로 속이는 일을 하지 않는다면 사회생활을 계속할 수 없다. 자기애는 가장 위대한 아첨꾼이고, 질투심은 아무도 감히 인정하려고 하지 않는 비겁하고 수치스런 열정이다. 질투는 의혹으로 유지되는 뛰어난 아첨꾼이다.

우리는 절대 생각하는 만큼 불행하지도, 희망하는 만큼 행복하지도 않다. 우리는 희망에 따라 약속하고 두려움에 따라 약속을 실천한다. 남들로부터 동정을 받거나 남들에게 감동을 주고자 하는 마음은 대부분 타인에게 의지하고자 하는 마음에서 비롯된다.

독서보다는 인간 공부가 필요하다. 특정 사람보다는 인간 일반, 인류에 대해 아는 게 더 쉽다. 위대한 사람들의 영광을 평가하는 기준은 그들이 그 영광을 쟁취하는 데 동원한 수단이다. 우리를 따분하게 해서는 안 되는 사람들은 거의 항상 따분하다.

대부분의 사람들에게 감사란 단지 더 큰 호의에 대한 은밀한 기대에 불과하다. 인색함이 때로는 낭비를 낳고 낭비는 인색함을 낳는다. 또한 우리는 나약하기 때문에 단호해지고 비겁하기 때문에 대담해지는 경우가 많다.

영리함의 정점(頂点)은 영리함을 숨길 수 있는 능력이다. 친구들에게 속임을 당하는 것보다 친구들을 의심하는 게 더 부끄러운 일이다. 어떤 사람이 태어난 고장의 말씨는 그의 말투뿐만 아니라 마음과 가슴에 남아 있다.

우리는 의욕에 비해 더 많은 능력을 지니고 있다. 그래서 어떤 일들이 불가능하다고 생각하는 것은 흔히 의욕의 결핍에 대해 스스로 핑계를 대고 싶기 때문이다. 오로지 열정만이 언제나 설득에 성공하는 유일한 웅변가다. 열정은 절대로 실패할 리가 없는 법칙들을 구비한 선천적인 웅변술과 같다.

사랑의 열정은 종종 가장 현명한 사람을 바보로 만들지만 가장 우둔한 사람을 현명하게 만들기도 한다. 좋은 결혼 생활은 있으나 정말 좋은, 달콤한 결혼 생활은 없다. 진정한 사랑은 유령과 같아서, 모두 화제로 삼고 있지만, 실제로 봤다는 사람은 극소수다. 우리가 사랑을 사랑이 낳은 대부분의 결과로 평가한다면, 사랑은 우정보다는 증오를 닮은 모습을 하고 있다.

연애를 정의하기란 쉽지 않다. 연애는 영혼에서는 지배의 감정이며, 정신에서는 동정이고, 육체에서는 많은 비밀을 거듭한 뒤에 사랑의 상대를 소유하려는 은밀하고도 미묘한 욕망이다

철학은 이미 지나간 불행과 앞으로 닥칠 불행을 쉽게 극복한다. 그러나 현재의 불행은 철학을 이긴다. 죽음이 무엇인지 아는 사람은 거의 없다. 사람들은 일반적으로 단호한 결의로 죽는 것이 아니라 어리석음과 관습 때문에 죽는다.

지성은 항상 마음에게 속임을 당한다. 늙은이는 조언하는 것을 좋아하는데, 이는 나쁜 본보기가 될 수 있는 능력을 상실했다는 데에 위로가 되기 때문이다. 다른 사람들이 우리에게 진실을 감춘다는 이유로 속상하면 안 된다. 우리는 너무나 자주 우리 스스로에게 진실을 감추고 있기 때문이다.

≪행복론≫ 카롤 힐티(1833-1909): 스위스 사상가

가. 개요

힐티는 행복에 이르는 길은 오로지 신앙에 의지하며 기쁜 마음으로 노동하는 신성한 종교의 품에 안기는 것이라고 강조한다. 교양이란 올바른 철학적, 종교적 인생관을 갖는 것이라고 역설하면서 능숙한 일의 처리법과 시간을 아끼며 만드는 법에 이르기까지 실생활의 지혜를 제시하기도 한다 .

나. 주요 주장 및 내용

사람에게는 세 가지 행복이 있다. 서로 그리워하고, 서로 마주 보고, 서로 자기를 주는 것이다.

참된 행복에 이르는 길은 인류를 구제하려는 신의 '참된 마음'에 순종해 신의 품에 안기는 것이다. 이런 길을 가는 것은 그대 혼자서 할 수 있는가의 문제가 아니라 그대가 소망하고 있는가 아닌가의 문제다.

행복의 외적인 면에는 부와 건강, 명예, 문화, 과학, 예술 등이 있으며, 내적인 면에는 양심과 각성, 일, 이웃 사람, 종교, 위대한 사상이나 그 같은 사업에 종사하는 생활 등을 생각할 수 있다.

교양인이 되기 위한 필수 조건은 첫째, 관능과 이기주의를 보다 높은 관심으로 극복하는 일, 둘째, 육체와 정신의 모든 기능을 건전하고 균형있게 발달시키는 일, 셋째, 올바른 철학적, 종교적 인생관을 갖는 일이다.

시간을 만드는 법은 시간과 장소, 위치, 기분, 분위기 등의 사전 준비에 너무 시간을 허비하지 않는 것이다. 짧은 시간을 이용하고, 일의 대상을 바꾸어 보고, 확실히 일을 처리해야 한다

우리 일상 생활에서 시간이 결핍되는 가장 큰 이유는 "시간의 성격"에 있다. 시간은 조용하지 않고 어떤 순간에도 정지하지 않는다.

시간과 더불어 생활하는 사람은 시간과 함께 달음박질을 하지 않으면 안 된다.

적은 유쾌한 사귐의 대상은 아니지만, 수신에 가장 도움이 된다. 이는 적이 자신의 결함을 가장 많이 알고, 가장 솔직하게 보여 주며, 아울러 그 결점을 고치는 데 도움이 될 가장 큰 자극을 주기 때문이다

만일 그대가 고민과 탐욕, 허영심, 명예욕, 향락욕, 남에 대한 경계심, 증오 또는 부적절한 애정, 기타 다양한 형태의 맹목적 사욕을 제거하고자 마음을 먹는다면 혼자서라도 신앙의 길에 들어갈 수 있다. 신앙에 들어가는 길이야말로 가장 확실하고 간단하게 참된 행복에 이르는 길이다. 다시 말해 '인생 최대의 행복'은 신의 곁으로 다가가는 일이다.

우리는 '자유로운 사람'으로 자기 생활을 설계하도록 결심할 필요가 있다. 일을 하거나 즐거움을 누리거나 간에 결코 그 노예가 되어서는 안 된다.

≪명상록≫ 마르쿠스 아우렐리우스(121-180): 로마 황제

가. 개요

로마 제국의 황제인 저자는 스토아적 철인의 정관에 기반하여 "인간은 자기 성찰의 기회를 가져야함."을 역설한다. 인간은 또한 영생 불사하는 신들의 존재를 신뢰하고 섬겨야 하며, 반드시 자유로워야 한다고 주장한다. 그리고 인간의 행복과 마음의 평안은 덕에서만 비롯된다고 하며, 인간의 덕성을 강조하고 있다.

나. 주요 주장 및 내용

우주 만물은 줄곧 신의 섭리에 따라 움직인다. 당신도 이 우주의 일부분이고, 그 밖의 모든 것도 자연의 일부분이다. 따라서 본성이 시키는 대로 행동하고 그 본성을 지속적으로 간직하는 것이 선을 추구하는 것이다.

인간이란 영원한 시간 속에서 순간적으로 살다가는 덧없는 존재이다. 그러므로 명성이나 부는 하찮은 것이다. 당신이 죽은 후에 그들의 찬양은 아무 의미도 없는 것이다.

이 세상 모든 것은 마음가짐에 달려 있다. 인간이란 이성을 가진 존재아어서 어떤 외부의 자극이나 압력에도 굴복하지 않고 평정을 누릴 수 있는 존재이다.

변화를 두려워하지 않는 자가 있는가? 하지만 변화 없이 과연 무엇이 생겨날 수 있는가? 만물은 변화하고 유전한다. 그러므로 일마다 거부하거나 집착한다면 결국 그 일에 농락당해 고통스럽고 불행하게 될 뿐이다. 따라서 사람은 집착을 버리고 부동심을 가져야 한다.

지금 당장이라도 인생을 떠날 수 있는 사람처럼 모든 것을 그렇게 행하고 말하고 생각하라.

인생에서 육신은 아직 굴복하지 않는데 정신이 먼저 굴복하는 것은 수치스러운 일이다.

너의 인생 전체를 파노라마처럼 펼쳐 놓고 생각해 봄으로써 네 마음이 짓눌려서 압도되게 하지 말라. 너를 짓누르는 것은 언제나 과거나 미래가 아니라 현재라는 것을 명심하라.

늘 짧은 길로 달려라. 짧은 길은 너를 가장 바른 언행으로 인도해 줄 자연의 길이다. 그러면 고민하고 괴로워하며 피곤하고 지치는 것에서 벗어나게 될 것이고, 가식적으로 꾸며서 말하거나 행할 필요가 없게 된다.

너의 몫으로 할당된 것들에 적응하고, 운명이 네게 정해준 사람들을 사랑하되 온 마음을 다해 진심으로 사랑하라.

슬픔이 나약함의 증표이듯이, 분노도 나약함의 증표다. 이 두 감정을 표출하는 사람은 다른 사람의 행동에 의해 상처를 입고 거기에 굴복한 것이기 때문이다.

≪우정론≫ 아벨 보나르(1883-1945): 프랑스 모럴리스트

가. 개요

진정한 우정은 무엇인가를 고민하면서 날카로운 통찰력을 바탕으로 인간의 심리와 욕망을 깊숙이 파고든다. 오직 진정한 우정만이 필연적인 동시에 언제나 자유롭다며, 진정한 우정과 사이비 우정을 구별한다. 그다음 우정의 존귀성을 밝히고, 우정과 애정의 차이를 설파한다.

나. 주요 주장 및 내용

아직도 존속하고 있는 최후의 기사도, 그것은 우정이다. 허물없는 말을 주고받는 것은 우정의 가짜 지폐다. 우정이란 어떤 상대의 성격을 분명히 파악하고, 선택하기로 한 상대에 대해 절대적인 신뢰를 가지는 것이다. 그러므로 한 친구를 발견한다는 것은 많은 사람들 가운데 좀처럼 보기 드문 사람들의 대표자를 찾아내는 것이다.

모든 참된 우정은 그것을 맛보고 있는 사람들로 하여금 자기 생활을 넘어서서 자신을 내려다볼 수 있도록 해 준다. 참된 친구는 서로의 감추어진 유사성에 의해 가까워지고 평범한 친구는 표면상의 유사성에 의해 가까워진다.

연애의 최대 행복 가운데 하나는 우리의 자아를 보편적인 생명 속에 융합시키는 데 있지만, 이와 반대로 우정의 최대 행복은 우리를 개인적인 생명의 정점으로 인도하는 데 있다.

연애는 지키지도 않을 여러 가지 약속을 하지만 우정은 하지 않은 약속까지 실행한다. 우정이 숭고한 것은 그것이 진리의 나라에서 발전하기 때문이다. 그것은 연애보다 강하고 동시에 섬세하다.

우리들이 각자의 매력을 발휘하려면 좋아하는 사람들과 함께 있어야 한다. 마음이 행복해야만 최고의 재지(才智)를 보일 수 있는 것이다.

연애를 하는 사람은 세상을 버리고, 우정을 나누는 사람은 세상을 내려다본다. 연애는 사람을 더욱 강하게도 하고 약하게도 한다. 그러나 우정은 더욱 강하게 할 뿐이다. 고귀한 영혼만이 칭찬할 줄 안다. 훌륭한 생활을 하려면 고귀한 친구를 갖는 것만으로는 부족하다. 가능하면 고귀한 적도 가져야 한다. 확실히 남자와 여자는 친구로서의 기쁨을 충분히 맛볼 수 있다. 그러나 그것은 연애 밖에서가 아니라 그 안에서다. 세상에는 우정 없는 연애도 상당히 많으며, 증오가 두 사람을 결합시켜 그들의 즐거움에 깊은 맛을 더해주는 연애도 있다.

사람들은 모든 것을 잊어버리는 도취 속에 있을 때 서로 사랑하게 된다. 그러나 모든 것을 깨닫는 기쁨 속에서 사람들은 친구가 된다.

≪연애론≫ 스탕달(1783-1842): 프랑스 작가

가. 개요

인간의 연애 심리를 세밀하고 날카롭게 분석하면서, 사랑을 통한 행복 없이는 출세도 재산도 가치가 없다고 주장한다. 저자의 해박한 지식을 바탕으로 연애의 처방전까지 제시하며, 정치와 도덕, 교육 등을 연애와 연결시켜 서술한다.

나. 주요 주장 및 내용

인간에게 연애란 일생 최대의 관심사이며, 사랑을 통한 행복 없이는 출세도 재산도 쾌락도 가치가 없다.

사랑이 싹트기까지 아름다움은 간판으로서 필요하다. 아름다움은 사랑이라는 정열을 북돋아 주며, 상대방이 아름답다는 칭찬을 남들에게서 듣고 있는 동안에 사랑하게 된다.

미련하게 고지식하거나, 누구에게나 미소를 던지는 남자에게는 아무도 호감을 갖지 않는다. 그러므로 사교계에서는 여자에게 진력이 났다는 태도를 취할 필요가 있다.

인생의 불행 중 하나는, 사랑하는 사람과 만나서 이야기를 나누는 행복이 확실하고 구체적인 기억으로 남지 않는 일이다.

절세의 미인도 이틀째 되는 날에는 그다지 놀라움을 주지 않는다. 이것은 매우 불행한 일이며, 결정 작용을 저해한다.

상상력이 풍부한 사람은 애정이 두텁고 의심이 많다. 가장 순진한 여자도 그렇다. 자기도 모르는 사이에 의심이 많아지는 모양이다.

눈짓은 정숙한 교태의 커다란 무기이다. 눈은 무슨 말이라도 할 수 있으나, 나중에 언제든지 부정할 수 있다. 눈짓을 그대로 재현할 수 없기 때문이다. 사랑이 주는 최대의 행복은 사랑하는 여자의 손을 처음으로 잡는 것이다. 이와 반대로 색정의 행복은 훨씬 현실적이며 흔히 농담의 재료가 되기 쉽다.

연애를 하는 남자는 다음 세 가지 이유에서 방황한다, 첫째, 그녀는 모든 아름다움을 가지고 있다. 둘째, 그녀는 나를 사랑하고 있다. 셋째, 그런 그녀에게서 사랑의 증거를 최대한 어떻게 얻어낼 수 있는가이다.

사랑이 싹트는 것은 불과 한 줌의 희망만 있으면 가능하다. 인생의 불행을 통해 잘 발달된 상상력이 있으면 희망이 작아도 상관없다.

2. 정치 분야

≪군주론≫ 니콜로 마키아 벨리(1469-1527): 이탈리아 정치가

가. 개요

플라톤의 정치 철학을 기반으로 정치에 내재해 있는 속성을 가려내어 군주의 통치 기술과 방법을 다루고 있다. 통치의 기본 방법은 "목적을 위해 수단을 가리지 않는 군모술수라"는 현실적 유용성을 강조하며, 정치를 종교와 도덕으로부터 분리해 독립된 사회 현상임을 증명한다, 군주, 군주국, 군사론을 주로 다루면서 인간과 군중의 심리를 활용한 통치의 필요성을 부각시킨다.

나. 주요 주장 및 내용

군주는 여우와 사자를 겸비해야 한다. 사자는 스스로 함정을 막을 수 없고, 여우는 이리를 막을 수 없다. 사람 위에 서는 자는 인간적인 성질과 야수적인 성질을 다 같이 배울 필요가 있다.

군주는 민중으로부터 사랑받지 않아도 좋지만 원망받지 말아야 하며, 자신을 두려운 존재로 부각시켜야 한다.

인간에게 덕과 부귀가 공존하는 경우는 드물다. 인간은 대체로 내용보다는 외모를 통해서 사람을 평가한다. 누구나 다 눈을 가지고 있지만 통찰력을 가진 사람은 드물다.

인간은 태어나면서부터 허영심이 강하고, 타인의 성공을 질투하기 쉬우며, 자신의 이익 추구에 대해서는 무한정한 탐욕을 지닌다.

민중은 선정만 베풀어 주면 특별히 자유 같은 것을 바라거나 구하지도 않는다. 통치자가 민중을 이끌려면 존경의 대상이 되거나 공포의 대상이 되어라. 존경을 받기 어렵거든 차라리 공포의 대상이 되어라.

지도자 없는 군중은 아무 가치도 없는 존재나 다름없다. 지도자가 없어서 통제되지 않는 군중만큼 무슨 짓을 할지 예측할 수 없는 무서운 존재도 없지만, 반면에 이것처럼 취약한 존재도 없다.

진정한 지도자는 운명의 바람과 물결의 전환에 따라 방향을 변경할 수 있는 마음의 준비가 항상 되어 있어야 한다.

다른 사람을 강하게 만드는 자는 몰락을 자초할 뿐이다. 상대방의 우위는 책략이나 힘을 통해 초래되며, 이로 인해 강해진 자는 이 두 가지 요소를 경계하게 되는 것이다.

가해 행위는 단번에 행해야 한다. 그래야 가해 행위를 덜 느끼고, 분노도 적다. 반면에 은혜는 조금씩 베풀어야 제대로 그 맛을 오랫동안 느낄 수 있게 된다.

다른 어떤 실책보다 군사 업무에 정통하지 않은 군주는 자신의 병사들로부터 존경받지 못하며, 군주 또한 병사들을 신뢰할 수 없다.

≪유토피아≫ 토마스 모어(1477-1535): 영국 사상가

가. 개요

16세기 영국의 사회상을 비판하며, 모든 악의 근원이 인간의 오만한 마음에서 기인한다고 지적한다. 저자와 가상의 섬 유토피아 사람 간의 대화체로 서술한다. 저자는 유토피아를 사유 재산의 부정, 계획적인 생산과 소비, 합리적인 인구 배분, 사회적 노동의 평등, 소비의 사회화가 실현되는 아름다운 이상 사회라고 말하며, 이러한 사회를 염원하고 있다.

나. 주요 주장 및 내용

백성들의 쾌락을 빼앗으면서 다스리는 왕은 무능력한 왕이다. 그런 왕은 자유민을 통치하는 법을 모른다고 공개적으로 시인하는 셈이다.

오늘날 번영을 구가하는 여러 공화국들에서 찾아볼 수 있는 것이라고는 단지 공화국이라는 이름 아래 자신의 이익만을 더욱 불려나가는 부자들의 음모뿐이다.

그들은 사악하게 얻은 것을 지키기 위해 온갖 수단과 방법을 동원하고, 가난한 사람들의 노력과 수고를 가능한 한 헐값에 사들일 계획을 세운다.

유토피아에는 사유 재산이 없고, 공무에 관한 결정은 사흘 동안 논의한 다음에야 결정하는 것이 규칙이다. 원로원이나 민회 바깥에서 공무에 관해 논의하는 것은 사형에 해당하는 중죄이다.

이 나라 유토피아의 헌정의 최고 목표는 공공의 필요만 충족되면 모든 시민들이 가능한 한 육체 노동을 하지 않고, 자유를 향유하면서 시간과 에너지를 아껴서 정신적 교양을 쌓는 데 헌신하도록 한다는 것이다. 그것이야말로 인생의 진정한 행복이라고 생각하기 때문이다.

모든 생물의 탐욕은 결핍에 대한 공포로부터 나오지만, 여기에 더해서 인간은 오만 때문에 더 큰 탐욕을 부린다.

오만은 자신의 소유를 피상적인 방식으로 과시함으로써 다른 사람을 누르고 자신을 영광스럽게 만들려는 것이다.그러나 이런 악덕은 유토피아의 생활 방식에서는 끼어들 자리가 없다.

유토피아 사람들은 모든 쾌락 가운데 무엇보다도 정신적 쾌락을 추구하고, 이것을 가장 높이 평가한다. 그 이유는 대부분의 쾌락은 덕의 실천과 올바른 삶에 대한 인식에서 비롯되기 때문이다.

육체적 쾌락 중에서는 건강을 최고로 여긴다. 음식 섭취나 그 비슷한 종류의 즐거움은 바람직한 육체적 쾌락으로 간주하지만, 이것은 오직 건강을 위해서이다. 이는 그 자체로는 즐거운 일이 아니며 다만 질병의 교묘한 공격에 대항하는 방식으로서 중요한 것이다.

유토피아 사람들은 아주 소수의 법률만 가지고 있다. 그들은 워낙 교육을 많이 받았기 때문에 많은 법이 필요 없다. 그들 생각에 다른 나라의 결점은 법률과 그에 대한 해설서가 지나치게 많다는 점이다. 다 읽을 수 없을 정도로 양이 많고 누구도 명백하게 이해하지 못할 애매모호한 법률들로 사람을 옭아매는 것은 대단히 불공정한 일이다.

변호사란 사건 수를 늘리고 싸움을 증폭시키는 부류로서 유토피아에서는 전혀 필요 없는 존재라고 여긴다. 정실과 탐욕이라는 이 두 가지 악이 인간의 마음에 뿌리내리면 곧 모든 정의의 파괴자가 된다. 사회의 가장 강력한 접합체인 정의가 파괴되는 것이다.

≪리바이어던≫ 토머스 홉스(1588-1679): 영국 철학자

가. 개요

계약에 의해 만들어진 인위적인 인간에 대한 국가 이론을 전개한다. 사회 계약 이전 자연 상태에서 인간의 모습을 ‘만인의 만인에 대한 투쟁’이라고 정의하고, 인간, 국가, 그리스도 왕국, 어둠의 왕국 등 4편으로 나누어 사회 계약에 의한 통치의 필요성을 역설한다.

나. 주요 주장 및 내용

인간은 물체이며, 인간의 생명은 운동이다. 인간의 마음은 감각과 사고, 사고의 연쇄 작용 이외의 운동은 지니고 있지 않다.

인간은 본디 이기적 존재이며, 자기 보호를 최우선시한다. 그래서 사람들은 자연적인 상태, 즉 자신의 욕구를 충족시키거나 자기 보호를 위해 폭력적 성향을 드러내는 만인의 만인에 대한 투쟁 상태가 된다.

사람들은 필요악으로 그들의 보호를 위해 강력한 힘의 형체를 정하게 되는데, 이 형체를 통치하는 자의 권리는 대중의 계약을 통해 성립된다. 사람들은 그들의 일부 권리를 통치자에게 양도함으로써 복종해야 하며, 그 사람은 국가의 통치자가 된다.

자연법 그 자체는 어떤 힘에 대한 공포 없이는 지켜지지 않는다. 왜냐하면 우리의 자연적 정념은 그 반대의 방향으로 우리를 이끌기 때문이다. 또한 칼 없는 신의 계약은 빈말에 불과하며, 인간을 보호할 힘이 없다.

자연법이라 할 수 있는 이성이 말해 주는 일반 법칙이란, '각자는 평화를 획득할 희망이 있는 한, 평화를 위해서 노력해야 한다. 하지만 평화를 획득할 희망이 없는 경우, 모든 전쟁 수단을 강구하면서 자기의 이익을 추구해도 좋다.'는 뜻이다.

모든 사람은 신뢰로써 맺고 있는 약속을 이행해야 하며, 개인의 안전은 자연법을 통해 보호될 수 없고 약속은 칼이 아닌 단지 말에 불과해 사람들을 보호할 힘이 전혀 없다.

개인의 힘을 능가하는 권력을 지닌 주권자를 창출해 내고, 당신의 권리를 그에게 주어 일체의 행위에 대한 권한을 인정해야 한다. 이와 같이 인위적으로 창출된 인간의 인격에 의해 통일된 군중을 '코먼웰스'라고 부른다.

절대 권력의 대가로 행해야 하는 인민의 안전을 보장하지 못하는 것같이 정부가 자신의 의무를 다하지 않을 경우, 그 정부는 교체되도 된다.

자기 보호 그 자체를 위협받을 경우에 신민이 주권자에게 '복종하지 않을 자유'를 인정해야 하며, 교회가 세속적 권력을 갖는 것을 반대한다.

신의 대리인인 국왕이 하느님의 은총으로 국가를 다스린다는 기존의 인식은 잘못된 것이다.

≪사회계약론≫ 장 자크 루소(1712-1778): 프랑스 사상가

가. 개요

본 저서는 근대 정치 사상의 교과서로서, 국민과 주권, 정치와 정부, 사회 계약에 관한 논의는 물론, 선거와 투표에 이르기까지 광범위하게 논하고 있다. 인간의 선한 본성과 천부적인 자유를 기본으로 하는 이상적인 사회 질서와 정부 수립 필요성을 주장하면서, 참된 정치의 원리로 전체 의사의 존중과 시민의 자결권 및 주권을 제시한다.

나. 주요 주장 및 내용

인간은 자유인으로 태어났으나 어디에서나 쇠사슬에 얽매여 있다. 자신을 다른 사람들의 고용주라고 생각하는 사람들은 고용인들보다 더 심한 노예 상태에 있다.

사회와 개인 사이는 쌍무 계약으로 결합돼 있고, 각 개인은 자기 자신과도 계약을 맺고 있으므로 인간들은 이중으로 제약을 받고 있다. 다시 말해 각 개인은 개인들에 대해서는 주권자의 구성원으로, 주권자에 대해서는 국가의 구성원으로 계약 이행의 의무를 지고 있다.

자연이 모든 사람에게 자신의 신체 부분들에 대하여 절대 권한을 부여한 것처럼, 사회 계약은 정치체에게 단체의 전 구성원을 지배하는 절대적인 권력을 부여하고 있다. 일반 의지의 지휘를 받고 있는 주권이라는 권력은 이와 같은 권한이다, 시민의 자유와 평등한 관계를 확보하는 데는 철저한 국민 주권만이 불가결한 요건이다. 주권은 일반 의지, 곧 국민의 의지 행사이며, 양도가 불가능하다. 하지만 주권이라고 해도 절대적인 것은 아니며, 주권의 한계가 설정되어야 한다.

주권은 일차적으로 명확한 국민의 권력인 것이다. 정치 생명의 원리는 주권에 있다. 입법권은 국가의 심장이고, 행정권은 다른 모든 부분을 움직이게 하는 두뇌이다. 국가가 존속하는 것은 법에 의해서가 아니라 입법권에 의해서이다.

일반 의지의 행사가 주권이라면, 일반 의지의 표명은 법이다. 법은 본질적으로 일반적이며, 법을 정하는 권리는 국민에게만 속해 있다. 입법 체계의 원리는 자유와 평등이 되어야 한다.

사회 계약에 의한 정치적 국가의 탄생은 인간을 본능에서 정의로, 육체적 충동에서 의무로 전환시켜, 인간에게 도덕적·사회적 가치를 부여한다.

자유야말로 인간의 가장 고유한 본질이며, 사회 계약은 자유 그 자체를 보다 고차원적인 의미로 전환한 것으로서, 이 계약을 통해 자신의 힘 이외에는 구속하는 것이 없었던 자연적 자유를 포기하고 시민적 자유로 바꾼 것이 된다.

정부는 어디까지나 국민으로부터 집행권을 수탁받은 데 지나지 않는다. 정부의 기능은 법의 집행과 시민적·정치적 자유 유지에 있으며, 정부의 형태는 민주정·귀족정·군주정의 세 가지 기본형이 있다. 어떠한 정부 형태이든 항상 국민 주권이 그 전제가 되어야 한다.

종교는 인간의 종교와 시민의 종교로 구분되며, 인간의 종교는 신전이나 의식이 없이 지고한 신에 대한 순수한 내면적 예배에 한정된다. 시민의 종교는 한 국가에서만 신앙되는 종교로서, 법에 의해 정해진 외적 형태로 예배가 존재하며, 국가에 대해서는 고유한 역할을 수행한다.

≪자유론≫존 스튜어트 밀(1806-1873): 영국 사상가

가. 개요

서설, 사상과 언론의 자유, 행복의 한 요소로서의 개성, 개인에 대한 사회적 권위의 한계, 원리의 적용 등 모두 5장으로 구성된다. 자유의 개념을 철학적 원리로서 면밀히 분석하면서, 자유의 가치와 중요성을 강조한다. 개인의 자유가 보장되어야 하는 민주주의가 결과적으로는 다수자의 전제를 가져오는 위기 시대가 도래한다며, 개인 자유의 신장과 공리주의의 원칙에 충실히 하는 길을 제시한다.

나. 주요 주장과 내용

자유의 개념에는 모든 개인에 관해 강제로 간섭하는 사회의 권리를 엄격하게 제한하는 것이 포함된다. 즉, 자유는 이른바 소극적 자유를 의미한다. 그러므로 개인이 가진 자유의 영역을 최대한으로 하고, 철저히 옹호되어야 한다.

자유의 원칙은 기본적으로 개인은 오직 타인과 관련된 부분에만 사회에 책임을 지며, 자신만 관련된 부분에서 개인의 독립성은 절대적이라는 것이다. 자유란, 시민적이며 사회적인 것이다. 진정한 자유란 '우리가 타인의 행복을 빼앗으려 하지 않는 한, 또한 행복을 손에 넣으려는 타인의 노력을 방해하려고 하지 않는 한, 자기 자신의 행복을 자신의 뜻대로 추구하는 것)'이다.

우리에게는 양심과 사상을 표현하는 자유가 있어야 한다. 양심과 사상의 자유는 표현할 수 있을 때 존재 가치가 있다. 거대 집단과 반대에 있는 소수 집단에 대한 배려가 있어야 한다. 나와 다른 의견, 다수와 다른 소수 의견이 옳을 수도 있으므로 이런 의견들을 무시해서는 안 되며, 자유에는 의무와 책임이 따른다.

사람은 행동을 함으로써 타인에게 해를 끼치기도 하지만 행동을 하지 않음으로써 해를 끼치기도 한다. 둘 다 손해를 준 데 대해서는 책임을 져야만 한다. 그러나 후자의 경우 전자보다 확실히 강제적으로 책임을 지도록 한층 더 신중을 기해야 한다.

일반인에게 승인되지 않는 것에 대해 '순종하지 않는 것' 그 자체가 사회에 대한 하나의 공헌이 될 수 있다. 행위의 원칙으로 상호이익을 해치지 않을 것과, 사회와 그 구성원을 보호하기 위한 노동과 희생에 대해 각 개인이 자신의 역할을 분담해야 한다.

개인은 자신의 행위가 자신 이외의 다른 사람의 이해에 영향을 미치지 않는 한, 사회에 책임을 질 필요가 없다. 개인은 다른 사람의 이익에 손해를 끼치려는 행위에 대해 책임을 져야 하며, 만일 사회가 사회적 또는 법률적인 형벌 가운데 어느 하나를 사회 보호를 위해 필요하다고 인정하는 한, 개인은 그 처벌을 감수해야만 한다.

정부가 개인이나 단체의 활동과 능력을 촉구하기보다 오히려 자신의 활동으로 대체하려고 할 때, 또는 개인과 단체에 정보와 조언을 제공하지 않고 정부가 개인에게 억압적으로 일을 시키거나 그들을 제쳐 놓고 그들을 대신해 일할 때 해악이 생겨나므로 정부의 간섭은 당연히 제한되어야 한다.

우리는 지적 예속 상태에서 벗어나야 하며, 토론 없는 진리는 독단이다. 국가가 주장하는 모든 것은 미리 토론하라! 진리의 완전성과 가치의 절대성은 믿을 수 없으며, 나아가 자유로운 토론을 통한 비판이 허용되지 않으면 그것은 절대 무오류성을 가정하게 되는 잘못을 저지르는 것이다.

인간의 지식은 원래 완전한 것일 수 없으며 또한 이제까지 단 한 번도 전체적인 진리가 발견된 적이 없는 이상, 우리가 지닌 모든 지식은 시험적이며 잠정적인 것일 수밖에 없다.

상대적 진리와 다양하게 대립하는 가치의 존재를 인정해야 한다. 인간이란 스스로의 선택을 통해 자기 자신의 성격을 만들어 나가는 자발적 존재이다. 인간의 생활이란 본래 같은 패턴을 반복하는 것이 아니라 항상 새로운 사태가 출현하는, 무한하고도 미완성의 상태인 것이다. 이렇게 무한한 신선함과 신기함, 변화무쌍한 상태에서만 비로소 인간에게 가치 있는 것들이 생겨난다.

≪전쟁론≫ 클라우제 비츠(1832-1834): 독일 군사 전문가

가. 개요

전쟁의 본질, 전략 및 전술, 공격과 방어, 군사력과 전쟁 계획 등 전쟁의 제반 요소에 대해 변증법적 사유 방식과 논리로 구체적이고 실증적으로 고찰한다. '전쟁은 우리의 의지를 실현하고자 적에게 굴복을 강요하는 폭력 행동'이라고 정의하고, 전쟁의 본성을 '적의 전투력 섬멸'에서 찾고 있다.

나. 주요 주장 및 언급 내용

전쟁은 정치적 수단과는 다른 수단을 통해 정치를 지속시키는 행위이다. 즉 전쟁은 정치의 한 도구이며, 정치의 연속이다.

추상적 전쟁은 오로지 적이 저항치 못하게 하는 것이 목적이므로 폭력과 힘을 무제한으로 쓰게 되며, 경제와 같은 다른 제반 사항을 고려치 않으므로 국력이 비슷한 두 나라 간에는 무한한 군비 경쟁이 일게 된다.

현실 세계의 전쟁은 정치와 같은 여러 제반 사항이 고려되어 극단적으로 일어나지 않게 되고, 모든 군사력, 국력을 한 전장에 쏟을 수 없어 대부분 승패의 결정이 단 한 번의 결전으로 이뤄지지 않는다.

전쟁의 3요소는 정치성, 개연성, 폭력성으로서 정치성은 정부의 의지 실현을 위해 정치적 목적을 이루기 위한 정치의 영역이다. 개연성은 군사적으로 폭력을 활용해 적에게 굴복을 강요하는 군대의 영역이다. 폭력성은 전쟁에 대한 민중의 의지이자 대민 심리에 관한 것으로 인민의 영역이다.

전쟁에서 '무게 중심(重心; center of gravity)'이란 전쟁의 목표를 가장 효율적으로 달성하기 위해서 적의 전투력이나 전쟁 의지의 근본으로 여겨지는 곳을 말한다. 따라서 전력을 분산시키지 말고 적의 그 중심을 공략해야만 승리를 얻을 수 있다.

전쟁의 천재는 전쟁을 어렵게 하는 요소(마찰)를 효과적으로 극복하고, 타인을 극복하게 하는 사람이다. 그는 병사들에게 행동의 강한 동기를 불어넣고, 단호함과 완강함으로 전쟁에 임하여 어느 정도의 지속력을 유지할지를 결정한다. 또한 감성이 이성을 따라야 하며 고집을 피하되 자신의 신념을 단순한 의심으로 바꾸지 않아 지속력을 갖춰야 한다. 그리고 지형에 대한 이해를 바탕으로 전쟁을 수행하며, 정치에 대한 감각을 갖춰야 한다.

전략이란 전쟁의 목적을 이루려고 전투 방법을 모색하는 것이다. 전투력이란 모든 전쟁의 가장 기본적인 요소라고 말할 수 있다. 전투력이 투입되는 곳에는 싸움의 개념이 반드시 그 바탕에 있어야 한다. 전투력은 크게 생산과 유지, 그리고 사용으로 나눌 수 있는데 생산과 유지는 수단, 사용이 목적이라고 말할 수 있다.

전투에는 적극적인 목적과 소극적인 목적이 있다. 무력 결전을 하고 적의 전투력을 파괴하며 적을 쓰러뜨리는 것은 적극적인 목적이고, 결전을 지연시키고 아군의 전투력을 유지하려 하는 것은 소극적인 목적이다.

공격은 적극적이지만 약한 수단이고, 수비는 소극적이지만 강력한 수단이다. 공격 국력의 결집 유무가 전쟁의 승패에 영향을 끼친다. 공격의 성과는 물리력과 정신력의 우세함의 결과이다. 공격의 정점은 평화 조약을 맺는 목적을 달성했을 때를 말한다. 이 시점 이상이 되면 방어자가 반격하여 방어가 공격에 비해 우세해지는 역전 현상이 나타난다.

방어 수단은 첫째, 의병과 같은 민병대가 있는데, 이들은 조직 체계가 없는 듯하나, 신념에 의해 병력의 증대가 쉬워 방어 전쟁에서 유리하다. 둘째, 적을 포위하도록 자극하고 그 포위를 견뎌내는 요새가 있다. 셋째, 시민적인 복종이나 자발적인 마음에서 협력하는 인민이 있다. 넷째, 독립군과 같은 인민군이 있다. 마지막으로 동맹국이 있는데, 이는 어느 한 나라를 보존하는 데 중대한 관심을 갖고 참여하는 국가를 말한다.

3. 경제 분야

≪국부론≫ 애덤 스미스(1723-1790): 영국 경제학자

가. 개요

국가와 경제, 분업과 교환, 자본, 임금, 노동, 화폐, 생산력, 등 경제 영역 전반에 걸쳐 일반적 법칙을 제시하고, 그 상관관계까지 분석한다. 특히 '보이지 않는 손'에 의해 시장 질서가 확립되며, 자유경쟁으로 자본을 축적하는 것이 국부를 증진하기 위한 바른 길이라고 주장한다.

나. 주요 주장 및 내용

국가의 재산을 증식하기 위해서는 생산력을 높여야 하며, 생산력을 증가시키기 위해서는 분업이 필요하다. 사람들에게는 이기심이 있기 때문에 물건을 교환하려는 성향이 있어 분업이 발생한다. 이기심이야말로 경제 활동의 동력이다.

개별 인간의 자유로운 활동에 경제를 맡겨 두는 것이 효과적이고 국가와 사회에 유익하다. 자유 경쟁이 공정하게 이루어지면 사회가 풍요로워진다. 따라서 개인의 자유에 바탕을 둔 '번영하는 사회 질

서(prospering social order)'를 건설해야 한다. 국가의 간섭이 없다면 자연적으로 분업 구조가 형성되어 각 개인은 사회가 필요로 하는 물건을 생산해서 자신의 이익을 최대로 높일 수 있다.

중상주의의 정책 체계는 수입을 억제하고 수출을 장려해 식민지 무역을 독점하는 것으로 이루어져 있으며, 그 요점은 무역 균형을 유지하며 국외로부터 금속 화폐를 확보하려는 것이다. 중상주의의 간섭 정책과 특정 산업을 장려하는 정책은 국가와 국민을 부유하게 하는 데 전혀 도움이 안 된다.

근대 사회는 노동자, 자본가, 지주로 구성되며, 토지, 노동, 자본의 생산물이 한 나라의 부를 결정한다. 토지 소유자는 지대를, 노동자는 임금을, 그리고 자본가는 이윤을 자신의 몫으로 가져간다. 그래서 노동 가치론에 따르면 자유 경쟁이 실현될 때 평등한 시민들 간에 같은 노동량이 교환된다고 본다.

물건을 만들어 가치를 생산하고 나아가 이윤과 지대를 부가하게 되는 노동은 생산적 노동이다. 농업이나 공업은 사회 존립의 물질적 기반을 생산한다. 한편 생산적 노동을 고용해 각 작업장을 분업화함으로써 생산량을 높이는 경제적 조건이 바로 자본이다.

이윤은 불로 소득이므로 이윤율이 적어지고 임금이 높아지는 것이 공평하다. 사회적 생산력이 높아지면 사회의 대다수의 사람들이 전반적으로 부유해진다. 자본의 축적을 겁내지 말고 칭송해야 한다.

시민권의 충분한 보장만이 근대 사회의 생산력 해방을 가져올 수 있는 조건이다. 시민법은 자연적인 것이며, 그것은 규범일 뿐 아니라 역사적 필연성을 의미한다. 인간의 자연적 본성인 이기심 때문에 (여기에도 자연법적 인간관이 스며들어 있다) 상품 경제는 봉건제의 멍에에도 불구하고 조금씩 발전하게 된다.

경제가 먼저 있고 그다음으로 정치가 있다. 국가가 탄생하고 법이

제정되는 것이다. 법의 목적은 재산 침해를 방지하는 데 있고, 국가의 목적은 재산 소유자를 보호하는 데 있다. 국가는 개인이나 기업의 경제 활동을 지배하려고 해서는 안 된다. 그러나 정부의 역할은 문명이 발달함에 따라 강화되고 증대되어야 한다.

사법은 국내의 시민권을 보장함으로써 분업과 자본 축적의 급성장에 필요한 정치적, 사회적 여건을 마련한다. 국방은 동일한 임무를 국제 무대에서 수행한다. 약간의 공공사업이란 교육과 도로, 항만 설비와 같이 사회 총자본에 의해 행해지며 거기에서 막대한 이익이 생겨난다. 상업적인 개별 자본으로서는 도저히 해낼 수 없는 사업을 국가가 대신 수행하는 것이다. 이처럼 국가에는 자본 축적을 위한 역할이 주어져 있다.

한 나라의 부는 '그 국가의 금고 속에 들어 있는 금과 은의 저장량'이 아니라 '그 국가의 생산량과 무역량의 총계'로 결정된다.

≪자본론≫ 카를 마르크스 (1818-1883): 독일 경제학자

가. 개요

자본주의 사회의 경제적 제반 법칙을 논리적으로 설명하면서, 시민 사회와 자본주의 사회에 대한 내재적 비판을 가한다. 자본의 생산, 유통 및 축적 과정, 잉여 가치의 생산, 노동의 가치와 임금, 이윤 및 지대 등 경제 순환의 총체를 다룬다. 결론적으로 자본주의의 자본 집중과 독점, 이에 대한 노동자 계급의 반동을 들어, 사회주의 도래의 필연성을 제기한다.

나. 주요 주장 및 내용

자본주의 경제에서는 시장에 팔기 위해 재화와 용역이 생산되는데, 이처럼 출하된 재화와 용역을 상품이라고 부른다. 화폐의 발생 과정을 보면 물물 교환의 과정에서 어떤 특정 상품이 가치 척도 또는 계산 단위의 역할과 교환 수단의 역할을 독점하게 될 때 그 특정 상품이 화폐가 된다. 이 화폐는 '일반적 등가물'이라고 부르며, 금은 화폐와 같다.

자본주의적 생산의 목적은 이윤 획득에 있는데, 이 이윤의 원천은 노동자의 잉여 노동에 있다. 자본가는 노동자의 노동력(labour-power)을 그 가치대로 임금을 주고 구입해 공장 안에서 그 임금의 가치 이상으로 노동하게 함으로써 이윤을 획득하게 된다. 자본가의 투자 자본 중에서 노동력의 구입에 사용된 자본만이 잉여 가치를 창조·생산한다. 이처럼 잉여 가치를 창조하는 자본을 '가변 자본'이라고 부르며, 기계와 원료의 구입에 투자된 자본을 '불변 자본'이라고 부른다.

자본주의는 '독자적 생산 양식'인 협업이나 매뉴팩처, 대공업을 창조한다. 이들 생산 양식은 사용 가치를 낳는 유용 노동의 형식이라는 점에서는 인간과 사회의 역사적 진보이다.

자본의 축적은 잉여가치를 생산하고, 그 생산된 잉여 가치(이윤)를 다시 생산 수단과 노동력의 구입에 재투자함으로써 투자 자본의 규모를 증가시키는 것을 의미한다. 따라서 자본의 축적 과정은 잉여 가치의 생산 과정뿐만 아니라 잉여 가치의 실현 과정, 즉 상품의 유통 과정과 잉여 가치의 분배 과정(잉여가치가 상업 이윤·이자·지대 및 기업 이윤으로 분할되는 과정)까지도 포함한다.

결국 자본의 축적 과정은 기계의 도입, 노동 생산성의 향상과 경기 순환을 내포하게 되는데, 이 과정에서 노동자들은 점점 더 궁핍하게 된다. 실업의 위험이 증대하고, 숙련과 지식은 새로운 기계의 도입으로 무용지물이 되며, 노동자들은 점차 기계의 부속물로 전락하고 실업자가 주기적으로 양산된다.그리하여 생산력을 사회 전체를 위해 사용한다면 모두가 풍요롭게 살 수 있는데도 불구하고 현실적으로는 노동자들이 빈곤을 맛보지 않을 수 없게 된다. 이것이 바로 '노동 자계급의 궁핍화 경향'이다. 이처럼 자본의 축적 과정은 노동자들의 상태를 악화시키기 때문에 노동자들은 단결해 자본의 지배를 타파하고 새로운 사회를 건설하게 된다.

상품의 가치는 비용 가격과 이윤의 합계이며, 비용 가격은 상품의 생산에 소모된 자본액(기계와 건물의 감가상각액+원료비+임금)과 같으며, 이윤은 자본 투자액의 산물이다. 현실의 자본가들이 잉여 가치가 가변 자본으로부터 창조되는 것이 아니라 자본 투자 총액의 산물이라고 파악할 때 잉여 가치는 이윤으로 전환한다. 상업 자본은 산업 자본이 스스로 담당해야 할 상품의 판매 업무를 대행함으로써 산업 자본이 창조한 잉여 가치의 일부를 상업 이윤으로 분배받는 것이다.

지대는 토지 소유자가 취득하는 소득 형태인데, 여기에는 절대 지대와 차액 지대가 존재한다. 토지 생산물의 생산 가격은 최열등지의 그것에 의해 결정되기 때문에 비옥한 토지의 사용자는 초과 이윤을 획득할 수 있지만 지주는 그것을 지대로 흡수하게 된다. 토지 소유의 존재는 자본 지배에 대한 제한을 가져오며, 생산 자본가는 이윤의 일부를 토지 소유자에게 지대로서 분배한다. 그러나 지대는 토지의 비옥한 정도와 위치 등의 차이에 근거하는 차액 지대와 토지 소유 그 자체에 기초하는 절대 지대라는 두 가지 형태로 나뉜다.

상업 이윤과 이자 및 지대는 산업 자본가(농업 자본가 포함)가 임금 노동자로부터 착취한 잉여 가치를 분배하는 형태에 불과하기 때문에, 잉여 가치의 분배를 둘러싸고 산업 자본가·상업 자본가·화폐 자본가 및 지주는 대립하지 않을 수 없다. 지배 계급의 소득 원천은 노동자 계급의 잉여 노동이기 때문에 자본가 계급과 지주 계급은 노동자 계급과의 투쟁에서는 동맹 세력이 될 수 있지만, 자본가 계급과 지주 계급 사이에도 이해 대립이 존재하며, 자본가 계급 안에서도 분파들 사이에 이해 대립이 발생한다. 이러한 계급 간 및 계급 분파들 간의 투쟁은 결국 국가를 매개로 하여 진행될 수밖에 없다. 자본주의가 발전하게 되면, 국제적인 문제가 발생하며, 자본의 집중과 독점, 노동자 계급의 반역 등이 나타난다. 따라서 이런 모순을 극복하기 위해서는 공평한 사회주의의 실현이 불가피하다.

4. 철학 분야

≪방법서설≫ 데카르트(1596-1650): 프랑스 철학자

가. 개요

이성으로서 학문의 진리를 탐구하는 방법론으로서, 학문의 체계를 구축하는 방법, 현상을 올바르게 판단하는 능력, 책을 통한 학문에 대한 비판, 실제적 철학에 의한 자연 연구 등에 관해 논리적으로 서술한다. "나는 생각한다. 그러므로 나는 존재한다."라는 진리의 명제를 가지고 '생각하는 실체', 곧 '정신'으로서의 나를 도출해 낸다.

나. 주요 주장 및 내용

양식은 '올바르게 판단해 진위를 구별하는 능력', 곧 이성을 가리키며, 세상에서 가장 공평하게 분배되어 있다. 책과 학교에서 배운 많은 지식과 학문(역사·수학·신학·철학 등)이 참된 의미에서 확실히 유익한 것은 아니다.

철학적 제일 원리를 찾기 위해서는 일단 모든 것을 의심해 보는 것(수학적 진리까지 의심)이 자유로운 사유로 나아가는 길이다. 나는 이제까지 내 정신 속으로 들어온 모든 것은 나의 꿈속에 나타난 환상과 마찬가지로 진실하지 않은 것이라고 가정하기로 결심했다.

문제 해결을 위한 방법상의 규칙으로 네 가지가 있다. 첫째, 내가 확실히 참이라고 인정한 것이 아니면 어떠한 것이라도 참이라고 받아들이지 말 것, 둘째, 내가 고려하는 각각의 문제를 가능한 한 많이, 그리고 그 문제를 가장 잘 해결하기 위해 필요한 숫자만큼 작은 부분으로 나눌 것, 셋째, 가장 단순하고 인식하기 쉬운 대상에서 조금씩 단계를 밟아 가장 복잡한 것의 인식에 이르기까지 순서에 따라 나의 생각을 유도할 것, 넷째, 어떠한 내용도 빼놓지 않았다고 확신할 만큼 완전히 열거하고 광범위하게 재검토할 것이다.

나 스스로 정한 잠정적 임시 도덕률은 첫째, 살고 있는 나라의 법률과 습관에 복종하고, 어린 시절부터 믿어 온 종교를 신봉하며, 세상에서 가장 분별 있는 사람들의 가장 온건하고 극단에서 가장 멀리 떨어져 있는 의견을 따르도록 자신을 유도하는 것이다. 두 번째는 행동을 해야 할 때, 가능한 한 단호하고 의연한 태도를 취하는 일이며, 아무리 의심스러운 의견일지라도 일단 그렇다고 결심한 이상 그것이 실제로 확실한 것인 듯한 태도로 변함없이 그것을 따른다. 세 번째는 운명보다 오히려 항상 자신의 내부를 극복하도록 노력하며, 세계의 질서보다는 오히려 자신의 욕망을 바꾸도록 노력할 것이다. 네 번째는 이러한 도덕적 결론으로 세상의 다양한 직업 가운데 최선의 것을 선택하여 지금 종사하고 있는 일을 지속적으로 하는 것이다. 곧 이성을 개발하며 스스로 선택한 방법을 통해 진리를 인식하는 데 힘이 미치는 한 최선의 노력을 하는 것이다. 나는 이 세상에 펼쳐지고 있는 연극에 대해서는 배우가 아닌 철저한 구경꾼이 될 것을 노력하며, 하나하나의 사물에 대해 의심나는 점, 그것이 우리를 잘못 판단하게 만들기 쉬운 점에 대해 반성하는 일에 온 마음을 기울이며, 이전부터 내 정신에 스며들어 온 온갖 오류를 조금씩 그 뿌리째 제거해 나갔다.

존재의 관념은 나보다도 완전하고 또 내가 생각할 수 있는 온갖 완전성을 자기 자신 안에 갖는 존재자, 즉 신에 의해서 나의 내부에 놓여지는 것이며, 신은 내 밖에 존재한다. 나는 “내가 필연적으로 무엇인가이지 않으면 안 된다.”라는 점을 의식하게 되어 “나는 생각한다. 그러므로 나는 존재한다.”라는 진리를 발견했다.

물질 가운데에서는 실체적 형상이나 실재적 성질이라는 것은 존재하지 않으며, 자연은 원칙적으로 질서가 정해져 있는 것이다.

일반적 원리가 나에게 가르쳐 주고 있는 것이란, 인생에서 매우 유익한 모든 인식에 다가갈 수 있게 해 주는 것으로, 학교에서 배우는 이론적 철학 대신 하나의 실제적 철학을 발견할 수 있게 해 주었다. 실제적 철학에 의해 우리는 이른바 자연의 주인이며, 또한 소유자와 같은 지위에 오를 수 있다. 그것은 이 세상의 생명에 대한 제1의 선(善)이며, 모든 다른 선의 기초가 되는 건강의 유지에도 커다란 공헌을 할 수 있는 것이다.

나는 내가 발견한 것이 불과 얼마 되지 않는 것이라 할지라도 모든 것을 있는 그대로 세상에 전해 유능한 사람들을 나보다 더욱 앞서 전진하도록 촉구하며, 그들이 각각의 기호와 능력에 맞추어 필요한 실험에 서로 협력하고 스스로 배움을 통해 알게 된 내용을 모두 세상에 전하고자 노력하도록 촉구한다.

우리들이 동물의 정신과 인간의 정신이 얼마만큼 다른 것인지를 안다면, 우리들의 정신이 신체로부터 완전히 독립되어 있는 종류의 것이고, 따라서 신체와 함께 죽어야만 할 것이 아니라는 증명에 대한 논의를 훨씬 잘 이해할 수 있을 것이다. 한편 정신이 파괴되는 원인은 신체의 죽음 이외에는 없는 것이므로, 사람은 절로 정신이 불사한다고 판단하게 된다.

≪팡세≫ 파스칼(1623-1662): 프랑스 철학자

가. 개요

신과 인간관계를 탐구하는 가운데 인생에서 신의 중요성을 강조한다. 신과 함께 하는 행복과 신이 없는 인생의 비참함을 설명하면서 그리스도교의 진리를 증명한다. “인간은 한 포기 연약한 갈대에 지나지 않는다. 그러나 생각하는 갈대다.”로 정의하며, 인간은 죽음을 향해 있는 존재라고 역설한다.

나. 주요 주장 및 내용

비참함과 위대함은 인간의 모순적인 모습이다. 인간은 진리의 세계에 도달하지 못한다. 이성은 기만적인 힘이고 습관은 선입견을 만들고 상상력은 환상을 불러온다. 인간의 자애심은 진리와 멀어지게 만들어 자신의 결점은 보지 않고 존경만 받으려고 한다.이것이 인간의 본성이다.

덕행, 정의, 행복이 최고선인가? 인간의 기질과 풍습은 나라마다 달라 습관만이 존재한다, 무엇이 정의인가? 정의에 복종하는 것은 옳은 일이요, 가장 강한 것에 복종하는 것은 필요한 일이다. 힘없는 정의는 무력하고, 정의 없는 힘은 폭력이다. 힘없는 정의는 반대를 당한다. 왜냐하면 악의 무리는 그칠 새가 없기 때문에 정의 없는 힘은 비난을 받는다. 따라서 정의와 힘을 동시에 갖추어 놓아야 한다. 그러기 위해서는 정의가 강해지거나 강한 것이 정의가 되어야 한다.

인간은 자신의 힘만으로는 최고선에 도달할 수 없고 이에 대한 욕구에 허덕인다. 인간은 휴식 상태에서 권태와 절망에 빠지며 휴식과 동요, 권태와 환영 사이를 오간다. 인간은 자신의 비참함을 안다. 하지만 인간은 생각하는 갈대다. 인간은 이중성에서 벗어나지 못한다. 인간은 한쪽으로 치우치면 회의론에 빠지고 다른 쪽으로는 독단론에 빠지게 된다. 인간은 원초적 위대함의 상태를 경험했지만 타락했기에 최고선을 잃어버렸고, 완전하게 타락하지는 않았기에 진리, 완전함을 갈망한다.

민중은 매우 건전한 의지를 가진다. 그러나 무지하고 환상 속에서 행복을 찾는다. 민중은 고귀한 사람을 숭배하고 정의를 존중한다. 하지만 외양에 이용당하는 존재이다. 출생 신분에 따른 권리를 누가 주었는가? 생각해 보라.

그럼에도 민중은 건전하다. 참된 정의는 존재하지 않기 때문이다. 유일한 정의는 힘에 의한 질서의 정의이다. 이것은 힘과 습관에 의해 유지된다. 민중은 여기에서 참된 정의를 본다, 정의가 아니라고 하면 반란이 일어난다, 그렇기에 민중에게는 참된 정의로 알게 해야 한다.

'신은 존재하는가 존재하지 않는가'의 문제는 이성에 의해 회답을 얻을 수는 없다. 무한대는 존재한다. 그러나 그 본질은 알 수가 없다. 신에 대해서도 같은 말을 할 수가 있을 것이다. 신의 본질은 알 수가 없다. 그러나 신의 존재를 의심할 수는 없는 것이다. 그대는 신의 존재를 부정하는가? 좋다. 그렇다면 내기를 걸라. 신은 존재하는가, 아니하는가? 그대가 만일 존재한다는 편에 걸어 그대가 이긴다면 무한한 행복을 얻을 수가 있을 것이다. 반대로 그대가 진다 하여도 잃을 것은 아무것도 없지 않은가. 그러니 주저하지 말고 신은 존재하다는 편에 내기를 걸라.

인간은 예수가 중재한다고 하느님과 연관될 수 있는가? 인간은 유한한 존재이다. 육체는 자연의 무한 속에 무한대와 무한소에서 멀리 떨어져 있다. 인간은 사물을 완전히 인식하지 못한다. 인간은 하느님을 완전히 인식할 수 없다. 유한한 존재가 무한한 존재를 파악하는 것이 아니다. 무한한 존재가 성총에 의해 스스로를 유한한 존재에게 전하여 준다.

인간은 불행하다. 그래서 위락을 추구한다. 희의론자는 비참하고 독단론자는 오만하다. 신앙 없이는 행복하지 못하다. 인간은 최고선을 상실했기에 공허하다. 이 심연은 하느님에 의해서만 채워진다. 오직 겸손하게 추구된 하느님의 은총만이 최고선이다. 인간의 모순, 원죄는 인간의 자신의 비천함을 알고 모순과 원죄를 통회할 때 은총을 받을 수 있다.

사람들은 종교를 경멸하고 증오하고, 진실을 두려워한다. 이것을 고치려면 종교가 이성에 어긋나는 것이 아님을 보여 주어야 한다. 종교는 스스로 애매함을 인정한다. 이성은 신의 존재 여부를 확실히 파악할 수 없다. 인생은 선택을 강요하기에 인간은 내기를 한다. 우리의 이익은 어디에 있는가? 천상의 무한한 행복을 위해 인간이 지상에서의 유한한 삶을 희생할 뿐임을 아는가? 인간에게 지상의 행복은 아무것도 아니다.

인간은 자연에서 가장 연약한 한 줄기 갈대일 뿐이다. 그러나 그는 생각하는 갈대이다. 인간은 자기가 죽는다는 것을, 그리고 우주가 자기보다 우월하다는 것을 안다. 우주는 아무것도 모른다. 그러므로 우리의 모든 존엄성은 사유로 이루어져 있다. 우리가 스스로를 높여야 하는 것은 여기서부터이지, 우리가 채울 수 없는 공간과 시간에서가 아니다. 그러니 올바르게 사유하도록 힘쓰자. 이것이 곧 도덕의 원리이다.

기독교 도덕 회심자는 예수의 한 지체로 살아가야 한다. 자신의 의지를 증오하고 하느님의 의지를 사랑해야 한다. 하느님의 면전에서 자신을 낮추고 겸소한 마음으로 은총을 기다려야 한다. 하느님을 인식하고 사랑해야 한다. 증거가 없이 믿는 사람들은 확실한 신앙을 가지고 있다. 인간의 마음을 신앙으로 기울게 하는 것은 언제나 하느님이다.

≪순수 이성 비판≫ 칸트(1724-1804): 독일 철학자

가. 개요

종래의 형이상학을 반성하고, 과학에 대한 신뢰를 기초로 하여 지식에 대한 질문을 던지고 이에 대해 체계적으로 답한다. 인간의 감성, 오성 및 이성을 통한 선험적 인식론으로 실존하는 현상을 그대로 파악해야 함을 강조한다. 인간의 주체성을 강조하며 신학적, 철학적 오류를 벗어나 순수한 이성의 사유를 해야 한다고 주장한다.

나. 주요 주장 및 내용

인간의 이성은 자기 자신이 스스로 만들어 낸 것만을 선험적으로 인식할 수 있다. 책은 인간이 인식하기 이전에는 아무런 존재가 아니나 인식함으로써 비로소 책으로 존재할 수 있는 것이다. 따라서 초월적 실재론으로부터 경험적 실재론으로 철학적 사고의 전환이 이루어져야 한다.

감성과 지성이 결합할 때만이 인식이 성립하며, 내용 없는 사고는 공허하고, 개념 없는 직관은 맹목이다. 우리의 모든 인식은 경험과 더불어 시작된다. 경험 없이는 어떤 인식도 가능하지 않다. 그러나 모든 인식이 경험으로부터 나오는 것은 아니다. 경험만 가지고는 얻어지지 않는 선천적 인식이 있기 때문이다. 선천적 지식은 보편성과 필연성을 지닌 인식이다. 인식은 결코 독단이나 개념으로부터 증명될 수 없는 선험적이고 종합적인 판단이다.

과감하게 알려고 하라! 그리고 따져 보라! 이성 비판이란 바로 과감하게 알기 위해서 열심히 따져 보는 것이다. 있는 것을 있는 그대로 정확하게 파악하는 중요하다. 이성이란 인간의 지적 능력을 통칭하는 것이다. 그러한 능력이 어떻게 작동하는지 분석하고 평가해 보라.

우리는 다음의 네 가지를 비판적으로 따져 보아야 한다. 첫째, 나는 무엇을 알 수 있는가? 이는 인식 및 지식론의 화두로서, 진리를 탐구의 대상으로 한다. 둘째, 나는 무엇을 행해야만 하는가? 이는 도덕 및 윤리학의 화두로서, 선의 의미를 탐구 대상으로 한다. 셋째, 나는 무엇을 희망해야 하는가? 이는 철학 및 종교의 화두로서, 최고선을 탐구 대상으로 한다. 넷째, 나는 무엇에서 흡족함을 느낄 수 있는가? 이는 미학 및 목적론의 화두로서, 미와 합목적성을 탐구 대상으로 한다.

형이상학이 불안정한 단계를 벗어나서 학문의 안전한 길로 들어서기 위해서는 이미 학문의 단계에 이른 수학과 물리학의 성공을 본받아야 한다. 종래의 신적 형이상학은 이론적으로 성립하지 않는다. 뉴턴의 수학적 자연 과학에 의한 인식구조에의 철저한 반성을 통해, 종래의 신 중심적인 형이상학의 모든 개념을 인간 중심적인, 인간학적인 의미로 바뀌어야 한다.

지성은 우리에게 대상이 주어질 수 있는 감성의 한계를 넘어설 수 없고, 밝혀진 '지성의 원칙들'은 단지 현상을 해명하는 원리들일 뿐이다. 만약에 순수 이성이 자신의 한계를 벗어나서 형이상학적 심리학의 인식 대상, 혹은 우주론과 신학의 인식 대상인 무규정자에 이르려고 할 때 순수 이성은 잘못된 추론에 빠지게 된다.

우리는 공간과 시간이라는 선천적인 감성 형식을 통해서 각각 기하학적 판단과 수학적 판단이라는 선천적 종합 판단을 갖게 되고, 오성의 선천적 형식인 범주를 통해서 자연 과학적인 판단이라는 선천적 종합 판단을 갖게 된다. 모든 분석적 판단은 '모순율'에 의해 그 명제의 참과 거짓을 결정할 수 있다. '모순율'은 모든 분석 판단의 참됨을 결정하는 필요하고도 충분한 조건이 된다.

'제약적인 전체로서의 세계'에 관한 이념을 만들어내는 이성은 자기 자신과 모순에 빠진다. '정립'과 '반정립'이라는 '순수 이성의 이율배반'은 현상 전체 요소들의 성질과 모든 것을 신 혹은 물질과 같은 궁극적인 존재에 의존하려는 문제 등을 모두 이성을 통해 인식하려는 시도에서 생겨난다. 그리고 이러한 이율 배반은 현상과 사물자체를 분명하게 구별하여 주는 '초월적 관념론'에 의해 해결되어 질수 있다.

존재의 세계에서는 성립될 수 없지만, 희망의 세계에서만큼은 심판자인 '하느님의 존재'를 기대해 봄 직하다. 착한 사람이 복을 받는다는 희망이 인간의 삶에 큰 의미를 가져다 준다. 진, 선, 미, 성(聖)이 삶의 각기 다른 영역에서 고유한 다른 가치를 지니고 기능하고 있다. 만일 이론 이성과 실천 이성이 상충할 때는 실천 이성, 즉 도덕적 삶이 우선되게 하라.

우리는 보편성과 필연성, 그리고 경험에서 나오는 인식을 통해 철저하게 따져 보고 파고듦으로써 이전까지 인류가 헤쳐 나오지 못하고 있는 신학적 철학적 오류로부터 벗어나고, 순순한 인간적 이성의 사유를 해야 한다.

≪정신 현상학≫ 헤겔 (1770-1831): 독일 철학자

가. 개요

"학문은 운동을 하는 의식이 스스로에 대해 쌓는 경험"이라고 정의하고, 학문에 이르는 의식의 이 같은 경험 계열을 고찰하는 것이 과제라고 역설한다. 각론에서는 "절대지"의 영역 속에 객관적 관념론에 의거하여, 의식의 경험, 감성적 확신, 절대 정신 및 개인의 욕구 등에 대해 상세히 서술한다.

나. 주요 주장 및 내용

'의식의 경험'은 의식이 자신의 인식 내용을 비판해 가면서 전개해 나가는 인식 비판의 과정이다. 의식은 "그 어떤 것을 안다."라는 말로 표현될 수 있는데, 의식은 대상과 의식 자신이 각각 독립된 것이다. 대상과 의식은 상대의 영향 없이도 그 자체로 존재한다. 그러나 의식은 대상이 없으면 지를 가질 수 없다. 지를 가지기 위해서 의식은 대상에 의존할 수밖에 없다. 의식의 단계는 다시 대상의 존재를 감성적으로 확신하는 의식(감성적 확신), 대상의 존재를 지각하는 의식(지각), 대상 세계의 법칙을 인식하는 의식(오성)의 3단계로 전개된다.

'이것'이란 무엇인가?"라는 논제에서 생각해 봐야 할 것은 시간적으로는 '지금', 그리고 공간적으로는 '여기'이라는 조건이다. 감성적 확신은 대상의 진리를 바르게 파악하지 못하게 한다. 감성적 확신에 의해 드러나게 되는 대상의 진리는 완전히 보편적인 것에 지나지 않게 되고, 이러한 사정은 '여기'의 측면에서도 마찬가지다. 종합하자면, '지금'과 '여기'의 차원에서 검토될 수 있는 '이것'이란 사실상 추상적인 보편자 내지는 일반자에 불과하며 대상의 구체적 진리를 담고 있지 못하다.

감성적 확신은 구체적 진리를 파악하고 있지 않다. 그것은 가장 구체적으로 풍부한 파악을 확신한 것이었지만 그것이 파악한 바는 사실 가장 추상적인 일반자에 불과하다. 결국 이러한 존재와 그것에 대한 지(知)의 괴리를 자각한 의식은 존재의 진리를 파악하기 위해 지각으로 이행하지 않을 수 없게 된다. 감성적 확신에 있어서 진리의 포착은 개별자와 보편자(일반자)의 모순이라는 일괄된 공허한 운동으로 판명되게 된다. 바로 이것이 감성적 확신이 지각의 단계로 이행하게 되는 계기가 된다. 지각의 단계에서 대상은 추상적 보편성(일반성)의 단계가 지양되고 각이한 특성을 지닌 사물로서 나타난다. 지각의 대상은 사물이며, 이 사물은 지금 그리고 여기가 변하여도 동일한 것으로 존재한다.

의식은 힘의 전개인 현상의 내면을 초감성적 세계, 법칙의 세계라 칭하고 이 법칙의 세계가 힘의 전개인 현상의 근거를 설명할 수 있다고 생각한다. 법칙은 힘의 일반적 구별, 힘의 내재적 형식이다. 그러나 법칙은 자체적으로 내적 필연성을 지니지 못한다. 법칙은 서로 무관심한 계기들의 어설픈 통합에 지니지 않는 것이다. 그래서 의식은 자신이 힘에 대해 가지는 법칙이라는 지(知)에 문제가 있음을 깨닫는다. 지에 문제가 있음을 깨닫는 것은 곧 의식 자신의 문제점을 알아차리는 것과 같다. 변증법적 3분법에 따라서 자기 확신의 진리→자기의식의 자립성과 비자립성→자기의식의 자유라는 3단계를 걸쳐 완성되는 것이다. 이와 동시에 자기의식은 이성으로 발전해 간다.

하나의 자기의식은 자아를 끝까지 고수하고 다른 자기의식은 생을 선택하는 방식으로 종결됨으로써 전자는 자립적 자기의식의 지위를 유지하고 후자는 비자립적 의식이 된다. 전자는 주인이고 후자는 노예이다. 궁극적으로 노예를 주인으로, 예속을 지배로 변형시키는 것은 노동이다. 다시 말해 노동이 주인과 노예의 역전 관계를 완성시킨다 "노예의 의식은 오직 노동을 통해서만 자신에게로 귀일(歸一), 귀착된다." 주인은 노예의 노동을 필요로 하기 때문에 노예에 의존하게 되고 이와는 반대로 노예는 주인이 필요로 하는 물건을 노동을 통해 생산하고 획득함에 따라서 주인을 지배하는 힘을 획득한다. 노예는 물적 소재를 가공하고 자유로운 형성 활동을 실행하는 것에 의해서, 즉 자각적 창조 행위에 의해서 자기의식으로 복귀하고 자유를 획득하기에 이르는 것이다

변증법적 삼분법에 따라 보자면 의식은 자기의식을 거쳐 이성으

로 이행한다. 이 이성은 대상 의식과 자기의식의 통일을 나타낸다. 대상 의식은 대상과 의식이 대립하고, 진리는 오직 대상 쪽에 있다고 생각한다. 반면 자기의식은 진리가 대상 쪽에 있는 것이 아니라 자신 안에 있음을 발견한다. 자기의식이 최종 단계, 즉 자유에 도달하면서 의식과 대상, 주관과 객관, 개별과 보편, 더 나아가서는 의식과 자기의식이 통일되기에 이른다. 경험의 진전을 규정하는 요인은 외적 간섭이 아니라 자발적인 의식의 형태다. 따라서 인식과 그 대상, 주체와 객체와의 관계가 변화하면 대상의 객관성은 반드시 주체에 기인하고, 감각과 지각이 포착하는 현실성은 객관성으로 환원할 수 없는 일반성 즉 성질, 사물, 힘, 법칙 등이라는 것이 밝혀진다.

우주에 존재하는 모든 것의 총체는 '절대정신'으로 간주되며, 이것이 모든 발전의 여러 단계를 관철하고 있다. 각 단계는 논리적, 자연적, 사회적 현상을 표현한다. 다시 말하여 절대정신은 처음에 즉자적 단계에 머물러 있다가, 그 발전의 각 단계에서 자신의 새로운 측면이나 규정을 발현시킨다. 절대정신은 질적으로도 양적으로도 측정되는 존재이며 그 본질은 현상에 의해서 현실성을 구성한다. 논리적 개념은 주관적이며 객관적인 모멘트를 통하여 이념으로 전화한다. 절대 이념은 순수 논리의 영역에서 자기를 외화하여 자연으로 전화하고, 다시 정신으로서 그 자신에게로 돌아온다. 정신의 발전 단계에 해당하는 것은 그중에도 가족, 국가, 종교, 그리고 철학이며 철학은 자기 자신을 인식하는 절대 정신이다(절대적 관념론).

개인은 욕구의 주체이며, 언제나 타자와 관련한 욕구나 충동을 품고 있다. 그러나 개인은 이러한 보편적 실체 속에서 단지 자신의 행동이 존립하는 데 대한 형식 일반만을 보유하는 게 아니라 내용도 그 보편적 실체 속에 담고 있다. 보편자는 개별적인 부분들을 자기 속에 포섭하고 있는 하나라는 의미에서 여럿을 자기 속에 품고 있는 하나이다. 보편자는 사물적으로 나타나는데 이는 물리적 의미에서의 사물이 아니다. 개별자가 사물성으로 존재하듯이 보편자 역시 실질적으로 존재한다. 개별자는 보편자를 통하여 자유를 실현하고, 보편자는 개별자의 노동 또는 운동을 통해서 자기를 실현하는 일반적인 논리적 개념에서 보편자는 개별자와 대립하지 않는다.

처음에 정신은 자기 자신과의 격렬한 씨름을 벌인다. 즉 의식으로서의 정신은 변증법적 나선 속에서 자기의식으로 고양하기까지 자신을 도야해 가며, 결국 정신으로서 세계의 무대에 등장한다. 개별적 의식 안에 있는 정신의 현상들은, 감각적 의식으로부터 시작해서 자기의식에 이른다. 결국 정신은 세계와 역사 속에서 현상하며, 절대적 정신 속에서 자기실현에 이르게 된다. 우리는 정신의 두 번째 사유 운동으로서의 지각을 발견한다. 지각은 대상을 일반자로서 파악한다. 속성들이 드러나면서 지각은 통일성과 일반성 사이의 모순에 빠진다. 지각이 그에 대해 답을 하려 할 때 기만에 봉착하고 만다.

오성은 레몬 열매의 개념에 있어서 다양한 계기들을 함께 생각하고 개념에 있어서 어떤 보편적인 것과 무제약적인 것, 즉 힘을 발견한다. 오성은 힘을 변증법적으로 끝까지 그려 내고자 하며, 힘의 대타 존재를 힘의 발현, 즉 신맛이 나는 식물, 건강 촉진제 등으로 부른다. 그러나 힘은 또한 대자 존재이다. 오성은 사물이 힘을 갖는다는 것을 알 뿐만 아니라 자신의 지(知)에 대해서도 알게 된다.

≪실증철학 강의 ≫ 콩트(1798-18579): 프랑스 철학자

가. 개요

사회학, 수학, 천문학, 물리학, 화학, 생물학 등 광범위한 학문 분과를 다루는 전 6권의 방대한 대작이다. 모든 사물을 실증에 기반하여 수학적 논리와 경험적 실증성을 갖고 연구해야 한다며, 인류의 진보 단계는 신학적 단계, 형이상학적(철학적) 단계, 과학적 단계의 순으로 발전한다고 주장한다. 특히 이 저서는 사회 진보 과정과 사회학적 이론에 대해 상세히 기술하여, 사회학의 원조라고 일컬어진다.

나. 주요 주장 및 내용

사회과학은 다른 모든 과학이 발전한 뒤에서야 나타날 수 있는 가장 높은 수준의 학문이다. 학문은 천문학, 물리학, 화학, 생물학, 그리고 마지막으로 사회학의 차례로 발전한다. 그는 이러한 발전 순서가 단순한 것에서 복잡한 것으로, 특수한 것에서 일반적인 것으로, 다른 학문과 연관성이 없는 것에서 보다 긴밀하고 복잡하게 연관되어 있는 것으로의 발전을 의미한다. 생물학은 생명체의 각 요소를 분리된 것이 아니라, 상호 연결되어 있는 전체로 본다. 때문에 그런 특성을 지니지 않은 이전 단계의 과학들에 비해서 한층 더 수준이 높다. 사회학은 그러한 생물학의 특성을 갖고 있지만 생물학의 연구 대상에 비해 유기적으로 훨씬 복잡하다.

사회(과)학은 생물학을 해부학과 생리학으로 구분하는 것처럼, 정학(静学)과 동학(動学)으로 구분할 수 있다. 즉, 사회 체계의 여러 요소들 사이의 작용-반작용의 법칙을 발견하는 것이 정학이고, 사회 체계의 변화, 발전을 초래하는 요인의 작용을 탐구하는 것이 동학이다. 바꾸어 말하면 정학은 사회 질서, 구조, 형태에 대한 탐구이며, 동학은 사회 진보, 과정, 변화에 대한 탐구이다. 인류 진보의 3단계도 바로 동학적 탐구의 결과이다.

자연 현상에 일정한 법칙이 있는 것처럼 사회에도 그런 법칙이 있으며, 사회는 어느 한 부분만 따로 떨어져 있는 것이 아니라 서로 연관되어 있는 유기적 전체이다. 관찰에 기초하여 사회를 연구하고, 그 사회를 지배하는 근본적이고, 기초적인, 법칙들을 발견하는 것이 실증주의다. 실증주의는 경험주의가 그러하듯 단순히 현상을 관찰하는 데 그치는 것이 아니라 이론과 법칙의 발견이라는 목적을 염두에 두고 현실을 관찰하는 방법론이다. 즉, 모든 이론이 관찰된 사실에 기초해야 한다면, 모든 현상도 이론에 기초해야 한다고 본다.

사회적 법칙, 원리를 발견하려는 사회 물리학의 연구 방법으로 체계적인 세 개의 방법론이 있다. 이것은 사회 현상에 대한 자연 과학적인 연구 방법으로 관찰, 실험, 비교 또는 역사적 분석을 말한다. 관찰은 단순히 현실의 사회적 사실을 관찰하는 것에 그치지 않고, 현실의 사실들 사이에 존재하는 경험적인 법칙 관계를 밝혀내는 것까지 포함한다. 과학적 방법론인 실험은 인위적 실험 대신 자연적 실험이 가능하다. 자연적 실험의 대표적인 예에는 사회적 병리 현상의 관찰, 즉 사회적 일탈 현상의 관찰이 있다. 다양한 형태를 가진 사회 형태들의 비교를 통해 각 사회들의 작동 원리와 근본적인 속성들을 파악할 수 있다. 역사적 분석이란 사실, 비교의 방법 중 하나로(현재와 과거에 대한 비교) 시공간적 측면에서 사회를 비교하는 것이다.

유기체에 대한 생물학적인 연구는 사회에까지 확대되어야 하며, 사회는 하나의 유기체적 전체이다. 사회 물리학에서 질서의 개념과 진보의 개념은 생물학의 조직 개념과 생명 개념처럼 분리될 수 없으며, 그 개념들은 실로 과학적 견지에서 생물학으로부터 파생되었다.

사회의 전제 조건에 관한 연구는 질서에 대한 관심이며, 따라서 '인간의 존재 조건' 간의 조화에 관한 이론이라고 할 수 있다. 사회의 진정한 구성 요소는 개인이 아닌 가족이다. 그것은 가족이 '사회 유기체의 다양한 특성들의 진정한 근원'이기 때문이다.

사회를 지배하는 역사적 지식 체계는 세 가지로 구분되며, 그것은 첫째, 체계의 각 부분들의 상호 의존성, 둘째, 부분들 간의 교환을 조정하는 권위의 집중화, 셋째, 성원들 사이의 공통의 도덕성이다. 실증주의는 새로운 시대의 새로운 질서를 위한 지식 체계이다. 지식의 진보가 사회 진보의 가장 중요한 계기이며, 인구의 증가가 진보의 원인이다. 생산성의 발달(산업화로 인한 분업의 확대 등)로 인구 증가로 인한 자원 부족의 문제를 해결하고 사회적인 진보를 이룰 수 있다.

진보에 관한 연구는 '사회 동학'이라고 할 수 있는데, 그것은 계승의 법칙을 찾아내는 것이다. 계승의 법칙이란 인간 문명의 주요 변동이 잇달아 일어나는 추상적 질서를 뜻하며, 3단계 지식, 즉 사고 체계에 상응하는 사회 발전의 3단계 법칙(신학적-형이상학적-실증적 단계)이 있다. 신학적 단계는 인간의 힘이 아닌 초자연력에 의지하는 단계(모든 현상은 신에 의한 것이라고 생각함)이며, 형이상학적 단계는 여러 현상은 본질이나 본성이라는 추상적인 개념에 의해 설명된다고 믿는 단계이고, 실증적 단계는 진정으로 참다운 지식의 단계이다,

사회학은 바로 인류 진보의 마지막 단계인 실증적 단계의 최고 정점에 선 학문이다. 과학에는 위계가 있으며, 총체적인 성격의 과학은 하부 과학의 발전을 통해 발전한다. 천문학이 가장 먼저 마지막 단계인 실증적 단계에 도달하고 물리학, 화학 등이 뒤를 이으며, 이어서 유기체에 관한 학문인 생물학이나 생리학이 실증적 단계에 도달하게 된다. '사회 물리학'은 생물 유기체에 관한 연구에 기반하여 사회적 유기체를 연구하는 학문이므로 가장 마지막에 실증적 단계에 도달한다.

≪꿈의 해석≫ 프로이트(1856-1939): 오스트리아 심리학자

가. 개요

인간의 의식 아래 깊숙한 곳에 숨어 있는 무의식의 존재를 처음으로 세상에 알린 저서이다. 프로이트는 "인간의 사고와 행동은 합리적 이성과 주체적 선택에 따라 이루어지는 것이 아니라, 통제할 수 없는 무의식에 의해 결정된다."라고 주장하면서, 꿈 해석의 방법, 꿈의 재료와 출처, 꿈이 이루어지는 과정의 심리학 등에 대해 상세히 기술한다. 이 책은 코페르니쿠스의 지동설과 다윈의 진화론에 비견될 정도로 인간의 정신 세계를 근본부터 흔들어 놓았다는 평가를 받고 있다.

나. 주요 주장 및 내용

꿈은 인간의 의식과 무의식 사이의 상호 작용으로 이루어진다. 이 중 의식보다는 오히려 무의식이 인간을 더 많이 지배하고 있다. 즉, 인간의 의식이 이성적이고 합리적이며, 자율적인 사고 과정을 거쳐 작용하는 것이 아니라 욕망, 충동, 기억과 같은 무의식에 의해 결정된다고 본다. 꿈의 해석은 정신의 무의식적 활동을 알게 되는 왕도이다. 꿈의 배후에 있는 무의식적 사고를 모르면 꿈은 해석이 불가능하다. 자신의 의식에서는 절대로 생각조차 하지 않는 부분이지만 무의식에서는 그러한 생각을 갖고 있다

어린이는 착하지 않다. 철저하게 이기적이고 욕구를 격렬하게 느끼고, 경쟁자인 다른 아이들이나, 형제에 대한 고려 없이 무조건적으로욕구를 충족시키려 한다. 아동기에 이러한 상태에서 이타적 움직임과 도덕심이 깨어나고, 이차적 자아가 일차적 자아를 뒤덮기 시작한다.

꿈은 억압되고 억제된 소원의 성취이다. 꿈은 소원 성취를 바라는 현상인데, 꿈속에서 비통해 하는 경우는 죽었으면 하는 소원이 포함되어 있다.꿈 해명에 깊이 심취할수록 성인들이 꾸는 꿈의 대다수가 성적인 재료를 다루며 성애적 소원을 표현한다는 것을 알 수 있다. 실제로 아동기 이후 성 충동만큼 많은 억압을 받은 충동은 아무것

도 없으며, 또한 그렇게 많은 강한 무의식적 소원을 남긴 충동도 없다 꿈 해석에서 성적 콤플렉스의 이러한 의미를 결코 잊어서도 안 되지만 오로지 그것만을 지나치게 과장해서도 물론 안 된다.

성취하고픈 소원이 알아볼 수 없게 위장되어 있는 경우에는 틀림없이 소원에 저항하는 심리가 잠재돼 있기 마련이다. 그리고 이러한 저항 때문에 소원은 왜곡된 형태 말고는 달리 표현될 수 없는 것이다. 꿈은 최근 며칠 동안의 인상을 뚜렷이 선호한다. 꿈은 중요하고 본질적인 것이 아니라 부수적이고 눈에 띄지 않는 것을 기억하기 때문에, 깨어 있을 때의 기억과는 다른 원칙에 따라 재료를 선택한다. 모든 사람에게는 다른 이들에게 알리고 싶지 않은 소원, 자신에게도 고백하고 싶지 않은 소원이 있기 마련이다.

우리는 꿈을 심리적 사건으로 해명할 수 없다. 해명한다는 것은 이미 알고 있는 것으로 거슬러 올라가는 것을 의미하는데, 해명의 근거로서 꿈에 대한 심리학적 연구를 토대로 추론한 것을 끼워 넣을 수 있는 심리학적 지식이 현재는 존재하지 않기 때문이다. 꿈이 의미 있는 형성물임을 확신하고 또한 적어도 이러한 의미를 예감하는 것까지는 언제나 가능하다.

의식과 정신은 같은 범위의 개념이 아니라는 사실은 아무리 강조해도 지나치지 않는 진리이다. 무의식은 더 작은 의식의 범주를 스스로 포괄하는 좀 더 큰 범주이다. 의식적인 모든 것은 무의식적인 전 단계를 거치는 반면, 무의식은 이 단계에 머물면서 심리적 기능의 완전한 가치를 요구할 수 있다. 무의식은 본래 실재하는 심리적인 것으로 우리가 외부 세계의 실재에 관해 알 수 없듯이 무의식의 내적 본성 역시 전혀 알 수가 없으며, 우리의 감각 기관이 제시하는 외부 세계가 불완전하듯이 의식의 자료를 통해 파악된 무의식도 불완전하다.

우리는 감각 기관에 가해지는 자극을 완벽하게 멀리할 수도, 감각 기관의 예민함을 완전히 중지시킬 수도 없다. 비교적 강한 자극을 받으면 언제든지 깨어난다는 사실은, 정신은 자는 동안에도 신체 밖의 세계와 부단히 결합을 유지한다는 것을 증명한다. 자는 동안 우리가 받는 감각 자극은 충분히 꿈의 출처가 될 수 있다. 꿈의 출처를 신체 외부가 아니라 내부에서 찾으려면 건강할 때는 존재한다는 사실조차 의식되지 않는 거의 모든 내부 기관이 자극을 받거나, 병이 드는 경우 대개 고통스러운 느낌의 근원이 된다는 사실을 상기해야 한다.

우리는 깨어 있을 때 감각하고 지각한 것들을 즉시 잊어버리는 경우가 수없이 많다. 그것들이 너무 미미하거나 그것과 결부된 정신 자극이 아주 미약하기 때문이다. 서로 모순되는 것은 무질서하고 혼란스러운 것과 마찬가지로 일반적으로 기억하기 어렵고 기억할 수도 없다. 꿈은 대부분의 경우 질서가 결여되어 있으며 이해하기 어렵다. 이런 것들이 우리가 꿈을 망각하는 이유다.

꿈은 앞뒤가 맞지 않으며, 특별한 동기도 없이 양극단을 결합시키고, 불가능한 것을 가능하게 하며, 낮 동안 중요한 비중을 차지했던 지식을 등한시하고, 윤리와 도덕에 둔감하게 만든다. 꿈은 더할 나위 없이 아름다운 시학, 뛰어난 비유, 비할 데 없는 멋진 유머, 절묘한 아이러니를 가지고 있다. 꿈은 세계를 독특하게 이상화하고, 세계의 토대를 이루는 본질을 깊게 이해하여 현상들의 효과를 강화한다.

꿈과 정신 장애의 관계에 대한 견해는 세 가지 방향으로 나뉜다. 첫째, 병인학적이고 임상적인 관계이다. 이를테면 꿈이 정신 질환 상태를 미리 알려주거나 상태가 지나간 후에도 계속되는 경우이다. 둘째, 정신 질환에 걸린 경우 꿈의 생활이 겪는 변화이다. 셋째, 꿈과 정신병의 내적 관계 내지 본질의 동질성을 시사하는 유사 관계 등이다. 장기간 정신병을 앓는 환자들의 꿈에서 일어나는 변화에 대해서는 지금껏 연구된 바가 거의 없다.

5. 종교 분야

≪신학 대전≫ 토마스 아퀴나스(1225-1274): 이탈리아 신학자

가. 개요

신에 대한 사상, 존재 또는 존재자, 그리고 피조물인 자연과 인간에 대한 사상 등을 체계적으로 논리적으로 다루고 있다. 또한 아리스토텔레스의 사상과 아우구스티누스의 사상이 자주 인용된다, 신의 존재와 본성, 인간의 사고와 기원, 세상 통치, 인간의 행복, 열정, 법, 덕 등에 대해 상세히 증명하며 특히 ㅠ 덕에 대해 구체적으로 사례를 열거하며 개념을 정의한다. 중세에서 현대에 이르가까지 그리스도교 신학의 경전으로 평가받고 있다.

나. 주요 주장 및 내용

여러분은 참된 것과 고상한 것과 옳은 것과 순결한 것과 영예로운 것과 덕스럽고 칭찬할 만한 것들을 마음속에 품어야 한다. 덕은 선을 행하고자 하는 체질화한 확고한 마음가짐이다. 덕은 인간이 선한 일을 하게 할 뿐 아니라 최선을 다하도록 한다. 덕성스러운 사람은 자신의 감각적, 영적인 모든 능력을 다해서 선을 향해 나아간다. 그는 구체적인 행동들 안에서 선을 추구하고 선택한다. 덕은 신앙의 덕, 희망의 덕, 애덕, 현명의 덕, 정의의 덕, 경신덕, 용덕, 절제의 덕, 은사로 나눌 수 있다. 인간은 은총의 자리이다. 은총의 심리학의 틀은 믿음, 소망, 사랑이라는 세 가지 덕과 현명함, 정의, 절제, 용기라는 네 가지 윤리적인 덕이다. 각각의 덕 아래에는 종속되는 덕과 악습들, 예수의 산상 수훈에 기초를 두고 있는 행복들, 그리고 성령의 보충적 선물들이 있다.

모든 것이 삼위일체인 하느님으로부터 외부의 다양한 존재자들로,

그리고 창조의 정점인 인격으로 움직인다. 인간들은 유한한 존재자들로서 존재하지만, 하느님의 귀한 선물인 보다 깊은 삶으로 부르심을 받은, 인식하고 사랑하는 하느님의 모상(模像)들로서 존재한다.

우리에게는 인간 본성에 속하는 이성의 빛과 신으로부터 부여되는 은총의 빛이 있다. 이러한 양자는 각자 고유한 영역을 지니고 있다. 철학은 '이성의 빛'에 의존하기에 인간의 이성으로 알게 된 원리들을 사용한다. 철학자가 이해하는 원리들은 오로지 이성에만 의거한 것이다. 신학자도 자신의 이성을 사용하지만, 그 원리들을 '은총의 빛'에 근거한 권위나 신앙으로 받아들인다. 삼위일체와 육화, 부활, 최종 심판 같은 교의는 신앙으로 받아들인 하나의 계시된 전제이지 철학적 논증의 결론은 아니다. 그래서 신학이 필요한 것이다.

신이 주는 은총은 피조물들이 지닌 본성을 말살시키는 것이 아니라 완성하는 것이다. '계시된 진리'와 '이성의 진리'는 서로 다른 진리가 아니다. 그리고 '그리스도교의 계시'와 '철학적 진리'는 상호 경쟁적이지 않으며, 상호 보완적일 뿐이다. 그들 가운데 하나가 강화된다고 해서 다른 것이 약화하기는커녕, 오히려 상대의 발전에 도움을 받아 더욱 충만해진다. '하나의 진리'에 대한 확신에 차서 어떠한 철학적 진리도 계시된 진리에 모순될 수 없다

"사람이 무엇이냐?"라는 물음에 "사람은 이성적 동물이다."라고 대답한다면 그때의 '사람'은 '본질'을 의미한다. 또 "그것이 있는가?"라는 물음에 "있다."라고 대답하는 것은 '존재(Esse)'를 말하는 것이다. 존재와 본질은 한 사물을 현실적으로 있게 하는 존재자의 구성 원리가 된다. 신에게는 본질과 존재가 동일하다. 인간처럼 존재와 본질이 구별되는 경우엔 늘 어떤 원인을 갖는 법이다. 왜냐하면, 그 어떤 것도 자기 자신을 산출할 수는 없기 때문이다. 그러나 신에게는 다른 무엇으로부터 원인 받은 것이라곤 아무것도 없다. 신

은 어떤 가능성도 갖지 않는 순수 현실태이다.

사랑은 인식의 결실로, 인간은 이승에서도 행복할 수 있다. 이승에서의 행복은 육체의 건강, 인간이 덕스럽게 살기에 필요한 만큼의 세속 재화들, 그리고 우정을 필요로 한다. 행복은 도달할 수 있는 실재로서, 개인의 성품과 능력에 따라 여러 등급이 있을 수 있다.이승에서도 어느 정도까지는 분명히 행복에 이를 수 있다. 비록 이 지상의 행복은 생명의 조락성(凋落性) 때문에 너무도 쉽게 상실될 수 있지만, 그럼에도 불구하고 지성과 의지에 토대를 두고 있는 한 얼마간은 기쁨을 누릴 수 있다. 영원한 행복인 신 직관에 도달하기 위해서는 순수 자연적인 기능들을 훨씬 넘어서야 한다. 영원한 참 행복은 신이 인간에게 주는 선물로서, 오직 은총을 통해서만 도달될 수 있다. 모든 사람이 다 신이 당신을 사랑하는 이들을 위해 마련한 이 행복을 갈구하는 것은 아니다.

첫 번째 부류의 학문은 '지성의 자연적 빛으로 알게 된 여러 원리'에서 출발하는 것이며, 두 번째 부류의 학문은 그보다 상위의 학문의 빛으로 알게 된 여러 원리에서 출발하는 학문이며, 거룩한 가르침은 이 두 번째 부류의 학문에 속하는 것이다. 우리는 먼저 거룩한 가르침 자체에 관해 그것이 어떤 성질의 것인지, 또 그것의 범위가 어디까지인지를 고찰할 필요가 있다. 거룩한 가르침은 신적인 것들에 대한 인식, 즉 최고의 인식이며 최고의 지혜이다. 신학의 대상 영역은 신이며, 다른 모든 것들은 그것들이 신과의 관계에 있는 한, 신학의 대상 영역이라고 한다.

신학의 주된 과제는 하느님에 대한 인식을 전하는 것이며, 사물들, 특히 이성적 피조물의 근원이며 종극인 것으로서의 인식을 전하는 것이다. 여기에서는 첫째, 하느님에 대해 논하고, 둘째로는 이성적 피조물의 하느님께로의 운동에 대해서, 그리고 셋째로는 우리에게 있어서 하느님께로 향하는 길인 그리스도에 대하여 논해야 한다.

신의 본질에 대해서 우리는 다음과 같은 것들을 다루어야 한다. 우선 하느님이 존재하는지, 하느님이 존재한다면 어떻게 존재하는지, 또는 신학을 부정하는 관점에서 하느님이 어떻게 존재하지 않는지가 논의되어야 한다.그다음으로 하느님의 작용이, 즉 하느님의 지식과 의지가 다루어져야 한다. 그리고 하느님이 존재하는가라는 첫 번째 물음 아래에서는 또 다시 하느님이 존재한다는 것은 자명한 것인가 ,그것은 논증 가능한 것인가, 하느님은 존재하는가 하는 것이 다루어져야 한다.

어떤 것에 대해 그것이 존재하는지를 인식한 후 남는 것은 그것이 무엇인지 알기 위해, 그것이 어떻게 존재하는지를 묻는 일일 것이다. 우리는 하느님에 대해 그가 무엇인지는 알 수 없고 무엇이 아닌지를 알 수 있기 때문에 하느님에 대하여 어떻게 있는지는 알 수 없고 어떻게 있지 않은지를 고찰할 수 있다. 하나님의 존재는 완전하고 무한하다.

≪그리스도교 강요≫ 장 캘뱅(1509-1564): 독일 신학자

가. 개요

철저한 신 중심주의에 의거하여, 하나님과 그리스도교에 대해 상세히 논거 위주로 기술한다. 하나님에 대한 정확한 지식과 신뢰, 경애의 필요성을 강조한다. "하나님의 주권은 인간의 생활을 지배한다"라며, 참 종교는 유일하신 하나님과 성경을 믿는 것뿐임을 역설한다. 저자는 이 책을 저술 후 프로테스탄트의 새로운 지도자로 부상하면서 전 유럽인들의 정신적 지주가 되었다.

나. 주요 주장 및 내용

성도들이 하나님의 임재를 의식할 때마다 충격을 받으며, 압도를 당한다고 성경은 말한다. 사람들은 하느님이 안 계신다고 생각할 때에는 확고하고 안정적인 상태를 취하지만 일단 하나님께서 자신의 영광을 나타내 보이시면, 죽음의 공포로 쓰러질 만큼 마음이 흔들리며 놀라게 되는 것을 보게 된다. 인간은 자신을 하나님의 위엄과 비교해 보기 전에는, 결단코 자신의 비참한 상태를 충분히 인식할 수 없다.

하나님은 사람 모두에게 하나님를 어느 정도 알 수 있는 지각을 주셨다. 이것은 아무도 무지를 핑계 삼아 하나님을 부인하지 못하도록 하시기 위한 것이다. 인간이 자신을 낮추고 하나님 앞에 겸손할 때, 하나님은 그들에게 발견될 것이다. 하나님의 지혜가 온 인류에게 제시되었다. 하나님의 놀라운 지혜를 보여주는 증거는 수없이 많다.천문학, 의학, 기타 자연 과학을 통해 하나님을 알 수 있고, 그러한 학문적 지식이 없는 사람도 눈을 똑바로 뜨면 하나님을 알게 되는 지식을 가질 수 있다. 그리고 무지한 사람들도 우주의 신비한 현상을 알게 되면 곧 감탄하여 하나님의 존재를 부인할 수 없다.

하나님이 인류 사회를 다스릴 때 경건한 사람에게는 관대하심을, 악한 사람에게는 엄격하심을 선언한다. 하나님은 무죄한 자의 보호자이자 변호사로서, 선한 사람을 축복하고 그들의 생활을 번창하게 하시며 고통을 덜어 주고 재난을 피하게 하신다. 그럼으로써 그들을 구원하신다. 하나님의 주권은 인간의 생활을 지배하신다. 하나님이 인간의 생활을 주관하신다는 증거는 많다. 선지자는 하나님이 거의 절망적인 상태에 있는 사람을 갑자기, 기적적으로, 예상 밖의 사건을 통해 구원해 주신다는 것을 강조한다. 즉, 하나님은 광야에서 방황하는 자들을 사나운 짐승으로부터 보호하여 바른길로 인도하시고, 병으로 죽어 가는 자들을 고쳐 주시며, 비천한 자들을 높이시며, 교만한 자들을 그들의 위치에서 떨어뜨리기도 하신다는 것이다.

우리는 하나님이 하시는 일을 숙고하고 하나님을 경외해야 한다. 우리가 하나님이 하시는 일에 대하여 다른 어떤 의문을 가질 필요는 없다. 그리고 또 다른 증거를 찾으려고 노력하지 않아도 된다. 그것은 하나님이 하시는 일이 너무 명백히 이 온 세상에 드러나 있기 때문이다. 그러므로 우리는 이 지식에 대해 더욱 감동을 받아야 하고 하나님이 허락하신 지식이 아닌 다른 지식으로 하나님을 알기 위한 공상에 사로잡히지 말아야 한다.

하나님이 실제적으로 자신을 알리신 것은 성경에서 뿐이다. 온 만물에 널리 알려진 하나님을 아는 지식은 인간이 하나님을 배은망덕한 죄에 대해 일체의 변명의 여지를 없앤다. 그것은 하나님 실존의 생생한 증거를 피조물의 자연 세계 속에서 너무 명백히 보여 주셨기 때문이다. 성경은 눈이 나쁜 사람이 좋은 안경을 쓰는 것과 같다. 성경은 혼란스러운 하나님에 대한 지식을 명백히 보여 준다. 성경은 하나님의 택함을 받은 사람들이 어떻게 하나님을 경배하며, 사랑하며, 하나님의 말씀대로 살아야 할지를 보여 준다.

하나님은 당신의 말씀을 통해 인간의 모든 지능과 지혜를 초월한 확실한 신앙, 곧 영원히 불변하는 믿음을 인간에게 주셨다. 하나님은 이 구원을 주시는 하나님의 말씀을 대대로 이 세상에 남길 수 있도록 공적인 기록으로 남기시기를 원하셨다. 이러한 계획 아래 율법이 공포되고, 이 율법의 해석자로 선지자들을 선택하셨다. 그리고 이 율법의 핵심적 교훈은 하나님과 죄인을 화목케 하는 것이었다.

성령은 성경에 의해 인정된다. 우리가 하나님의 영으로부터 어떠한 이익이나 만족을 얻고자 한다면, 성경을 열심히 읽으며 성경에 유의해야 한다는 것을 쉽게 이해할 수 있다. 이런 사실은 복음의 빛이 나타난 후에는 물러갔다고 생각되었던 예언자들의 교훈을 열심히 경청하는 사람들을 베드로가 칭찬한 것으로 보아 알 수 있다 참 종교는 유일하신 하나님을 믿는 것이다. 율법에 다음 두 가지를 첨가하셨다. 첫째는 신자들을 자신에게 종속시켜 하나님이 사람에게 율법을 주신 유일하신 분으로 역사하시고, 둘째는 자신의 의지를 따라 사람들이 당연히 영광을 돌리도록 규범을 정하신 것이다. 즉 율법을 통해 사람들을 악한 예배에 빠지지 못하도록 하신 것이며, 하나님의 신성하고 고유한 것이 유일하신 하나님에게만 귀속되게 하신 것이다.

하나님의 본성은 불가해하며 영적이다. 성경은 하나님의 본질이 무한하며 영적이라는 것을 가르친다. 이것은 하나님이 사람들의 하나님에 대한 잘못된 생각을 일축하고, 교묘하게 꾸민 이론들을 말살하기 위해서다. 고대의 세네카는 우리에게 “보이는 것, 보이지 않는 것 모두가 하나님일 수 있다."라고 말했다. 그는 세상의 모든 것에 하나님의 신성이 침투해 있다고 말했다. 그러나 하나님은 우리들의 잘못된 생각을 염려하시므로 하나님의 본질에 대해 충분히 나타내시지 않았어도 인간이 하나님을 오해하는 것을 방지할 수 있는 계시를 하셨다. 하나님의 영적인 본성은 인간이 하나님을 마음대로 상상할 수 없게 만드신다. 그래서 하나님은 그 자신이 하늘 나라에 계시다고 말씀하셨다. 그렇다고 우리들이 하나님을 전혀 알 수 없는 것은 아니다.

하나님 안에는 삼위가 있다. 하나님은 자신을 우상과 구별하시기 위해 아주 독특한 특징을 사람에게 보이셨다. 즉 하나님은 한 분이시나 삼위로 존재하신다는 것이다. 우리가 하나님을 믿는다고 고백을 할 때 이 하나님의 명칭은 유일한 본질로 이해된다는 것이며, 이 본질 안에는 세 인격 또는 세 실재가 존재한다는 사실이다. 그러므로 하나님의 이름이 특수화함이 없이 언급될 때, 이 명칭이 성부를 지칭하는 것과 마찬가지로 성자와 성령을 지칭하는 것이 된다. 그리고 성부와 성자, 또는 성부와 성령이 동시에 언급될 때, 하나님이라는 명칭은 특별히 성부에게 적용된다. 이와 같이하여 본질의 단일성이 보존되고 그 정당한 순서가 유지된다. 삼위는 공통적으로 신성을 소유한다.

6. 역사 분야

≪역사의 연구≫ 아놀드 토인비(1889-1975): 영국 역사가

가. 개요

인류의 역사를 기존의 국민과 국가 단위가 아닌 세계적 단위에서 총체적으로 조망해 보고자 시도한다. 주요 역사의 문명 단위를 그리스, 중국, 유대 모델로 구분하여, 상세히 분석한다. 특히 문명에 대해 그 발전 법칙을 발생, 성장, 몰락, 해체의 4개 과정으로 나누고 문명 간의 공간적, 시간적 접촉을 논한다. 끝으로 정치적 통일체로서의 세계 국가와 고도의 수준 높은 종교가 필요함을 설명한다.

나. 주요 주장 및 내용

우리는 종종 우리 자신이 그 속에 살고 있기 때문에 특정한 국가나 문명 또는 종교를 중심적으로 생각하고, 또 그것을 매우 뛰어난 것으로 생각하고 있는 환영에서 스스로 해방되어야 한다. 또한 종래의 서유럽 중심의 역사관과 문명관을 초월해 세계의 모든 지역의 역사와 문명을 동등한 가치로 바라보아야 한다. 역사를 국민이나 국가보다 큰 '문명' 속의 단위로 보아야 왜곡이 적다. 따라서 문명 이전의 각 사회를 살펴보아야 하며, 그리스와 중국, 유대의 역사 과정을 바로미터로 하여 각 문명의 역사 '모델'을 정립해 볼 필요가 있다.

그리스 문명 모델을 보면, 그리스 세계는 문화적 통일에도 불구하고 정치적 미통일로 인해 첨예한 대립 속에서 결과적으로 폴리스 국가들 간에 전쟁이 빈발하여 황폐화되었다. 문명 역시 상처를 입어 사멸하게 되었을 때, 로마 제국에 의해 정치적으로 통일되면서, 일시적인 평화와 질서를 찾았다. 이 평화는 단 한 사람의 승자만을 내었고, 여타 정치적 대국이 모두 패망할 때까지 연속된 싸움 속에서 큰 희생을 치르고 성취된 것이었다. 한편 로마 제국의 붕괴는 그리스 문명의 사멸을 의미한다. 같은 계급에서 그리스 문명의 종교사적 구조에서는 내부의 프롤레타리아트가 그리스도교를 창조한다. 그리스도교는 그리스 세계를 개종시키고, 그곳을 침략한 야만족을 개종시킨다. 그리스도교가 채택한 사회 형태인 그리스도교 교회는 문화적 공백기 이후에 두 개의 새로운 문명, 곧 동방의 그리스 정교 문명과 서방의 그리스도교 문명(서유럽 문명)을 탄생시키는 역할을 한다. 비잔틴과 서유럽이라는 두 지역의 '그리스적' 문명이 역사의 발전 과정에서 그리스화된 것이 바로 르네상스이다. 르네상스는 그리스도교에 포함되어 있는 그리스적 요소를 매개로 하여 간접적인 것뿐 아니라 직접적으로 그리스 문화에서 영감을 퍼올리려는 시도이다. 중국 모델을 살펴보면, 세계 국가의 이상이 차례로 실현되지만, 중간에 종종 분열과 혼란에 빠지는 하나의 시리즈로 나타난다. 이 모델은 이집트와 인도의 경우에도 타당하다. 그러나 그리스와 중국이라는 두 개의 모델이 모든 경우에 적합하지는 않으므로 이 둘을 합쳐 개선한 모델을 생각해 볼 수 있을 것이다

유대 모델을 보면, 이는 유대인의 이산 공동체에서 모범을 취사선택한 것이다. 유대인들은 국가와 영토를 빼앗기고, 각국에 흩어져 소수파로 살아갈 수밖에 없는 상황 속에서도 스스로의 통합과 지속을 유지하는 새로운 수단을 발견했다. 또한 유대 모델은 다수파에 융합되지 않고, 특히 종교적 일체성을 중요시하며 생존에 필요한 경제력을 손에 넣음으로써 이것들의 통합과 지속에 성공한 케이스다.

이와 같은 모델을 총괄하면, 지방 국가에서 세계 국가로의 이행에는 그리스 모델, 세계 국가에 뒤이은 성쇠의 교체 리듬에는 중국 모델, 그리고 이산 공동체에 대해서는 유대 모델이 필요하게 된다. 이 모델들은 각 문명의 비교 연구에 불가결한 지적 도구가 된다. 문명은 인종이나 환경만으로는 설명이 불충분하며, 생명을 통해 이를 설명하고, 그 해답은 신화와 종교에 대한 통찰에서 찾아야 한다. 창조는 만남의 결과이며, 그 만남의 과정이 도전과 응전으로 묘사될 수 있다. 그리고 도전과 그에 대한 응전은 실제로 효과적 창조를 가져올 수 있는 한계를 자각하게 한다. 그 결과 어느 한 문명이 존재하기 위해서는 강한 자극이 필요하고, 그 도전은 창조성을 질식시킬 정도로 심각한 것이지 않으면 안 된다. 사회의 성장에 관한 특질을 조사해 보면, 이곳에서는 어떤 도전에 대한 응전이 성공하고, 그것이 또 새로운 도전을 불러일으킨다는 단순한 동작이 시리즈로 진행될 때, 그것을 사회가 계속 성장하고 있는 것으로 간주하는 경향이 있다. 한 사회의 성장은 그 사회의 지도자들이 획득하는 자기 결정력의 증대를 통해 측정되며, 한 문명의 운명은 이 창조적 인격의 수중에 장악되어 있다.

문명은 쇠퇴라는 숙명을 짊어지고 있다. 문명이 성장을 유지하는 과정 속에는 많은 위험이 존재하고 있다. 한 사회를 이끄는 창조적 리더십은 창조력이 없는 대중을 이끌어가기 위해 그들을 사회적으로 '훈련'시키는 방법을 택하지 않을 수 없지만, 지도자가 창조적 영적 능력을 갖추지 못했을 경우에는 자신의 의도와는 어긋나는 결과를 초래하게 된다. 그 실례로서 아테네와 베네치아의 운명은 '단명한 자기 우상화'이고, 동로마 제국은 운명은 '단명한 제도의 우상화', 다비드와 골리앗의 운명은 '단명한 기술의 우상화', 로마 교황권의 운명은 '승리의 도취'라고 할 수 있다.

문명이 쇠퇴는 불가피하며, 대체로 방치된 채 해체로 이어진다. 대중의 힘이 지도자에게서 분리되면 지도자는 과거의 견인력과는 성질이 다른 폭력을 사용해 그 지위를 확보하려고 한다. 이 과정에서 사회는 소수의 지배자와 내부 프롤레타리아트 그리고 그 사회를 둘러싸고 있는 야만족으로 구성된 외부 프롤레타리아트로 분해되는 과정을 거치게 된다. 해체기에 사람들의 영혼에 나타나는 심리적 분열상을 보면, 일반적으로 사람들은 자신이 살던 곳을 잃고 막다른 골목에 내몰리게 되면 달아날 곳을 찾는다. 일부의 위대한 영혼은 인생에서 스스로 물러나 은둔한다. 두 번째 위대한 영혼은 인생을 '지상'에서 배우는 속된 종류의 생활이 아닌 고차원적인 것으로 바꾸기 위해 노력하며, 영혼을 위한 씨를 뿌린다. 이렇게 하여 해체에 대한 고차원적 도전으로 대승 불교와 그리스도교가 등장하는 것이다.

세계 국가는 무의식적으로 고도의 수준 높은 종교와 야만을 동시에 활용한다. 또한 세계 국가는 실제로 국지적이며 일시적인 것에 불과하지만, 장차 인류 전체가 살게 될 정치적 통일체의 선구적 형태이다. 세계 국가는 불멸한다. 그 사례는 로마 제국이 신성 로마 제국과 동로마 제국, 러시아 제국 등으로 부활했고, 중국에서도 진과 한 제국이 수와 당 제국으로 부활한 것을 들 수 있다. 고도의 수준 높은 종교란, 그 자체로 구성되는 새로운 종류의 사회다. 이는 멸망해 가는 문명의 기생물이 아니고, 단순히 새로운 문명 탄생을 위한 역할에만 그치는 것도 아니다. 부분의 종교는 모태가 되는 작은 문명에서 자신의 발을 거두어들이고 세계 종교로서의 불가피한 길을 걷는다. 그러나 몇몇 종교는 그 자체가 제도화되면서 스스로를 배신하고 경직된 구조와 관용이 없는 편협한 견해를 보이고 있다.

공격적인 문명은 그 희생자에게 문화적이자 종교적으로는 물론, 인종적으로도 열등자라는 낙인을 찍는 경향이 있다. 공격을 받는 쪽은 이질적 문화에 자기 자신을 강제로 동화시키려고 노력하든가 과도한 방어적 자세로서 이에 대응하게 된다. 오늘날 우리의 세계에서는 서로 다른 문화라는 인류의 공통적 운명을 이미 나누어 갖고 있기 때문에, 적대적 경쟁을 통한 상호 대결이 아닌 서로의 경험을 공유하는 것이 진정한 지상의 명령이다. 시리아 문명과 그리스 문명은 서로 영향을 주고받은 결과, 궁극적으로는 쌍방이 모두 해체된 뒤 복합 문명이 탄생했다. 곧, 삼위일체의 그리스도교는 유대적 일신교의 입장에서 볼 때에는, 그리스적인 종교의 두 가지 착오(인간 숭배와 다신교)에 대한 놀랄 정도의 타협을 뜻한다. 그리스도교가 그리스화되어 유대적 일신교에서 멀어져 간 데 대한 의식적인 신중한 반작용으로 탄생한 이슬람교도 신학적 목적에서는 그리스 철학에 의존하고 있기 때문에 유대교의 비그리스적 전설로 되돌아가지는 않았다. 같은 시대의 문명 접촉만이 문명 간 마주치는 유일한 방법은 아니다. 현존하는 문명이 죽은 문명을 르네상스(재생)라는 형태로 살려내며 그와 접촉한다. 대부분의 사람들이 이탈리아의 르네상스를 놀랄 만한 문화적 재생으로 간주하지만, 본질적으로 망령은 살아 있는 것보다 가치가 적다. 모든 사실이 시간적 순서에 따라 일어나는 것이 곧 역사는 아니다. 또 역사 기술 역시 이들 사실을 있는 그대로 이야기하는 것도 아니다. 역사가는 다른 모든 인간에 대한 관찰자들과 마찬가지로 실재를 이해 가능한 것으로 만들어 내는 역할을 부여받은 존재이다. 세계는 역사가로 하여금 '무엇이 진실인가, 무엇이 의미를 부여하고 있는가'라는 연속적 판단을 하도록 요구하고 있으며, 역사가는 이를 위해 모든 사실의 연구를 개관하며 분류, 비교하지 않으면 안 된다.

≪로마 제국 쇠망사≫ 에드워드 기번(1776-1788): 영국 사학자

가. 개요

인간의 불완전성에 대한 무한한 애정으로 1천 4백년에 걸쳐 서서히 멸망해 가는 대제국의 역사를 치밀하게 서술한다. 로마의 불멸의 번영, 제국의 고난과 비탄, 광기의 황제들, 로마시민의 정신과 쾌락,

제국의 분열과 쇠락 등 2천여 년의 로마 제국 흥망사가 파노라마처럼 펼쳐진다. 율리우스 카이사르의 갈리아 정복 과정, 카이사르와 클레오파트라의 죽음, 초대 황제 아우구스투스의 공적, 기독교는 어떻게 로마 제국에 뿌리를 내렸는가, 콘스탄티노플은 어떻게 함락되었는가 등에 대해 상세히 묘술한다.

나. 주요 주장 및 내용

로마는 시조 로물루스가 나라를 건설(기원전 754년) 한 후 천 년의 세월이 흘렀다. 첫 4세기 동안에 로마인들은 가난과 부단히 싸우면서 전쟁과 정부라는 유용한 기술들을 터득했다. 이 기술들을 부지런히 사용하고, 운도 좋아 로마인들은 다음 3세기 동안 유럽, 아시아, 아프리카의 수많은 나라들을 정복하고 제국을 건설했다. 그다음 3세기는 겉으로 볼 때는 번영의 시대였지만, 내부적으로는 쇠퇴해 가던 시기였다. 황제 선택을 둘러싼 군대와 원로원 사이의 다툼, 로마 황제들이 처한 상황은 매우 불행했다. 그들의 행적이 어떠했든 그 운명은 모두가 동일했다. 평생 쾌락에 탐닉했든, 변덕스러웠든, 가혹했든, 관대했든, 나태했든, 영광스러웠든 불시에 죽음을 맞이했다는 점에서는 모두 마찬가지였다. 거의 모든 치세가 반역과 살인이라는 혐오스러운 일이 되풀이되면서 막을 내렸다.

세계의 역사 속에서 인류가 가장 행복하고 융성했던 시기를 지적해 보라면 누구나 로마의 도미티아누스의 죽음에서 코모두스의 즉위까지의 기간을 주저 없이 지목할 것이다. 이 시대의 거대한 제국의 판도는 미덕과 지혜로 다스리는 절대 주권에 의해 통치되고 있었다. 그 무렵의 군대는 연속해 4대에 걸친 현명한 군주들이 지닌 견실하고 유연하며, 따사로운 손길에 의해 억제되어 있었다.

로마 황제의 노력은, 정직한 미덕의 긍지를 통해 또한 그들 스스로가 만들어 낸 일반적 행복을 느끼는 절대적 환희로 보답받고 있었다. 그렇지만 모든 황제는· 행복의 불안감과 무상함을 때때로 느꼈던 것이다. 분명 불상사가 일어날 때가 다가오고 있었다.

하나의 도시가 발전해 거대한 제국으로까지 확대되었다는 사실은 역사상 유례가 없을 정도로 놀랄 만한 사실로, 철학적으로 고찰해 볼 만한 값어치가 있는 것이다. 그러나 로마의 쇠퇴는 과거의 융성에서 비롯된 자연스럽고 불가피한 귀결이었다. 번영은 부패의 원리를 성숙시켰다. 파멸의 원인은 정복이 확대되면서 두 배로 늘어났다. 그리고 세월 또는 우연이 로마라는 건축물에 사람들이 세운 수많은 기둥을 빼내 가자, 어쩔 수 없이 거대한 골조는 그 자체의 무게라는 압박을 견디지 못하게 된 것이다.붕괴 이야기는 단순 명쾌하다. 그 때문에 왜 로마 제국이 멸망했는가를 검토하는 대신, 오히려 어떻게 해서 그토록 오랫동안 존속했던가에 대해 우리는 놀라지 않을 수 없는 것이다.

그리스인은 그들의 국토가 로마의 한 속주로 들어가게 되자, 로마의 승리는 로마의 실력에 의한 것이 아니라 다만 행운의 여신이 가져다준 것으로 귀속시켰다. 변덕스럽게 잘 옮겨 다니는 이 여신은 맹목적으로 은총을 베풀거나 그것을 도로 가져가는 성격을 가지고 있다. 로마의 승리는 행운의 여신이 얼마 전 하늘나라에서 내려와 확고부동한 그 옥좌를 티베르 강가에 놓았기 때문이다. 로마 시민 상호 간의 신의와 국가에 대한 충성은, 교육의 습관과 고유한 종교적 관념에 의해 강화되었다. 명예심은 덕과 함께 공화정 로마의 원리였다. 패기에 가득 찬 로마 시민들은 개선의 장엄한 영광을 위해 노력했다. 그리고 로마의 청년들은 집 안에 장식되어 있는 선조의 조각을 보면서 경쟁심에 대한 열정을 불태웠다.

확실히 트라야누스의 치세 중 로마 제국은 '태평성대의 번영'을 누리고 있었다. 그러나 그는 통치에 관한 열정을 '호기심과 허영심'으로 잘라 내 버렸고, 동방 원정의 모든 과실을 스스로 포기해 속주의 이반 역시 해결하기 어렵게 되었다. 한편 제정 초기에 정착되었던 평화를 위한 민중의 정신도 희미해졌으며, 로마 국민의 풍기 역시 '타락'한 채 오로지 사리사욕만을 추구하게 되었다. 이처럼 번영의 시대에 화려하게 꽃피운 문명의 그늘에서 제국의 쇠망 요인이 잉태되고 있었다. 물론 코모두스 황제 이후에 일어난 제국 군대의 횡포와 야만족의 침입이 내적, 외적인 쇠퇴의 원인이 되었다.

로마는 기존의 공화정의 틀로 시작하였으나 황제 1인에 의해 지배받는 과정에서 여러 민족과의 갈등, 황제 근위대의 큰 권력에 로마는 약해졌다. 중국 북방에 있는 훈족, 타타르족이 고트족 후방을 공격하여 결국 고트족이 로마 제국으로 유입되었다. 이를 받아들이는 과정에서 로마가 이미 쇠망의 길로 들어서니 한나라 무제 훈족의 격퇴가 로마 쇠망의 단초가 되었다고 할 수 있다. 로마 제국은 5현제 시대라는 전성기를 거친 뒤 쇠퇴하기 했는데, 이는 과거의 웅대함에서 비롯한 자연스럽고 불가피한 귀결이다. 계몽주의의 가치 기준에 입각하면, 2세기의 로마 제국은 이상적인 문명 상태에 놓여 있었다.

멀리 떨어진 변방의 전쟁에서 승리하면서 외국인과 용병들의 악덕을 몸에 익히게 된 로마 군단이 제일 먼저 공화정의 자유를 억압했으며, 이어서 제위의 존엄을 모독했다. 황제들은 스스로의 신변 안전과 국가의 평화에 절망한 나머지, 군기를 부패시키는 비열한 응급책을 쓰지 않을 수 없었다. 이로써 군사 정권의 활력은 훼손되었으며, 마침내는 콘스탄티누스의 편협한 제도에 의해 해체되어 버렸다. 이와 같이 로마 세계는 야만족의 노도에 압도되며 삼켜져 버린 것이다.

로마의 쇠망이 제국의 수도가 로마에서 콘스탄티노플로 이전되었기 때문이라고 종종 언급되지만, 수도 이전으로 인해 정치 권력이 옮겨졌다기보다는 오히려 분배되었다고 할 수 있다. 콘스탄티노플이라는 옥좌가 동방에도 놓여졌지만, 그동안에도 서부에서는 변함없이 역대 황제가 옥좌를 보유하고 있었으며 이들 황제는 이탈리아에

거주하면서 로마의 군단과 영토를 동방과 나란히 나누어 승계하고 있었다. 오랜 쇠퇴 기간 중, 콘스탄티노플에 세워진 난공불락의 도시는 싸움에 긍지를 지닌 이민족을 항상 격퇴해 내는 한편, 아시아의 부를 지키며 흑해와 지중해를 잇는 중요한 해협을 제압하고 있었다. 콘스탄티노플의 건설은 서로마 제국의 붕괴보다는 동로마 제국의 유지에 한층 근본적인 기여를 한 것이었다.

신학자는 종교의 천진난만한 순결을 몸에 두르고 하늘에서 내려오는 내용만을 설교하는 유쾌한 일에 종사할 수 있다. 그렇지만 역사가에게는 더욱 음산한 의무가 짐 지워져 있다. 역사가는, 종교란 어리석고 타락한 인간들이 오랜 지상 생활을 통해 저절로 몸에 익숙해진 오류와 잘못도 불가피하게 섞여 있는 혼합물임을 지적해야 하기 때문이다.

그리스도교가 야만족의 마음을 순화시키고 제국이 급격하고 거칠게 붕괴되는 것을 막아 주었다. 이교의 몰락은 전통적이고 지배적이었던 미신이 완전히 근절된 유일한 사례를 말해 준다. 이는 인간의 정신사에서도 특수한 일이다. 세계의 종교적 융화란, 그 무렵의 모든 국민과 민족이 그들 사이에 있는 전통과 의례에 대해 표시한 암묵적 동의와 경의에 의해 주로 유지되어 왔다. 그런데 다른 민족은 물론, 다른 인류 전체와도 전혀 교제하지 않으며 자신들만이 신의 참된 지식을 독점하고 있다. 순교라는 제목으로 모든 역사가 기록한 내용과 신앙이 날조하고 있는 모든 내용을 자세히 살피지 않거나 주저 없이 인정한다고 해도 그리스도교도는 이교도 측의 열정에서 비롯되는 경험보다 훨씬 더 많고 잔인한 폭거를, 그리스도교도 자신의 내부 투쟁 속에서 자신들의 동지들에게 가했다는 점을 인정해야만 한다. 더 이상 로마 황제에 의한 그리스도교도의 박해를 과대 포장해서는 안 된다. 중세 말부터 근세 초기의 종교 전쟁에서 그리스도교도가 서로를 죽인 수를 비교해 보면 고대의 순교자의 수 따위는 미미한 것이다.

종교의 가장 큰 목적은 내세의 행복이므로 그리스도교의 도입이, 아니 적어도 그 남용이 로마 제국의 쇠망에 어떤 영향을 미쳤다고 지적하더라도 놀라거나 격분할 일은 아닐 것이다. 성직자들이 묵묵히 참을 것과 겁쟁이의 교리를 끊임없이 설교하고 가르쳤기 때문에 사회의 다양한 적극적 미덕은 억압되고 마지막으로 남은 상무의 정신도 수도원 속에서 잠들게 되었다. 공적이든 사적이든 대부분의 부는 그럴듯한 이유로 자선과 신앙심을 요구하는 체제에 제공되었으며, 병사들에게 지불되어야 할 봉급은 오로지 금욕과 정숙, 순결이라는 미덕밖에 자랑할 것이 없는 남녀 군중에게 아낌없이 베풀어졌다. 그러나 그리스도교의 순수 무구한 감화는 불완전하지만 북방의 야만족 개종자들에게 미친 유익한 영향 속에서 찾아볼 수 있다. 만일 로마 제국의 쇠망이 콘스탄티누스의 개종에 의해 앞당겨졌다고 해도, 정복자인 야만인들이 가진 종교는 마찬가지로 로마를 멸망시킬 때 그 포악함을 억누르고 잔인한 성질을 부드럽게 했을 것이다.

자신의 조국에 대해 배타적 이해와 영광을 얻고자 하는 것은 애국자의 의무이다. 그러나 철학자가 거의 동일한 수준의 문화와 교양을 가진 다양한 민족으로 구성된 눈앞의 유럽을 하나의 거대한 국가로 볼 수 있을 것인가? 권력의 균형은 계속 동요할 것이며, 자신의 나라와 이웃 나라의 번영과 융성은 서로 어긋날 것이다. 그러나 국지적으로 상황이 변한다고 해서 우리 유럽의 여러 나라와 다른 식민지를 인류의 다른 인간들 이상으로 걸출하게 만들어 주고 있는 사회 조직과 법 제도, 습관, 풍습 등 일반적 행복 상태가 손상되지는 않을 것이다. 지구상의 야만족들은 문명 사회의 공통의 적이다. 이 점에서 우리는 일찍이 로마의 군사력과 제도를 억압한 참화를 다시 문제 삼음으로써 유럽이 지금 위협받고 있는지에 대해 매우 큰 호기심을 가지고 탐구할 수 있게 될 것이다. 이러한 점을 숙고하는 일이란, 위대한 저 제국의 붕괴를 설명하고 우리 자신의 오늘날의 안전을 위한 개연성 있는 모든 원인을 명백히 하는 작업이 된다.

유럽의 각 군주국은 자유 민권주의 또는 적어도 입헌주의를 채택하고 있으며, 가장 오래된 국가에서조차도 시대의 일반적 불평에 의해 명예 또는 정의라는 념을 채택하고 있다. 평시에는 수많은 활발한 경쟁자의 경합에 의해 지식과 산업의 진보가 촉진되며, 전시에도 유럽 열강의 군대는 온건하고 절도 있는 태도를 취하도록 훈련되어 있다. 만일 야만적 정복자가 나타나게 된다면, 그들은 러시아의 강인한 농민과 독일의 용감한 귀족 그리고 영국의 고집 센 자유민들을 차례대로 정복하지 않으면 안 된다. 그러나 이 민족들은 아마 공동 방위를 위해 동맹을 맺을 것이다. 유럽은 장차 야만의 침입에 대해서 안전하다. 우리는 인류의 완성을 향해 나아가며 어느 수준의 높이까지 도달할 수 있을 것인가에 관해서는 측정할 수 없다. 그러나 그 같은 예상이 잘못되지 않았다는 것은, 어느 국민도 자연의 그 모습이 변하지 않는 한, 원래의 원시적 야만 상태로는 되돌아가지 않을 것이라는 점이다. 우리는 이 세계가 현재는 물론 과거에도 변함없이 인류의 참된 부와 행복과 지식을 그리고 미덕 또한 증가시켜 왔다는 행복한 결론을 인정하게 된다.

제4장 3천 년의 인간 지혜 동양 고전

≪채근담≫ 홍자성: 명나라 문인

가. 개요

1644년경 중국 명나라 말기 문인 홍자성의 저술로서, 유가의 세계관을 기반으로 하여 도가와 불교의 세계관을 함께 논한 인생의 지침서이다. 일종의 잠언 형식으로서, 전편 225개, 후편 134개 총 359개의 단문으로 구성되어 있다. 주로 전편은 사람들과 교류를 논술하고, 후편에서는 자연에 대한 즐거움을 표현하면서 인생의 처세를 다룬다.

나. 주요 내용

권세나 명리를 가까이하려 하지 않는 사람은 훌륭하다. 그러나 그것을 가까이하면서도 물들지 않는 사람은 더 훌륭하다. 권모술수를 모르는 사람은 인격자이다. 그러나 그것을 알면서도 악용하지 않는 사람은 더 훌륭한 인격자이다.

귀에 거슬려서 마음속에 거리낌을 품게 하는 말은 숫돌이 되어 우리가 인격을 수양하고 행동을 제어할 수 있게 할 것이다. 말마다 귀에 즐겁고, 일마다 마음에 흡족하면 그것은 스스로 독주 속에 자기 자신을 빠뜨리는 것과 같다.

대체로 남을 신뢰하는 사람은 자기가 성실한 사람이기에 자기 본위로 다른 이도 그러하리라 생각하는 것이다. 마음의 본체가 밝으면 어두운 방 안에도 푸른 하늘이 있고, 마음이 어두우면 환한 대낮에도 도깨비가 나타나리라. 부귀나 명예도 여러 가지이다. 사람됨이나 인덕으로 그것을 얻은 사람은 자연히 피어나는 꽃처럼 내버려 두어도 잘 자란다. 노력으로 그것을 얻은 사람은 화분 속의 꽃처럼 잘 자라기도 하고 말라 죽기도 한다. 권력으로 그것을 얻은 사람은 꽃병에 꽂아 둔 꽃과 같이 뿌리가 없기 때문에 금방 말라 죽는다. 나쁜 일을 하고 다른 사람이 모르기를 바라는 것은 그 마음속에 양심이 있기 때문이다. 좋은 일을 하고 남이 알아주기를 바라는 것은 그 마음속에 욕심이 있기 때문이다.

복은 억지로 구할 수 없는 것이니, 기쁜 마음을 길러 복을 부르는 근본으로 삼을 따름이고, 화는 억지로 피할 수 없는 것이니, 마음속의 살기를 버려서 화를 멀리할 따름이니라.

사람의 마음속에 번뇌가 가득함은 즉 물욕으로 인한 것이다. 만일 마음속에 물욕이 없다면 마치 가을 하늘과 같고, 날씨 좋은 날의 바다와 같을 것이다.

사람의 정은 되돌아오고, 세상의 길은 험하고 험하다. 쉽게 갈 수 없는 곳에서는 모름지기 한 걸음 뒤로 물러서는 법을 알아야 하고, 쉽게 갈 수 있는 곳이라도 3분의 공을 사양하기에 힘써라.

거센 바람과 성난 비에는 새들도 조심하고, 갠 날씨와 따뜻한 바람에는 풀과 나무도 기뻐한다. 그러므로 하늘과 땅의 따뜻한 기운이 없다면, 이 세상이 하루도 존재하지 못함을 알고, 사람의 마음에는 하루도 기쁨이 없어서는 안 된다는 것을 알아야 한다.

세상을 살아가려면 한 걸음 물러설 줄 알아야 한다. 물러서는 것은 곧 나아가는 밑천이다. 사람을 대하는 데는 항상 너그러워야 한다. 남을 이롭게 하는 것은 자기를 이롭게 하는 것이다.

병들어 누워 봐야 비로소 건강의 고마움을 알고, 난세를 당해 봐야 비로소 평화의 고마움을 안다며는 이는 민첩하다고 할 수 없다.

건강할 때 건강의 고마움을 모른다는 것도 불행한 일이며, 평안할 때 평안의 고마움을 깨닫지 못하는 것도 불행한 일이다.

사람은 한 걸음 물러서서 자기를 돌아볼 필요가 있다. 행복을 찾아 달리다가는 도리어 불행을 불러온다는 것을 깨달아야 한다.

자기만은 언제까지나 살 것이라고 생각하는 것도 결국 생명을 탐하고 파먹는 것이 된다. 이 점을 깨닫는 것이 생의 가장 높은 지식이다.

남을 의심하는 사람은 자기 자신이 속임꾼이므로 남도 그러하리라 생각한다. 마음이 인자하고 너그러운 사람은, 항상 길하고 경사스러운 일이 많다. 왜냐하면, 모든 일도 그 마음과 같이 너그럽고 순탄하게 되기 때문이다. 마음이 모질고 좁은 사람은 항상 불길하고 불유쾌한 일이 많다. 왜냐하면, 모든 일이 그 마음처럼 불길하고 순탄치 않기 때문이다.

아무런 노고도 없이 얻은 행복이란 곧 달아나 버린다. 참다운 행복이란 고락을 같이 섞어 맛보고 심신을 연마하여 그 결과로써 얻은 행복이 아니면 안 된다.

처자를 사랑하는 마음으로 부모를 섬기면 그 효도가 극진할 것이요, 부귀를 보전하는 마음으로 임금(윗사람)을 받들면 어디 가나 충성되지 않음이 없을 것이다.

작은 길 좁은 곳에서는 한 걸음만 멈추어 다른 사람을 먼저 지나가게 하고, 맛있는 좋은 음식은 10분의 3만 덜어서 다른 사람에게 맛보게 하라. 이것이야말로 안락하게 세상을 살아가는 최상의 방법이다.

사람의 잘못을 꾸짖되, 지나치게 엄격하게 하지 마라.

세상을 살아감에 있어 꼭 성공하기를 바라지 마라. 큰 그르침이 없으면 그것이 곧 성공이다.

스스로 어리석다고 생각하라. 총명함이 도를 가로막는 장애물이다.

의심과 믿음을 다 참작한 끝에 얻은 지식이라야 참된 지식이다. 작은 일에도 빈틈이 없고, 어두운 곳에서도 속이거나 숨기지 않으며, 아무리 실의에 빠지더라도 자포자기하지 않는 자, 이런 사람이 진정한 영웅이다.

남의 과실이나 착오에 대해서는 너그럽게 용서해 주는 것이 옳다. 그러나 자신의 잘못에 대해서는 결코 묵과해서는 안 된다.

기회가 없음을 한탄하기는 쉬우나, 한탄하는 때가 바로 기회임을 깨닫기는 어렵다. 이것은 마치 놓친 고기 생각에 낚싯밥을 챙기지 못하는 것과 다를 바 없다.

자벌레가 몸을 구부리는 것은 몸을 뻗어 전진하기 위함이다. 음흉하여 말을 잘 하지 않는 사람을 만나거든 쉬 마음을 털어놓지 말고, 화를 잘 내고 잘난 체하는 사람을 보거든 아예 입을 다무는 것이 상책이다.

앎은 악마의 정체를 밝히는 한 알의 밝은 구슬이요, 억제하는 힘은 악마를 베는 한 자루 지혜의 칼이다.

덕은 재능의 주인이요, 재능은 덕의 종이다. 그러므로 재능은 있으되 덕이 없는 것은 주인 없는 집에 종이 날뛰는 것과 같다.

병이 들어서야 비로소 건강의 고마움을 알게 되고, 전쟁이 일어나고 나서야 비로소 평화의 소중함을 생각하게 된다. 그러나 그때는 이미 늦다. 행복하기를 서두르면 오히려 화를 부르고, 삶에 집착하면 오히려 죽음을 자초한다. 이러한 진리를 빨리 깨닫는 것을 탁견이라 한다.

오직 용서하면 불평이 없고, 오직 검소하면 살림이 넉넉해진다.

소인과 다투지 마라. 소인의 상대는 따로 있다.

하루해 이미 저물었으나 노을은 오히려 아름답고, 한 해가 저무니 귤 향기가 더욱 향기롭다. 그러므로 군자는 만년에 더욱 정신을 백배 드높여야 한다.

하늘은 한 사람을 부하게 하여 만민의 가난을 구제하게 했으나, 세상은 도리어 제 가진 것에 기대어 남의 가난을 핍박하니, 이는 진정 천벌을 받을 죄인이다.

부싯돌 불빛 속에서 길고 짧음을 다툰들 그 시간이 얼마나 길까? 달팽이 뿔 위에서 자웅을 겨룬들 그 세계가 얼마나 크랴?

산림에 은거하는 즐거움을 말했다고 해서 그 사람이 그 진정한 맛을 안다고 할 수 없듯, 명리에 관한 이야기를 싫어하는 사람이라고 해서 명리를 버렸다고는 할 수 없다. 자신이 세상의 다툼에 관여하지 않는다고 해서 다른 사람의 다툼을 경멸하지 말라. 스스로의 마음이 고요하고 담백하다고 해서 혼자 깨달은 사람인 양 티를 내지 말라. 이것이야말로 불교에서 말하는, 법에도 얽매이지 않고 공(空)에도 얽매이지 않는 자유의 경지이다.

사람이 항상 죽음과 병듦을 잊지 않는다면, 삶에서 헛된 짓을 버리고 참마음을 기를 수 있다.

길이란 서로 앞을 다투면 좁아지지만, 한 걸음 물러나면 넓어진다. 짙은 맛에는 금방 질리고 말지만, 담백한 맛은 오래오래 즐길 수 있다. 속세를 떠난다고 해서 반드시 인간관계를 끊거나 산림에 은거하는 것을 말하지는 않는다. 그것은 언제나 일상 속에 있는 것이다.

이룬 것은 반드시 무너진다는 것을 안다면, 악착같음을 버릴 수 있고, 삶이 반드시 죽음으로 끝남을 안다면, 삶에 지나치게 집착하지 않게 된다.

군자는 몸과 마음의 근심을 지니고 청풍명월을 즐길 수 있어야 한다.

마음은 겸손하고 허탈하게 가져야 한다. 마음이 겸손하고 허탈하면 곧 의리라는 것이 들어와 자리를 잡게 되고, 자연 그 마음속에 허욕이라는 것이 들어가지 못한다.

어떤 사람이 나쁘다는 말을 듣더라도 그를 곧바로 미워하지 말라. 누군가 그를 헐뜯기 위해 모함한 것일지 모르기 때문이다. 어떤 사람이 착하다는 말을 듣더라도 그와 곧바로 친하지 말라. 간사한 사람이 출세를 위해 아첨한 것인지 모르기 때문이다.

오래 움츠린 새는 반드시 높이 날고, 먼저 핀 꽃은 홀로 먼저

진다. 이러한 이치를 안다면, 실수하여 낭패를 당할 우려가 없고, 조급한 생각이 사라지게 될 것이다.

하늘과 땅은 고요하지만, 그 활동을 잠시도 멈추지 않으며, 해와 달은 밤낮으로 달리고 있지만 그 빛은 옛날이나 지금이나 변함이 없다. 그러므로 참된 사람은 한가로운 때에 다급함을 대비하는 마음을 가지고, 바쁜 때에도 여유 있는 마음으로 자신의 뜻을 되돌아본다.

은혜를 받고 있는 그 속에서 재앙이 싹트는 것이니, 그러므로 만족스러울 때에는 주위를 되돌아보라. 또한 실패한 뒤에 오히려 성공이 따르는 수도 있는 것이니 일이 뜻대로 되지 않는다고 해서 무작정 손을 놓지 말라.

가난한 사람보다는 부자나 지위가 높은 사람이 더 불안해한다. 모르는 남들끼리보다는 가까운 사람끼리 더욱 서로를 미워한다. 인간의 마음이란 이렇게 미묘한 것이라 무슨 일을 하든 냉철한 마음을 놓아서는 안 된다. 그렇지 않으면 늘 쓸데없는 일로 고뇌하게 될 것이다.

남의 허물을 책망하는 데 너무 엄하게 하지 말라. 그가 그 말을 받아서 감당할 수 있는가를 생각해야 한다.

남을 가르칠 때 선으로써 하되, 지나치게 높은 것으로 하지 말라. 그로 하여금 따를 수 있게 하여야 한다.

가난한 집이라도 청소를 자주 하고, 못생긴 여자라도 단장을 잘하면, 화사함은 없을지라도 무엇인지 모를 기품이 생기는 법이다. 사나이는 아무리 곤궁에 처해 있어도 스스로 무너져 품격을 잃어서는 안 된다. 조용한 환경 속에서 조용한 마음을 가지는 것만으로는 진정한 평정이라고 할 수 없다. 진정으로 조용한 평정은 격렬한 움직임 속에서도 조용한 마음을 얻는 것이다. 즐거운 곳에서 즐거운 마음을 가지는 것은 진정한 즐거움이 아니다. 진정한 즐거움이란 괴로움 속에 있으면서도 즐거움을 느낄 수 있는 것이다.

양념을 많이 한 요리에는 진정한 맛이 없다. 진짜 맛은 담백한 것이다. 두드러져 보이는 사람은 인격자라고 할 수 없다. 인격자는 결코 두드러져 보이지 않는다. 배가 부르면 맛의 구별이 사라지고, 여자와 자고 난 남자는 여자에게 흥미를 잃는다. 무슨 일이든 시작하기 전에 나중 일을 마음에 담아 두면 흔들림도 없고 망상도 일어나지 않아 실체를 뚜렷하게 볼 수 있게 되고 잘못을 저지르지 않게 된다. 남에게 도움을 준 일은 빨리 잊어라. 그러나 남에게 피해를 준 일은 절대로 잊어서는 안 된다. 남에게 은혜를 입은 일은 결코 잊지 말라. 남에게 피해를 입은 일은 빨리 잊어라. 사치스러운 사람은 아무리 재물이 많아도 결코 만족할 줄 모른다. 가난하면서도 편안하고 여유로운 사람이 더 낫다. 재주를 자랑하는 사람은 실컷 고생하고도 남의 원한까지 산다. 어설퍼도 마음 편하게 자신에게 주어진 본연의 삶을 사는 것이 더 낫다. 고생 속에서 즐거움을 얻을 수 있다. 성취감을 누리는 순간 슬픔과 고뇌의 싹이 돋는다.

깨달음이란 욕망과 인연을 모두 끊고 마음을 재로 만들어 버리는 것이 아니다. 그것은 고뇌의 끝에서 얻게 되는 것이다.

≪전국책(戦国策)≫ 유향(BC 79? ~ BC 8?): 전한 학자

가. 개요

전한(前漢)의 유향(劉向)이 전국시대(戦国時代: BC 403-221)의 유세가와 책략가들이 남긴 외교, 정치, 군사, 전략 등 국가 운영에 대한 책략이나 언설들을 모아 엮은 책이다. 이 책은 편저자가 국책(国策), 국사(国事), 사어(事語), 단장(短長), 장서(長書), 수서(修書)라는 서적 33편을 종합하여 이를 서주(西周), 동주(東周), 진(秦), 제(斉), 초(楚), 조(趙), 위(魏), 한(韓), 연(燕), 송(宋), 위(衛), 중산국(中山国) 등 12개의 국가별로 나누어 엮은 중국 고대의 전략서라고 할 수 있다.

나. 주요 책략 사례

<제나라 사람 풍원의 기지>

제나라 사람 풍원이란 자가 재상 맹상군의 식객이 되었는데, 맹상군 하인들이 풍원에게 거친 음식만 주었다. 풍원이 불만을 터트리자 맹상군은 좋은 음식을 주도록 했다. 그런데도 풍훤은 수레 제공과 자신의 가족 봉양을 요구했다. 주위에서 탐욕스런 놈이라고 욕했으나 맹상군은 풍원의 요구를 다 들어주었다. 그 후 맹상군이 식객들에게 물었다. “누가 나를 위해 설(薛) 땅에 가서 빚을 받아 오겠는가?” 그러자 풍훤이 자원하고, 설 땅에 도착하자 바로 채무자들의 빚 문서를 태워 버리게 하니, 백성들이 모두 만세를 불렀다. 풍훤이 돌아오자 맹상군이 무엇을 얼마나 받아 왔느냐고 물었다. 이에 풍원은 “군께서 말씀하시기를 ‘우리 집에 부족한 것을 사 오라.’라고 하셨지요. 그래서 제가 생각해 보니 댁에는 보물과 가축, 미녀가 가득 차 있으나 단 한 가지 의(義)가 부족했습니다. 그래서 제가 그 ‘의’를 사 가지고 왔습니다.” 맹상군이 “의를 사 오다니 무슨 말이오?” 하고 물었다. 풍훤은 “지금 군께서는 설 땅의 백성을 자녀처럼 사랑해 주지는 못하면서 오히려 그들에게 돈놀이를 하여 이익을 도모하고 있습니다. 그래서 제가 백성들에게 그 빚 문서를 태워 버리도록 했더니, 백성들이 모두 만세를 외쳤습니다. 이것이 바로 사 온 ‘의’라는 것입니다.”라고 대답했다. 1년 후, 맹상군이 좌천되어 설 땅에 도착하자 백성들이 모두 나와 맹상군을 영접하고 있었다. 맹상군이 풍훤을 돌아보며 말하였다. “선생께서 저를 위해 사온 ‘의’라는 것을 오늘에야 보는구려.” 그 후 풍원의 계책으로 제나라 왕이 다시 맹상군을 재상에 모시고 사과를 하는 상황을 만들었다.

<제나라 순우곤이 세 치 혀로 왕을 제압하다>

제나라가 위나라를 치려 하자 위나라에서는 제나라 순우곤에게 사람을 보내어 이렇게 전하였다.

"제나라가 지금 위나라를 치려고 하는데 위나라의 환난을 풀어 줄 수 있는 사람은 오직 선생밖에 없습니다. 저희 나라의 귀한 보물과 명마 여덟 필을 선생에게 드리겠습니다."

이에 순우곤이 허락하고는 들어가 제왕에게 말하였다.

"초나라는 제나라와 원수 사이요, 위나라는 제나라의 동맹국입니다. 그런데 동맹국을 쳐서, 구적으로 하여금 그 피폐한 틈을 제압하게 하시니 명분상으로도 추한 일이요, 실제로도 위험한 일이어서 왕께서 하실 일이 아닙니다."

그러자 제왕이 "좋소." 하고는 위나라를 치지 않게 되었다. 그런데 어떤 객이 제왕에게 고하였다.

"순우곤이 위나라를 치지 말자고 한 것은 위나라로부터 구슬과 말을 뇌물로 받았기 때문입니다."

왕이 순우곤에게 물었다.

"듣자니, 선생이 위나라로부터 구슬과 말을 받았다는데 그런 일이 정말 있소?"

순우곤이 대답하였다.

"있습니다."

"그렇다면 그것이 나를 위한 계책이라 할 수 있소?"

순우곤이 말하였다.

"제가 위나라를 치는 일이 유리하다고 하여 위나라가 그 원한으로 나를 죽였다고 한들 왕께 무슨 이익이 있겠으며, 만약 그것이 부당한 일이라고 주장하여 위나라가 고맙게 여겨 저에게 땅을 준들 왕에게 무슨 손해가 있겠습니까? 왕은 친한 나라를 쳤다는 비방을 듣지 않게 되었고, 위나라는 망할 위험이 없게 되었으며, 백성들은 전쟁의 두려움을 벗어나게 되었고, 저는 저대로 구슬과 말의 보배를 얻었습니다. 이게 왕에게 무슨 해로울 것이 있단 말입니까?”

<제나라 선왕이 안촉을 만나 보다>

선왕이 안촉을 만나 말하였다. “촉, 앞으로 나오시오!” 그러자 안촉도 이렇게 말하였다. “왕이 앞으로 나오시오!” 선왕이 불쾌히 여기니, 대신들이 왕은 백성의 군주이고, 촉 당신은 군주의 신하라며, 안촉의 무례한 언행을 나무랐다. 이에 안촉이 “무릇 내가 앞으로 나아가면 권세를 사모하는 것이 되고, 왕께서 앞으로 나오시면 선비를 좋아하는 것이 되오. 그러니 차라리 저로 하여금 세력을 따르게 하느니보다 왕께서 선비를 따르게 하느니만 못하오.”라고 대응했다.
왕이 화가 나서 얼굴을 붉히며 말하였다. “왕이 귀하오, 선비가 귀하오?” 안촉이 대답하였다.
“선비가 귀하지요. 왕은 귀하지 않습니다. 옛날 진나라가 제나라를 공격할 때 진나라 왕은 고명한 선비 ‘유하계’의 무덤 근처에서 나무를 하는 자는 사형에 처하겠으나, 제왕의 목을 베어 오는 자는 높은 벼슬과 금 1천냥을 내리겠다고 하였습니다. 이를 보건대 살아있는 왕의 머리가 죽은 선비의 무덤 주변 언덕만도 못합니다.”

<진(秦)나라 선태후가 위추부를 사랑하다>

진나라 혜왕이 죽고 그의 부인 선태후가 위추부를 사랑하였다. 태후가 병이 들어 임종에 이르자 대신들에게 영을 내렸다.
“내가 죽어 장례 지낼 때 위추부를 반드시 함께 순장(殉葬)시켜다오.”
위추부는 걱정스러웠다. 그때 용예가 위추부를 위하여 태후를 달래어 말하였다.

"죽은 자도 앎이 있다고 여기십니까?"
태후가 말하였다.
"모를 것이다."
용예가 말하였다.
"태후께서는 신령하시어 죽고 나면 아무것도 모른다는 사실을 명확히 아시는데, 생전에 그렇게 사랑하던 사람을 아무것도 모르는 죽은 사람과 함께 묻으시겠다는 것입니까? 또 만약 죽은 자가 앎이 있다면 돌아가신 선왕(惠王)께서도 저승에서 분노를 쌓아온 지 오래일 것입니다. 태후께서 죽은 후 만나시면 사과하고 빌어도 모자랄 텐데 어느 겨를에 사사로이 위추부와 사랑을 나누겠습니까?"
태후가 말하였다. "옳다." 그러고는 명령을 철회하였다.

<위 문후(魏 文侯)가 전자방과 술을 마시다>

위나라 문후가 자기 스승인 전자방(田子方)과 술을 마시면서 음악을 논하고 있었다. 문후가 말하였다.
"종소리의 화음이 맞지 않는 듯합니다. 왼쪽 음이 높습니다."
전자방이 웃기만 하자 문후가 물었다. "어찌 웃으십니까?" 전자방이 말하였다.
"제가 듣건대 현명한 군주는 관리를 잘 다루는 것으로 즐거움을 삼고, 현명하지 못한 군주는 음악을 듣는 것으로 즐거움을 삼는다 합니다. 지금 임금께서 음악에 그처럼 깊이 빠져 있으니 관리를 다스리는 데에 귀가 멀지 않을까 해서 웃은 것입니다."
문후가 말하였다. "알겠습니다.

<지백(智伯)이 위나라를 치다>

지백이 위나라를 치고자 짐짓 말 4백 필과 흰 구슬 하나를 선물

로 위나라 군왕에게 보냈다. 위왕은 크게 기뻐하였고 여러 신하들도 모두 축하하였으나 남문자만은 근심 띤 얼굴을 하였다. 위왕이 물었다.

"큰 나라가 기뻐하며 사귀자고 하는데 그대만이 근심 띤 기색이니 어찌된 일이오?"

남문자가 말하였다.

"공 없는 상과 노력 없는 예물은 잘 생각해 보지 않으면 안 됩니다. 양마 4백 필과 흰 구슬 하나는 소국이 대국에게 줄 예물인데 대국이 오히려 소국에게 주었습니다. 군께서는 깊이 헤아려 보십시오."

위군은 그 말을 듣고 경비를 철저히 하도록 변방에 고하였다. 지백이 과연 군사를 일으켜 위나라를 습격하고자 국경까지 와서는 그만 되돌아가면서 이렇게 말하였다.

"위나라에 현인이 있어 나의 계략을 먼저 알아냈구나."

<궁타(宮他)가 연나라를 위하여 위나라에 사신으로 가다>

궁타가 연나라를 위하여 위나라에 사신으로 갔는데, 위나라 소왕이 그의 말을 들어주지 않아 몇 달 동안 머물러 있었다. 어떤 객(客)이 위왕에게 말하였다. "임금께서 연나라 사신의 말을 들어주지 않는 것은 왜입니까?"

위왕이 말하였다.

"연나라에 내란이 일어났기 때문이오."

그가 대답하였다.

"옛날 탕임금이 걸(桀)을 토벌할 때, 그 국내에 난리가 일어나기를 바랐습니다. 대란이 일어나면 그 땅을 차지할 수 있고, 소란이 일어나면 그 보물을 얻게 되는 것입니다. 지금 연나라 사신은 '일만 들어주면 보물이고 땅이고 다 바쳐서 시키는 대로 하겠다.'라고 하고 있습니다. 그런데도 왕께서는 어찌하여 그를 만나보지 않으십니까?"

위왕은 기뻐하며 연나라 사객을 만나 보고 보냈다.

<소진(蘇秦)이 진왕에 연횡설(連橫說)을 유세하다>

"대왕의 국가는 서쪽으로는 파, 촉, 한중의 이익이 있고, 북쪽으로는 대 땅에서 나는 양마로 군용에 충당할 수 있습니다. 남쪽으로는 무산과 금중 등 천혜의 요새가 있으며, 동쪽으로는 효산과 함곡관의 견고한 요새가 있습니다. 농토는 비옥하고 백성은 부유하여 전차 1만 대에 용사 1백만 명을 모을 수 있습니다. 옥야가 1천 리나 뻗쳐 있고 지세 또한 더없이 좋습니다. 이는 이른바 천부(天府)라는 곳으로 천하의 대국입니다. 그러니 대왕의 현명함을 바탕으로 많은 백성들로 군대를 구성해 훈련만 잘 시키면 천하를 통일할 수 있습니다. 원컨대 대왕께서 조금 유념해 주십시오. 청컨대 신은 그 효험을 장담하겠습니다."

진왕이 말하였다.

"과인이 듣기로 깃털이 풍부하지 못한 새는 높이 날 수가 없고, 도덕이 돈후하지 못한 자는 백성을 부릴 수 없다 하였소. 이제 선생은 조정에서 나를 가르치려 하나, 후일에 가르침 받기를 원합니다."

소진은 진왕에게 10여 차례 글을 지어 올렸으나, 유세가 행해지지 않았다. 이에 소진은 집에 돌아와 밤을 새워 태공망(太公望)의 병법을 찾아내어 열심히 연구하였다. 공부를 마친 후 소진은 조나라 왕에게 손뼉을 치며 유세하였다. 조나라 왕은 크게 기뻐하며 소진을 무안군(武安君)에 봉하였다. 그리고 재상까지 시켜 합종(合從)을 맺어 연횡(連橫)을 흩어 버리고, 강한 진나라를 억제하게 되었다.

<소진이 초왕에게 유세하다>

소진이 초나라 위왕(威王)에게 말하였다.

“어진 사람은 그 백성을 마음으로 사랑하며 선언으로써 섬기고, 효자는 그 어버이를 마음으로 사랑하며 재물로써 섬기며, 충신은 그 임금에게 반드시 어진 이를 추천해서 보좌하게 하는 것입니다. 지금 대왕의 대신과 부형은 어진 이를 해치는 것을 자질로 여기고, 왕으로 하여금 백성으로부터 미움을 사게 하니 충신들이 아닙니다. 그리고 대신들은 왕의 과오를 백성에게 널리 알리고, 제후에게는 왕의 토지를 뇌물로 많이 바치고 있습니다. 이 때문에 나라가 위태롭습니다. 원하옵건대 대신들끼리 서로 헐뜯는 말을 듣지 마시고, 대신과 부형의 말을 조심할 것이며, 반드시 백성들이 선하다고 일컫는 자를 등용하시기 바랍니다. 또한 기호와 욕망을 절제하시어 백성들을 편안하게 하시기 바랍니다. 남의 신하가 되어 가장 하기 어려운 것은 질투심 없이 능히 현인을 추천하여 등용하는 일입니다. 그러나 투기심 없이 어진 이를 추천하는 자는 한 명도 보지 못하였습니다. 그러므로 밝은 임금은 그 신하를 잘 살펴서 반드시 누가 투기심 없이 어진 이를 추천하는가를 알아야 하며, 또한 어진 신하 역시 그 임금을 섬김에 있어 반드시 투기심 없이 어진 이를 추천해야 합니다.”

<장의(張儀)가 진왕에게 유세하다>

“신이 듣건대 ‘알지 못하면서 말을 하는 것은 지혜롭지 못한 일이요, 알면서 말해 주지 않는 것은 충성스럽지 못한 것이다. 남의 신하가 되어 충성스럽지 못하면 사형에 해당한다.’라고 하였습니다. 비록 그렇다고는 하지만 저는 제가 들은 바를 대왕께 모두 말씀드리오니 대왕께서 제 죄를 판단하시기 바랍니다. 제가 듣기로 산동 6국이 북쪽으로는 연나라와, 남쪽으로는 위나라, 초나라와 연합하여 제나라를 견고히 한다고 합니다. 그리고 나머지 한나라까지 끌어들여 합종을 이루어 장차 서남쪽으로 진나라와 대항하고자 한다고 하

여 신은 속으로 웃었습니다. 세상이 멸망하는 경우가 세 가지 있는데, 산동 6국이 이를 모두 갖추고 있으니 바로 이를 두고 한 말일 것입니다. 제가 듣기로 '어지러운 나라가 잘 다스려지는 나라를 공격하면 망하고, 사악한 것으로 바른 것을 치는 자는 망하며, 역리(逆理)로써 순리를 치는 자는 망한다.'라고 하였습니다. 지금 천하의 국고가 비었는데도 그 백성들을 모두 모아 포진한 군대가 수천만이나 되지만 모두 마음뿐, 나라를 위해 죽으려는 각오는 없습니다. 이는 윗사람이 용감하게 싸워 적을 죽이지 않기 때문입니다. 한꺼번에 천하를 들어 치되, 천하의 합종을 깨버리지 않으면, 조나라를 격파시킬 수 없을 뿐만 아니라 한나라도 망하지 않을 것이요, 초나라, 위나라도 신하라 일컫지 않게 될 것이며, 제나라와 연나라도 친교를 맺고자 아니할 것입니다."

<맹상군이 하후장을 모시다>

맹상군이 하후장을 모시면서 네 마리 말이 끄는 수레에 수백 명분의 식량을 제공하는 등, 심히 환대하는 데도 하후장은 말끝마다 맹상군을 헐뜯었다. 어떤 이가 이를 맹상군에게 알리자 맹상군은 이렇게 말하였다.

"내가 하후장을 이렇게 모시는 것에 대해 더 이상 말하지 말라!"
동지번청이란 자가 하후장에게 그 이유를 물으니, 하후장이 말하였다.

"맹상군은 내가 제후만 못한데도 나를 말과 수백 명분의 식량으로 대접한다. 나는 하나의 공도 없으면서 이를 받아 누리고 있다. 그러나 내가 그를 헐뜯었기 때문에 그는 더욱 처세를 잘해 백만장자가 된 것이다. 내가 이처럼 몸을 바쳐 맹상군을 위하고 있는데, 어찌 좋은 말만 하겠는가?"

<다섯 나라가 맹약하여 斉나라를 치다>

연, 조, 위, 한, 진(燕·趙·魏·韓·秦) 5국이 맹약하여 제나라를 쳤다. 이때 소양이 초나라 경양왕에게 말하였다. “다섯 나라가 제나라를 격파한 다음에는 반드시 남쪽으로 우리 초나라를 공격할 것입니다.”

왕이 물었다.

“그러면 어찌해야겠소?”

소양이 대답하였다.

“한(韓)나라는 이익만 좋아하고 힘든 전쟁은 싫어합니다. 이익을 좋아하니 이익으로 유혹할 수 있으며, 전쟁을 싫어하니 위협할 수 있습니다. 우리가 후한 뇌물을 갖다 주어 이롭게 하면 유혹되게 할 수 있고, 우리가 병력을 모아 접근하면 틀림없이 우리를 두려워할 것입니다. 저들이 우리 병력을 두려워하고 우리의 후한 이익의 유혹에 넘어가면 다섯 나라의 일은 반드시 깨어질 것입니다. 그 맹약이 깨어진 후에는 한나라에게 약속한 땅을 주지 않아도 될 것입니다.”

초왕이 말하였다. “좋다.” 그러고는 대공사를 명하여 한나라에 보냈다. 그는 공중사를 만나 이렇게 말하였다.

“귀국 대왕이 진실로 5국의 기병에 가담하지 않는다면 청컨대 다섯 개 성을 드리겠습니다. 그리고 우리 초나라 군사를 다 모아 제나라를 공격하겠습니다.”

이렇게 하여 제나라가 초나라와 위나라를 배반한 뒤에 초나라는 과연 한나라에게 땅을 주지 않았다. 그리하여 다섯 나라의 동맹은 곤경에 빠지고 말았다.

≪손자병법≫ 손무: 춘추 시대 병법가

가. 개요

춘추 시대 말 손무가 지었으며, 그는 손자라고도 불린다. ≪한서

≫ 예문지에는 82편, 도록 9권이라고 기록되어 있으나, 현재 남아 있는 송본에는 계·작전·모공·형·세·허실·군쟁·구변·행군·지형·구지·화공·용간 등의 13편만이 전해진다. 내용은 춘추 말기의 군사학설 및 전쟁 경험 등 당시 전쟁에 관한 모든 지혜를 집대성한 저서이다.저자가 주장하는 중요한 핵심은 전쟁을 경제적인 관점에서 파악해 '싸우지 않고 이기는 것'이다. 전쟁을 부정하거나 무조건 반대하지 않고, 있는 그대로 전쟁을 바라보고 철저하게 대비할 것을 주문하고 있다.

나. 주요 내용

천하의 이익을 독점하는 자는 천하를 잃고 천하의 이익을 나누는 자는 천하를 얻는다. 전쟁 전에 다섯 가지를 비교해 보아야 한다. 첫째는 도(道:정치형세)요, 둘째는 천(天:기후)이요, 셋째는 지(地:지리)요, 넷째는 장(將:장수)이요, 다섯째가 법(法:법제도)이다.

어느 나라 군주가 도(道)를 갖추었는가? 어느 나라 장수가 더 유능한가? 어느 나라의 천시(天時)와 지리(地利)가 더 유리한가? 어느 나라 법령이 더 철저하게 시행되고 있는가? 어느 나라 무기가 더 강한가? 어느 나라 병사들이 훈련이 더 잘 되어 있는가? 어느 나라 상벌이 분명하게 시행되고 있는가? 이 일곱 가지로서 이기고 질 것을 알 수 있다.

전쟁에서 최상의 전법은 적의 모략을 깨뜨리는 것이며, 그다음이 적의 외교를 끊어 놓는 것이고, 그다음이 적의 군대를 치는 것이며, 최하의 방법은 적의 성을 공격하는 것이다.

적을 알고 나를 알면 백 번 싸워도 위태롭지 않다. 적을 알지 못하고 나를 알면 한 번 이기고 한 번 진다. 적도 모르고 나도 모르면 싸울 때마다 반드시 위태롭게 된다.

적국을 온전히 굴복시키는 것이 상책이며, 적국을 무너뜨려 이기는 것은 차선책이다. 적의 군대를 온전히 굴복시키는 것이 상책이며, 적의 군대를 무너뜨려 이기는 것은 차선책이다.

백 번 싸워 백 번 이기는 것은 최상의 방법이 아니다. 싸우지 않고 적을 굴복시키는 것이 최상의 방법이다.

문(文)의 방법으로 명령을 내리고, 무(武)의 방법으로 다스려야 한다. 이것이 바로 반드시 승리를 취하는 방법이다.

지(智)로 이기는 것이 첫째, 위(威, 위협)로 이기는 것이 둘째, 무기를 사용하는 것이 셋째, 성(城)을 치는 것이 최하등책이다.

싸움에서 승리하는 군대는 먼저 이겨 놓은 뒤에 싸운다. 패배하는 군대는 먼저 싸움을 시작해 놓고 뒤에 이기려고 한다. 싸움을 잘하는 사람은 먼저 이길 수 있는 준비를 다 해 놓은 다음에 적과 싸워 이길 수 있는 기회를 기다린다.

전쟁은 일종의 속임수이다. 능력이 있지만 없는 것처럼 보이게 한다. 공격의 의도가 있지만 없는 것처럼 보이게 한다. 가까운 곳을 노리면서 먼 곳을 노리는 것처럼 보이게 한다. 먼 곳을 노리면서도 가까운 곳을 노리는 것처럼 보이게 한다.

전쟁은 속임으로써 성공하고, 이로움으로써 행동하며, 분산하기도 하고 합하기도 함으로써 변화를 주어야 한다. 그러므로 군대는 빠를 때는 바람과 같아야 하고, 느릴 때는 숲과 같아야 하고, 공격할 때는 불과 같아야 하고, 움직이지 않을 때는 산과 같아야 하고, 숨을 때는 어둠과 같아야 하고, 움직일 때는 우레와 천둥 같아야 한다.

물은 지형에 따라 흐르는 방향이 결정되며, 군대는 적의 정세에 따라 승리의 방법을 결정한다. 그러므로 전쟁하는 데 고정된 방법이 없는 것은 물이 일정한 형태가 없는 것과 같다.

전쟁할 때 신속하게 이기는 것을 중요하게 여기고 오래 싸우는 것을 귀하게 여기지 않는다. 싸움을 오래 끌면 병사들이 피로하여 날카로움이 꺾이게 되고, 성을 공격할 때 군사력이 크게 소모되며, 군대가 오랫동안 나라 밖에 주둔하면 나라의 재정이 부족해진다.

필사적으로 죽기를 다해 싸우는 자는 죽을 수 있다. 살기를 바라는 자는 사로잡힐 수 있다. 화를 잘 내고 조급한 자는 수모를 당할 수 있다. 절개와 자존심이 강한 자는 모욕을 당할 수 있다. 병사를 아끼는 자는 번민에 빠질 수 있다.

무릇 전쟁에서는 정병(正兵)으로 적과 맞서며 기병(奇兵)으로 승리를 결정짓는다. 그러므로 기병을 잘 운용하는 장수는 그 변화가 천지(天地)와 같이 무궁무진하고 강물처럼 마르지 않는다.

용병의 방법은 적이 침입하지 않으리라는 예측을 믿을 것이 아니라, 아군이 충분한 대비책을 갖추고 적의 침입을 기다리는 것을 믿어야 한다.

상황과 의도를 정확히 분석하여 이해득실을 계산하고, 적을 자극하여 적이 움직이고 멈추는 규칙을 파악하고, 적을 정탐하여 유리하고 불리한 지형을 알아두고, 작은 충돌을 일으켜 적군 병력이 많은 곳과 적은 곳을 파악한다.

죽음을 앞에 두고 병사들은 힘을 다해 싸우지 않을 수 없다. 병사들은 매우 위험한 곳에 처하면 오히려 두려워하지 않게 되며, 도망갈 길이 없으면 오히려 단결하게 된다. 적진 깊숙이 들어가면 행동의 구속을 받게 되니 어쩔 수 없이 결사적으로 싸우게 된다.

적이 던진 미끼를 물지 않는다. 귀국하는 군대를 막지 않는다. 적을 포위할 때는 반드시 도망갈 길을 남겨 주어야 한다. 막다른 궁지에 몰린 적은 압박하지 않는다.

적이 준비되지 않은 곳을 공격하고, 적이 예상하지 못한 때에 공격한다.

적이 이기지 못하도록 하는 것은 나에게 달려 있으며, 내가 적을 이길 수 있는 것은 적에게 달려 있다.

작은 이익으로 적을 유인한다. 적이 혼란스러우면 공격하여 빼앗는다.

적이 충실하면 대비한다. 적이 강대하면 적을 피한다.

적이 분노하면 더욱 부추긴다. 자신을 낮추어 적을 교만하게 만든다.

쉬고 있으면 적을 피로하게 만든다. 서로 친하면 적들을 이간질시킨다.

기선을 제압하면 주도권을 잡는다. 내가 할 수 있는 일은 남도 할 수 있다.

군대가 적군을 공격할 때 마치 돌로 달걀을 치듯 하려면 허실의 전술이 필요하다. 군대의 운용은 적의 강한 곳을 피하고 적의 허점을 공격해야 한다.

공격하여 반드시 빼앗는 것은 지킬 수 없는 곳을 공격하기 때문이고, 수비를 하되 반드시 지켜 내는 것은 적이 공격할 수 없는 곳을 지키기 때문이다.

적군이 스스로 오게 하려면 이로움으로 적을 유인하며, 적군이 오지 못하도록 하려면 해로움을 보여 준다.

적의 실상을 드러나게 하되 아군의 실상을 드러내지 않으면, 아군의 병력은 집중할 수 있지만 적의 병력은 분산될 수밖에 없다.

적을 이길 수 없으면 수비하고, 이길 수 있으면 공격한다. 수비는 전력이 부족할 때 하는 것이고, 공격은 전력이 넉넉할 때 하는 것이다.

주군(主君)은 자기 개인의 노여움으로써 전쟁을 일으켜서는 안 된다. 그리고 장수는 적에 대한 일시적인 분한 감정으로써 전쟁에 임해서는 안 된다. 모두 대국을 그르치기 쉽다.

무릇 훌륭한 장수는 나라를 지탱하는 버팀목이다. 장수가 빈틈없이 군주를 도우면 국가는 반드시 강대해질 것이고, 허술하여 틈이 생기게 하면 국가는 반드시 약해진다.

장수가 유능하고 군주가 전쟁에 간섭하지 않으면 승리한다.

장수는 지혜, 신뢰, 인자함, 용기, 엄격함을 갖추어야 한다. 용감한 장수 아래 약한 병사는 없다.

기세는 아침에는 날카롭고, 낮에는 해이해지며, 저녁에는 소멸된다. 그러므로 전쟁을 잘하는 자는 늘 적군의 날카로운 예기를 피하고 해이해지거나 소멸되었을 때에만 공격한다. 이것이 군대의 사기를 다스리는 방법이다.

잘 다스려진 군대로 혼란한 군대를 상대하고, 아군의 고요함으로 적의 소란함을 상대한다. 이것이 군대의 심리를 다스리는 방법이다.

적보다 먼저 전쟁터 가까운 곳에 도착하여 먼 길을 오는 적을 기다리며, 휴식을 취한 군대로 피로하고 지친 적을 상대하며, 배부르게 먹은 군대로 굶주린 적을 상대한다. 이것이 군대의 체력을 다스리는 방법이다.

적의 깃발이 질서 정연하면 요격하지 말고, 군진이 위엄 있게 잘 배치되어 있으면 공격하지 않는다. 이것이 군대의 변화를 다스리는 방법이다.

적이 준비되지 않은 곳을 공격하고, 적이 예상하지 못한 때에 공격한다.

전쟁을 잘하는 자는 그 기세가 거세며, 그 절도가 짧다. 기세는 쇠뇌의 시위를 팽팽하게 당긴 것과 같고, 절도는 쇠뇌를 쏘는 순간과 같아야 한다.

전쟁을 잘하는 장수의 기세는 마치 천 길 높이의 산꼭대기에서 둥근 돌을 굴려 내리는 듯하다. 이것이 바로 세(勢)인 것이다.
전쟁을 잘하는 자는 세(勢)에서 승리를 찾지 병사들을 탓하지 않는다. 그러므로 적합한 인재를 뽑고 세에 맡긴다.

군대가 다투는 것이 어려운 까닭은, 먼 길로 돌아가면서도 곧바로 가는 것과 같게 만들어야 하고, 불리한 조건을 유리한 조건으로 만들어야 하기 때문이다. 그러므로 길을 우회할 때에는 이익으로 적을 유인하여 적보다 늦게 출발하여도 먼저 도착해야 한다. 이것이 바로 우직지계(迂直之計)를 아는 자이다.

질서와 혼란스러움은 군대의 편제에 달려 있다. 용감하고 비겁함은 군대의 기세에 달려 있다. 강하고 약함은 군대의 형태에 달려 있다.

다수의 군대를 다스리면서 소수의 군대를 다스리는 것과 같이 하려면 조직 편제를 잘 나누어야 한다.

지혜로운 사람은 이익과 손실 두 가지 방면을 동시에 고려한다.

적군이 겸손한 어투로 말하면서 더욱 방비 태세를 갖추는 것은 진격하려는 뜻이다. 적군이 강경한 어투로 말하면서 공격할 태세를 보이는 것은 철수하려는 뜻이다.

적이 약속도 없이 강화를 요청하는 것은 음모를 꾸미고 있기 때문이다.

도망가는 것도 상책(上策) 중의 상책이다. 발등에 불이 떨어져야 움직이는 것이 사람의 심리이다.

새벽녘의 계획이 하루 일을 결정한다. 수가 많다고 강한 것은 아니다.

아무리 튼튼하여도 약점은 반드시 있다. 안정 속에 혼란이 있고, 겁 속에서도 용기가 생긴다.

알고 덤비는 자에게는 임기응변의 방법밖에 없다. 언제나 의심하고 경계하여야 한다.

병사들과 친해지지 않았는데 벌을 주면 병사들이 마음으로 복종하지 않는다. 마음으로 복종하지 않으면 부리기가 어렵다. 병사들과 이미 친숙해졌는데도 벌을 주지 않으면 역시 이들을 부릴 수 없다.

관례를 깨는 큰 상을 베풀기도 하고, 관례를 깨는 엄격한 명령을 내리기도 하면, 삼군(三軍)을 마치 한 사람 부리듯 할 수 있다.

강한 자나 약한 자나 다 용감히 싸우도록 하려면 지형을 잘 활용해야 한다.

포로로 잡힌 병졸들을 잘 대해 우리 편이 되도록 한다.

벼슬과 금전이 아까워 첩자를 이용하지 못하는 것은 적의 실정을 제대로 알지 못하는 어리석음의 극치라고 할 수 있다. 이런 자는 백성의 장수가 못 될 뿐더러 군주의 보좌관도 될 수 없고 승리의 주체가 되지도 못한다.

뛰어난 지혜가 없으면 첩자를 이용할 수 없고, 인자하고 어질지 않으면 첩자를 부리지 못하며, 세심하고 치밀하지 않으면 첩자로부터 참된 정보를 얻을 수 없다.

≪삼십육계≫ 작자 미상: 명·청 시대

가. 개요

저작 연대나 작자는 미상이나, 대개 5세기까지의 고사(故事)를 17세기 명나라 말에서 청나라 초기에 수집하여 만들어진 것이라고 전해지고 있다. 고대 병법의 핵심 내용만을 선별하여 각 전황(戦況)에서 쓸 수 있는 계략을 제시한다. 내용 구성은 승전계, 적전계, 공전계, 혼전계, 병전계, 패전계 등 총 여섯 항목으로 나누고 각 항목은 다시 6개씩 분류하여 총 36개의 계책을 기술하고 있다.

나. 주요 내용

1계 만천과해(瞞天過海): 하늘을 가리고 바다를 건넌다.

어떤 계략의 행동을 평상시처럼 하여 상대가 의심하지 못하도록 한다.

2계 위위구조(圍魏救趙): 위나라를 포위해 조나라를 구한다.

적의 병력을 분산한 다음, 우회적으로 빈틈을 노려 공격한다.

3계 차도살인(借刀殺人): 남의 칼로 사람을 죽인다.

다른 사람으로 하여금 자신의 적을 제거하게 하다.

4계 이일대로(以逸待労): 쉬면서 상대가 피로해지기를 기다린다.

여유를 가지고 수비에 임하여 상대가 지치기를 기다린다.

5계 진화타겁(趁火打劫): 불난 집에 들어가 도둑질하다.

적의 위기를 틈타 공격한다.

6계 성동격서(声東擊西): 동쪽에서 소리 지르고 서쪽으로 공격한다.

적의 부대를 다른 곳으로 움직이도록 유인하고, 허술한 곳을 공격한다.

7계 무중생유(無中生有): 무에서 유를 창조한다.

없어도 있는 것처럼 보여 적을 속인다.

8계 암도진창(暗渡陳倉): 어둠을 뚫고 진창으로 건너간다.

고의로 자신의 의도를 노출하고, 실제로는 다른 방향을 공격한다.

9계 격안관화(隔岸観火): 강 건너 불 보듯 한다.

적의 내분이나 혼란이 발생하면, 더욱 격화되도록 조용히 관망한다.

10계 소리장도(笑裏蔵刀): 웃음 속에 칼을 숨긴다.

적을 안심시켜 놓고 경계가 소홀해지면 공격한다.

11계 이대도강(李代桃僵): 오얏나무가 복숭아나무 대신 죽는다.

남을 대신하여 과오를 책임지거나, 갑으로 을을 대신한다.

12계 순수견양(順手牽羊): 기회를 틈타 양을 슬쩍 끌고 간다.

상대의 허점을 이용해 작은 이익이라도 적극 챙긴다.

13계 타초경사(打草驚蛇): 풀을 헤쳐 뱀을 놀라게 한다.

의심이 있으면 정황을 확실히 파악하여 행동한다.

14계 차시환혼(借屍還魂): 죽은 영혼이 다른 시체를 빌려 부활한다.

이용 가능한 것은 무엇이나 이용하여 목적을 달성한다.

15계 조호리산(調虎離山): 호랑이를 달래어 산을 떠나게 한다.

막강한 적이 스스로 지형을 벗어나도록 유도한다.

16계 욕금고종(欲擒故縦): 잡기 위해서 일부러 풀어 준다.

궁지에 몰린 적에게 퇴로를 열어 주고, 기세가 약해진 다음 다시 잡는다.

17계 포전인옥(抛磚引玉): 돌을 던져서 구슬을 얻는다.

미끼를 던져서 상대를 유혹하여 큰 것을 얻는다.

18계 금적금왕(擒賊擒王): 적을 잡을 때 우두머리부터 잡는다.

전쟁에서 적을 칠 때 왕이나 장수를 먼저 잡으면 쉽게 전쟁에서 이긴다.

19계 부저추신(釜低抽薪): 가마솥 밑에서 장작을 꺼낸다.

적의 계략은 근본부터 제거해야 한다.

20계 혼수모어(混水摸魚): 물을 흐려 놓고 고기를 잡는다.

흙탕물을 일으켜 시야를 흐리듯 적을 혼란에 빠지게 하고 친다.

21계 금선탈각(金蟬脫殼): 금빛 매미가 허물을 벗다.

진지의 위세를 유지하여 적이 침공치 못하도록 한 후 주력 부대를 은밀히 다른 곳으로 이동한다.

22계 관문착적(關門捉賊): 문을 잠그고 도둑을 잡는다.

적의 전력이 아군보다 약할 경우 완전 포위하여 섬멸한다.

23계 원교근공(遠交近攻): 먼 나라와 사귀고 이웃 나라를 공격한다.

먼 나라와 손잡고 가까운 나라를 먼저 친 후 점차 세력을 확대해 나가야 한다.

24계 가도벌괵(假途伐虢): 길을 빌려서 괵나라를 친다.

중간에 있는 나라의 길을 빌려 먼 나라를 친 후 돌아오는 길에 중간 나라도 친다.

25계 투량환주(偸梁換柱): 대들보를 훔치고 기둥을 빼낸다.

사물의 본질이나 내용을 몰래 바꾸어 상대를 속인다.

26계 지상매괴(指桑罵槐): 뽕나무를 가리키며 회화나무를 욕한다.

간접적인 방법으로 상대를 위협하여 복종하게 만든다.

27계 가치부전(假痴不癲): 어리석은 척하되 미치진 않는다.

상대를 속이기 위해 바보처럼 가장할 때는 냉정하게 행동하여 경거망동하지 않는다.

28계 상옥추제(上屋抽梯): 지붕에 올라가도록 유인한 뒤 사다리를 치운다.

적에게 유리한 조건을 보여 유인한 후, 우군 깊숙이 들어오면 적의 선봉과 후위 부대를 단절시켜 공략한다.

29계 수상개화(樹上開花): 나무에 꽃이 피게 한다.

병력이 적어도 많은 것처럼 보이게 하여 적을 혼란케 한 후 위기를 벗어난다.

30계 반객위주(反客為主): 손님이 도리어 주인 노릇을 한다.

손님의 입장에서 시작하여 차츰 주인의 자리를 차지한다.

31계 미인계(美人計): 미녀를 이용하여 적을 대한다.

적장의 마음을 미녀를 이용해 교묘히 꾀어내어 우군에 유리하게 한다.

32계 공성계(空城計): 성을 비우는 계책

병력이 절대 약세일 때 일부러 방비를 허술하게 하여, 적이 우군 병력의 과다를 판단하지 못하게 한다.

33계 반간계(反間計): 적의 첩자를 역이용한다.

아군을 이간하려는 적의 책략을 역으로 이용하여 계략을 추진한다.

34계 고육계(苦肉計): 자신을 희생시키는 계책

상처를 크게 입은 듯 스스로 거짓 상황을 만들고, 그를 이용해 적의 오판을 유도한다.

35계 연환계(連環計): 여러 가지 계책을 연결한다.

적끼리 서로 묶고 묶이도록 하는 등 몇 가지 계책을 연합하여 적에 대응한다.

36계 주위상(走為上): 달아나는 것이 상책이다.

전세가 도저히 승산이 없을 때는 투항하는 것보다 달아났다가 후일을 도모하는 게 낫다.

≪안자춘추≫ 안영(? ~ BC 500): 제나라 재상

가. 개요

BC 500년경에 만들어진 책으로, 제(斉)나라의 뛰어난 재상 안영의 언행을 후세인이 정리한 정치 문답집이자 간언집이다. 215가지의 이야기로 구성되어 있다. 치국의 원리를 유가적 절약 사상 등에 기반하여 주장하면서, 논리적이고 재치 있는 예를 들어 제왕들을 설득시킨다. 유가와 묵가의 사상을 절충하여 절검(節倹)주의를 설명하였다. 총 8편이며 정치의 실천적인 텍스트로 읽힌다.

나. 주요 내용

안영이 사자의 신분으로 초(楚)나라에 갔을 때, 초나라 왕은 안영이 키가 작다는 말을 듣고 궁지기를 시켜 그를 작은 문으로 안내하려고 했다. 그러자 안영은 "내가 개의 나라에 왔다면 개구멍으로 들어가겠지만, 나는 초나라에 왔소이다. 이런 곳으로 들어갈 수야 없지 않겠소!"라고 소리쳤다. 그러자 궁지기는 그를 대문으로 안내했다. 초나라 왕은 또"그대 같은 사람을 사자로 보내다니 참으로 어이가 없소. 제나라에는 인물이 그렇게 없소?"라고 조롱했다. 그러자 안영은 "우리나라 도성에는 사람이 넘쳐 납니다. 우리나라는 상대나라 군주의 자질에 맞추어 사자를 뽑습니다. 현명한 군주에게는 현명한 신하를, 어리석은 군주에게는 어리석은 신하를 사자로 보내지요. 저는 어리석은 신하라 귀국에 사자로 온 것입니다."라고 응수했다.

초나라 영왕(靈王)은 사신으로 온 안영을 알현하는 자리에 제나라 출신의 도둑을 불러와 "제나라 사람은 이리도 훔치는 일을 좋아하는가?"라 말하여 안영에게 창피를 주었다. 안영은 이에 대해 "귤은 회수 이남에서는 귤(橘)이지만, 회수 이북에서는 탱자(枳)가 됩니다. 이는 토지와 풍토의 차이입니다. 제나라에서는 도둑질을 하지 않았던 자가 초나라에 와서는 도둑질을 하였으니, 초나라의 풍토는 사람들에게 도둑질을 하게 만드는 것 같습니다."라고 되받아쳤다.

제나라 경공의 애마가 어인(圉人, 말을 돌보는 사람)의 실수로 죽고 말았다. 화가 난 경공은 그 어인을 잡아서 사지를 잘라 죽이라고 명했다. 안영은 경공에게 말했다.

"이는 자신이 무슨 죄를 저질렀는지도 모르고 죽는 것이니, 소신이 군주를 위해 그 죄를 따지겠습니다. 그래서 자신의 죄를 알게 한 다음에 옥에 가두시지요."

경공이 허락하자 안영은 일일이 죄목을 들어 그 어인을 나무랐다.

"잘 들어라. 너는 세 가지 죄를 저질렀다. 군주께서 너에게 말을 기르도록 명했는데, 너는 말을 죽게 했다. 이것이 첫 번째 죽을 죄이다. 또 군주께서 가장 아끼는 말을 죽게 했으니 이것이 두 번째 죽을 죄이다. 그리고 군주께서 그까짓 말 한 마리 때문에 사람을 죽일 뻔하게 만들었으니, 백성들이 이 이야기를 들으면 군주를 원망할 것이고, 제후들이 들으면 필시 우리나라를 가벼이 여길 것이다. 이것이 세 번째 죽을 죄이다. 그러니 너를 옥에 가두겠다. 알겠느냐!"

듣고 있던 경공은 크게 한숨을 내쉰 다음, "그만 풀어 주어라. 내가 잘못했다."라고 했다.

대신인 최저가 자기 부인을 범한 제나라 장공을 시해하였다. 이를 들은 안영은 급히 도성으로 달려 왔다. 만약 장공을 애도하는 모습을 보이면 최저에게 죽임을 당할 것이요, 그렇다고 최저의 편을 들면 불충한 신하라는 악명을 뒤집어쓰게 될 판이었다. 이에 대해 안영은 "나 혼자만의 군주가 아니니 나는 따라 죽지 않을 것이오. 내게 죄가 없으니 도망가지 않을 것이오. 그러나 군주가 죽었으니 그냥은 돌아가지 않을 것이오."라고 말하고, 최저의 집에 들어가 형식대로 정중히 곡례를 마치고 돌아갔다. 지혜로운 논리로 신하의 도리를 다한 것이다.

공자가 안자에게 "그대는 듣기보다 미치지 못하는 점이 많은 것

같다."라고 했다. 이에 안자는 공자에게 대답하였다. "제가 듣건대 행동을 하는 자는 늘 성취하는 것이 있게 마련이고, 걷는 자는 끝내 목적지에 도달한다고 하였습니다. 나라고 해서 다른 사람과 특이한 점이 있는 것은 아닙니다. 항상 움직여 포기하는 일이 없고 항상 실행하면서 쉬지 않을 뿐입니다. 어찌 미치지 못한다는 것입니까?"

경공이 안자에게, "어진 이를 구하는 방법을 묻고 싶습니다."라고 했다. 안자는 이렇게 설명하였다.

"그가 어떤 이와 사귀는가를 보고 그가 어떤 행동을 하는가를 말로 들어보되 화려하게 말 잘하는 것으로 그의 행동을 단정하지 말 것이며, 훼방이나 칭찬, 비방의 말들을 듣고 그의 거취를 결정하는 일이 없도록 하십시오. 이와 같이만 한다면 자기 행동을 떠벌리고 다니는 자가 없게 되며, 자기 자신을 숨기면서 임금을 거짓으로 영광스럽게 하려 드는 자도 없어질 것입니다. 그러므로 그가 통달한 바를 눈여겨보고, 궁하였을 때 그가 하지 않는 것을 살피며, 그가 부유하였을 때 어떻게 나누어 주는가를 살펴보며, 그가 가난하였을 때 기어코 취하지 않는 것이 무엇인가를 지켜보는 것입니다."

경공이 기우제를 지내자고 하였지만, 신하들이 아무도 대답을 하지 못하자 안자가 나섰다.

"안 됩니다! 그런 제사를 지낸다고 해서 이익될 것이 없습니다. 무릇 영험한 산이란 돌로 몸을 삼고, 초목으로 머리카락을 삼고 있습니다. 하늘이 오랫동안 비를 내려주지 않으면, 그 머리카락은 타고 몸은 더워서 견딜 수 없겠지요. 그러니 산인들 비를 바라지 않겠습니까? 그러한 산에다가 제사를 지낸다고 무슨 효험이 있겠습니까?"

안자가 경공에게 말했다.

"제가 듣기로 백성의 재력을 궁하게 하면서까지 자신의 기호와 욕심을 이루려는 것을 포(暴)라 하며, 노는 것만 좇으면서 어떤 하찮은 물건에 임금의 위엄을 보이려는 것을 역(逆)이라 하며, 형벌과 사형을 그 법리에 맞지 않게 행하는 것을 적(賊)이라 한다 하였습니다. 이 세 가지 잘못은 나라를 지키는 데 있어서 큰 재앙입니다."

경공이 "아! 예로부터 죽음이라는 것이 없었다면 어찌 되었을까?" 하고 말했다. 안자가 이 말을 받았다.

"옛날 상제(上帝)께서는 사람의 죽음을 좋은 것으로 여겼습니다. 이유는, 어진 자는 쉴 수 있고, 어질지 못한 자는 굴복하게 하니까요. 또 만약 예로부터 죽음이 없다면 태공·정공이 아직까지 이 제나 임금 노릇을 하고 있었을 것이며, 그렇다면 폐하는 지금 거친 옷을 입고 농사나 짓는 농부에 불과했을 터인데, 죽음을 걱정할 겨를이 어디 있겠습니까?"

경공이 안자에게 물었다. "충신의 행동은 어떠해야 합니까?" 안자가 대답했다.

"임금의 허물을 덮어 두지 않고, 그 앞에서 간하되 밖으로는 떠들고 다니지 않습니다. 어진 이와 능력 있는 자를 뽑되 사사로이 자기편으로 만들려 하지 않으며, 신분에 맞는 직위에 능력을 계산하여 녹을 받습니다. 어진 이를 보면 그 위에 군림하려 들지 않으며 녹이 자신의 역량을 넘지 않게 합니다. 권세 있는 자리에 있다고 해서 위세를 부리지 않으며, 자신의 지위가 높은 만큼 충성스러운 것이라고 여기지도 않습니다. 아랫사람에게는 각박하게 하면서 윗사람에게는 아첨하는 행동을 하지 않습니다. 순리에 맞으면 나가 벼슬하고, 그렇지 않으면 물러납니다. 절대로 임금과 함께 사악한 짓에 참여하지는 않습니다."

경공이 물었다. "아첨하는 자의 임금 섬김은 어떠합니까?" 안자는 대답하였다.

"재난이 예상되는 일에는 나서지 않으며, 밝혀야 할 언행은 꾸밈으로써 모면하고, 임금과 친한 이를 사귀어 그를 통해 임금에 대한 사랑을 과시하려 합니다. 임금의 관심사를 살펴 그에 맞추어 주며, 임금의 측근을 알아내어 그에게 뇌물을 바칩니다. 윗사람이 원하는 것이라면 즉시 구해 주고 이를 승진의 기회로 삼으려 합니다. 재물을 얻는 데는 적극 나서면서 베푸는 데는 야박합니다. 빈궁한 자를 보면 나 몰라라 하고 이익이 있는 곳이라면 놓칠까 달려가지요. 이것이 곧 아첨꾼의 행동입니다. 이런 부류의 인간들은 명석한 군주의 입장에서 보면 죽일 대상이지만, 어리석은 임금 눈에는 도리어 믿음직한 보필로 보인답니다."

≪안씨가훈≫ 안지추(531~591): 송나라 정치가

가. 개요

590년경에 송나라 안지추(顔之推)가 자손에게 남긴 처세와 훈육을 다룬 인생의 지침서이다. 구성은 <서(序)>에서 <유언>까지 모두 20편으로 나누어져 있다. 당시의 정치· 가족 생활· 학술· 사상·풍속에 걸쳐 지은이의 견해를 밝히고, 중용의 풍속인 호신술을 설명하고 있다. 또 유교와 불교 사상을 절충하여 학문 연구 방법을 제시하며, 새로운 시대에 맞는 유능한 관료가 되는 것을 권장한다.

나. 주요 내용

어린 아기가 감정을 구별할 줄 알게 되면 예법을 가르쳐서 반드시 해야 할 일은 하게 하고, 해서는 안 될 일은 하지 않도록 해야 한다. 어린아이에게 식사 예절도 제대로 가르치지 않고 제멋대로 하게 내버려 두는데, 이 아이가 세상 물정을 알게 될 때쯤에는 적당히 해도 된다고 생각하여 교만해진다. 그제서야 부모는 뒤늦게 자식을 가르치려 하는데, 이는 효과가 별로 없다.

훌륭한 사람과 함께 산다는 것은 마치 우아한 향기가 은은히 번지는 난초가 놓여 있는 방에 들어가 얼마 지나면 온몸에 그 향내가 가득 물들게 되는 것과 같은 경우이다.

세상 사람들은 많은 편견을 갖고 있다. 예를 들면 귀로 듣는 먼

곳의 소문을 눈으로 보는 코앞의 사실보다 중시한다. 또 아득히 먼 곳의 일은 아주 흥미를 보이면서 가까이 일어난 일은 마음에 두지 않는다. 그들은 늙은이이건, 젊은이이건 자기가 사는 마을에 더불어 사귀는 사람 중에 현명하고 지혜로운 사람이 있더라도 그를 업신여기고 깔보며, 예의 바르게 대하지 않는다.

독서의 힘은 참으로 대단한 것이다. 독서는 중국의 모든 문화를 창조한 복희와 신농 이래로 이 세상에 나온 수많은 위인들과 수많은 일들을 모두 알려주고 보여 준다. 그리하여 많은 사람들이 어떻게 성공하고 실패하였는지, 무엇을 사랑하고 무엇을 미워하였는지 독서를 통해서 알 수 있다는 것은 새삼 다시 말할 필요가 없다.

애당초 사람이 책을 읽고 학문을 하는 목적은 무엇인가? 말할 필요도 없이 마음을 열게 하고 사물을 보는 눈을 밝게 하여 자신의 행위를 보다 이롭게 하는 것일 뿐이다.

학문이란 사람의 부족한 점을 채워 주기 위해서 수양하는 행위일 뿐이다. 그런데 세상에는 몇십 권 정도의 책을 읽었다고 해서 스스로 기고만장해져서 선배들을 깔보고 같이 공부하는 친구들을 멸시하기도 하는 녀석들이 있음을 잘 안다.

물론 어려서 배우는 것은 해돋이 때 빛 속을 가는 것과 같고, 늙어서 배우는 것은 초롱불을 들고 어둠 속을 걸어가는 것과 같기는 하다. 그래도 눈을 감은 채 아무것도 보지 않은 자보다는 현명하다. 시간은 매우 소중하다. 물이 한번 흘러가면 되돌아오지 않는 것처럼 떠나가면 돌아오지 않는 것이다. 마땅히 핵심 요점만을 널리 읽고 깨우쳐서 세상에서 맡은 임무를 제대로 이루어야 한다. 물론 널리 깨우치는 것과 핵심을 잘 잡아내는 것을 함께 잘해 낼 수 있다면, 더 바랄 것이 없다.

자기의 인격을 닦지도 않고 세상의 명성만을 바라는 것은, 다시 보기 싫을 만큼 못생긴 낯짝을 가진 주제에 거울에 비친 모습이 마음에 안 든다고 화를 내고 있는 부인 같은 경우이다.

자식의 문장을 고쳐 주고 다듬어 주는 것은 좋지만, 그로 인해 남으로부터 분에 넘친 칭찬을 바라는 자식에게는 대단히 해가 된다.

이른바 세상의 '문학하는 지식인'이라는 사람들에 대해서 나의 견해를 말하여 보겠다. 그들은 역사 속의 모든 일에 관해서 손바닥 위에 놓은 물건을 감정하듯이 이러니저러니 분명하게 평가한다. 그런데 그들에게 무엇이든 실제 직무를 맡겨 보면, 대부분 감당하지 못하는 자들이다.

우리 9대 선조이신 정후 안함께서 자식이나 조카들에게 경계하시며 말씀하신 적이 있다. "너희 집안은 학문하는 가문이다. 이제부터 너희들이 벼슬길에 오르는 몸이 되더라도, 지방 군수급 이상의 자리는 결코 바라서는 안된다. 결혼 상대를 고를 때에도 세력가를 탐하지 마라." 나는 일생 동안 이 가르침을 지키며 살았는데, 참으로 명언이라고 생각한다.

벼슬살이를 할 때에는 최고 자리에까지 승진할 수 있더라도, 중간 이상의 품계는 넘지 않는 것이 좋다. 자기 앞에 쉰 명 정도 내다 볼 수 있고, 자기 뒤에 쉰 명 정도 돌아다 볼 수 있으면, 세상에 대해서도 부끄러움이 없게 되고 위험한 지경에도 빠지지 않고 살아갈 수 있다.

부자지간은 너무 허물이 없어도 안 되고, 지나치게 격식을 따져도 안 된다. 너무 서로 냉랭한 관계이면, 애정이 소통되지 않으며, 반대로 너무 허물이 없으면 예도가 무너진다.

똑똑한 자식을 귀여워하는 것은 좋으나, 재주가 부족한 자식도 똑같이 귀여워해야 한다. 자식을 편애하면, 아무리 좋은 의도를 가졌다 하더라도 결국 화를 부른다. 정(鄭)나라의 공숙단(共叔段)이 반란을 획책하다가 죽임을 당한 것은 그의 어머니 무강(武姜)이 어릴 때부터 그를 너무 편애해 인격이 잘못 형성되었기 때문이다.

아버지가 자애롭지 못하면 자식은 불효자가 된다. 형이 관대하지 못하면 동생은 형을 존경하지 않는다. 남편이 올바르지 못하면 아내는 순종하지 않게 된다. 만일 아버지가 자애로운데도 자식이 반항하고, 형이 관대함에도 동생이 대들고, 남편이 훌륭한데도 아내가 잔소리만 늘어놓는다면, 그것은 형벌로 다스릴 수밖에 없는 것으로, 가르쳐서 될 일이 아니다.

검약한 것은 좋으나 인색해서는 안 된다. 검약이란 쓸데없는 낭비를 줄이면서도 써야 할 데는 써야 한다는 말이다. 인색하다는 것은 필요할 때에도 물질을 아끼고, 어려운 사람을 돌보려 하지 않는 것을 말한다. 요즈음 세상을 보면 베푸는 자는 오만하고, 검약하는 자는 인색하다. 남에게 베풀 때는 생색내지 말고 검약하면서도 인색하지 않은 사람이 되어야 한다.

여성은 사위는 귀여워하고, 며느리는 미워하는 경향이 있다. 어머니가 사위만 귀여워하면 아들들의 마음이 불편해진다. 며느리를 괴롭히면, 그 집 딸들도 따라서 며느리를 구박하게 된다. 그래서 여자란 집에 있건 시집을 가건 죄인이 되어 버린다. 모두가 어머니 탓이다.

우리 조상들은 결혼은 엇비슷한 청빈한 가문과 맺어야 한다는 규범을 두었다. 요즈음에는 딸을 팔아 재물을 끌어들이거나 재물로 여자를 사들이기도 한다. 부모의 지위나 재산을 보고, 인연을 맺으려는 것은 상거래와 다름없다. 이러해서 버릇없는 며느리와 사위가 생기는 것이다. 욕심 때문에 수치를 당하지 않도록 반드시 마음을 다잡아야 할 것이다.

≪예기(禮記)≫에 "부모가 돌아가신 날에는 즐기지 않는다."라는 말이 있다. 이것은 고인의 덕을 생각하고 슬퍼하다 보면 손님을 맞이할 기분이 나지 않는다는 말이다. 그런 마음가짐이 중요한 것이지, 반드시 집 안에 있어야 한다는 뜻은 아니다. 세상 사람들은 부모의 기일이 오면 바깥출입은 삼가면서도 집 안에서 웃고 떠들며 맛있는 음식을 먹는다. 그러면서 급한 일로 찾아온 사람이 있어도 만나려 하지 않는다. 이는 예의의 참뜻을 모르는 행동이다.

≪논어(論語)≫ 공자의 제자: 춘추 전국 시대 유학자

가. 개요

BC 450년경에 만들어진 책으로, 공자를 중심으로 그의 제자들과 제후와의 문답 등을 기록했다. 내용은 인· 군자· 천· 중용· 예· 정명 등 공자의 기본 윤리 개념을 모두 담고 있다. <학이편(学而篇)>에서 <요왈편(尭曰篇)>까지 20편으로 이루어져 있으며, 후에 송나라 성리학자인 주희(朱熹)가 집대성한 중국의 위대한 고전이다.

나. 주요 내용

배우고 때로 익히면 또한 기쁘지 아니한가? 벗이 먼 곳에서 찾아오면 또한 즐겁지 아니한가? 남이 나를 알아주지 않아도 노여워하지 않음이 또한 군자가 아니겠는가?: 学而時習之 不亦説乎, 有朋自遠方来 不亦楽乎, 人不知而不慍 不亦君子乎(학이시습지, 불역열호, 유붕 자원방래, 불역락호, 인불지이불온, 불역군자호), 교묘하게 꾸민 말과 보기 좋게 꾸민 얼굴빛에는 어진 마음이 드물다: 巧言令色 鮮矣仁(교언영색 선의인)

나는 매일 나 자신을 세 번씩 반성한다. 남을 위해서 일을 하는데 정성을 다하였는가? 벗들과 함께 서로 사귀는데 신의를 다하였는가? 제대로 익히지 못한 것을 남에게 전하지 않았는가?('전수받은 가르침을 잘 익혔는가'라는 해석도 있음): 吾日三省吾身 為人謀而不忠乎, 与朋友交而不信乎, 伝不習乎(오일삼성오신 위인모이불충호, 여붕우교이불신호, 전불습호), 나보다 못한 사람과 벗하지 말며, 잘못을 깨달았을 때에는 고치기를 꺼리지 말라: 無友不如己者 過則勿憚改 (무우불여기자 과즉물탄개), 남이 나를 알아주지 않음을 걱정하지 말고 내가 남을 알지 못함을 탓하라: 不患人之不己知 患不知人也 (불환인지불기지 환부지인야), 열다섯에 학문에 뜻을 두었고, 서른에 뜻이 확고하게 섰고, 마흔에는 인생관이 확립되어 마음에 유혹이 없고, 쉰에는 천명을 깨달아 알게 되었고, 예순에는 어떠한 말을 들어도 그 이치를 깨달아 저절로 이해를 할 수 있었고, 일흔에는 내 마음대로 행동을 하여도 법도에 어긋나는 일이 없다.: 十有五而志于学, 三十而立 四十而不惑, 五十而知天命 六十而耳順 七十而從心所欲 不踰矩(십유오이지우학, 삼십이립, 사십이불혹, 오십이지천명, 육십이이순, 칠십이종심소욕 불유구), 옛것을 알고 새로운 지식을 터득하면 능히 스승이 될 수 있다: 温故而知新 可以為師矣(온고이지신 가이위사의), 군자는 두루 통하면서도 편파적이 아니며, 소인은 편파적이면서도 통하지도 않는다.: 君子周而不比 小人比以不周 (군자 주이불비 소인 비이부주), 아는 것을 안다고, 모르는 것을 모른다고 하는 것이 참으로 아는 것이다.: 知之為知之 不知為不知 是知也 (지지위지지 부지위부지 시지야), 옳은 일을 보고도 나서서 행동하지 않는 것은 용기가 없기 때문이다.: 見義不為 無勇也(견의불위 무용야), 아침에 도를 들으면(깨달으면) 저녁에 죽어도 좋다.: 朝聞道 夕死可矣(조문도 석사가의), 이익만을 위해서 행동을 하면 원망을 많이 받는다.: 放於利而行 多怨(방어리이행 다원), 벼슬자리가 없음을 걱정하지 말고 자기의 자격을 근심하며 나를 알아주지 않음을 걱정하지 말고, 알려질 만한 일을 하고자 노력하라.: '不患無位 患所以立 不患莫己知 求為可知也(불환무위 환소이립 불환막기지 구위가지)', 군자는 정의를 밝히어 이해하고, 소인은 이익을 표준으로 하여 이해한다.: 君子喻於義 小人喻於利(군자유어의 소인유어리), 덕이 있는 사람은 외롭지 않으며 반드시 이웃이 있다.(德不孤 必有隣(덕불고 필유린)', 임금을 섬기는데 자주 간하면 욕이 되고 벗을 사귀는데 자주 충고를 하면 사이가 벌어진다.: 事君数[1]斯辱矣 朋友数斯疏矣(사군삭사욕의 붕우삭사소의)

아랫사람에게 묻기를 부끄러워하지 않는다.: 不恥下問(불치하문), 알기만 하는 사람은 좋아하는 사람만 못하고 좋아하는 사람은 즐기는 사람만 못하다.: 知之者不如好之者 好之者不如楽之者(지지자 불여호지자 호지자불여락지자), 지혜로운 사람은 물을 좋아하며 어진 사람은 산을 좋아하니, 지자는 동적이며 인자는 정적이며, 지자는 즐겁게 살며 인자는 장수한다.: 知者楽水 仁者楽山 知者動 仁者静 知者楽 仁者寿(지자요수 인자요산 지자동 인자정 지자락 인자수), 인자란 자신이 나서고 싶을 때 남을 내세우며, 자기의 목적을 달성하고 싶으면 남을 먼저 달성하게 한 후 자기가 한다.: 仁者 己欲立而立人 己欲達而達人(부인자 기욕립이립인 기욕달이달인), 도에다 뜻을 두고 덕을 닦으며, 인을 의지하며 기예를 즐겨라.: 志於道 拠於德 依於仁 游於芸(지어도 거어덕 의어인 유어예)

세 사람이 같이 길을 가면 그중에 반드시 나의 스승될 만한 사람이 있다. 그들의 착한 점을 골라서 따르고 나쁜 점은 살펴서 스스로 고쳐야 한다.: 三人行 必有我師焉 択其善者而従之 其不善者而改之(삼인행 필유아사언 택기선자이종지 기불선자이개지)

군자의 마음은 평탄하고 너그러우며, 소인의 마음은 항상 근심에 차 있다.: 君子坦蕩蕩 小人長戚戚(군자탄탕탕 소인장척척), 새가 죽을 때에는 그 소리가 애처롭고 사람이 죽을 때에는 그 말이 착해진다.: 鳥之将死 其鳴也哀 人之将死 其言也善(조지장사 기명야애 인지장사 기언야선), 유능하면서도 무능한 사람에게도 묻고, 박학다식해도 잘 알지 못하는 사람에게 묻고, (도가) 있으면서도 없는 듯이 하고 (덕이) 실하면서도 허한 듯이 하며, 또 남에게 욕을 보아도 마주 다투지 않는다.: 以能問於不能 以多問於寡 有若無 実若虚 犯而不交 (이능문어불능 이다문어과 유약무 실약허 범이불교), 그 직위에 있지 않거든 그 자리의 정사를 논하지 말라.: 不在其位 不謀其政(부재기위 불모기정), 삼군에서 장수를 빼앗을 수는 있어도 한 사나이로부터 그 지조는 빼앗을 수는 없다.: 三軍可奪帥也 匹夫不可奪志也(삼군가탈수야 필부불가탈지야), '지나친 것은 모자란 것과 같다': 過猶不及(과유불급), 예가 아니면 보지를 말고, 예가 아니면 듣지도 말며, 예가 아니면 말도 하지 말며, 예가 아니면 행하지 말 것이다.: 非礼勿視 非礼勿庁 非礼勿言 非礼勿動(비례물시 비례물청 비례물언 비례물동), 자기가 하고 싶지 아니한 일을 남에게 시키지 말라.: 己所不欲 勿施於人(기소불욕 물시어인), (정치란) 식량을 풍족히 하며, 군비를 충족하게 하여 백성을 믿게 하는 것이다. 백성들이 믿지 않으면 나라가 존립할 수 없다.: 足食足兵 民信之矣 民無信不立(족식족병 민신지의 민무신불립), 임금은 임금답고, 신하는 신하답고, 아버지는 아버지답고 아들은 아들다워야 한다.: 君君臣臣父父子子(군군신신부부자자), 군자는 남의 좋은 점을 권장하여 이루게 하고, 남의 악한 일은 선도하여 못하게 하지만, 소인은 이와 반대이다.: 君子 成人之美 不成人之悪 小人反是(군자 성인지미 불성인지악 소인반시), 일을 빨리 하려고 하지 말며, 작은 이익을 돌아보지 말아라. 빨리 하려 하면 달성하지 못하고, 작은 이익을 돌아보면 큰일을 이루지 못한다. 無欲速 無見小利 欲速則不達 見小利則大事不成(무욕속 무견소리 욕속즉부달 견소리즉대사불성)

군자는 남과 화합하되, 뇌동하지 않으며, 소인은 뇌동하되, 화합하지 않는다.: 君子 和而不同 小人 同而不和(군자 화이부동 소인 동이불화), 가난하면서 원망하지 않기는 어렵고, 부유하면서 교만하지 않기는 쉽다.: 貧而無怨難 富而無驕易(빈이무원난 부이무교이), 이익이 있으면 의로움인가 생각을 하며, 위태로움을 보면 목숨을 내놓는다.: 見利思義 見危授命(견리사의 견위수명)

원한은 올바름으로 갚고 은덕은 은덕으로 갚아야 한다.: 以直報怨 以徳報徳(이직보원 이덕보덕)

하늘을 원망하지 않고, 사람을 탓하지 않는다.: 不怨天 不尤人(불원천 불우인)

군자는 곤궁을 잘 견딜 수 있지만, 소인은 곤궁해지면 마구 행동한다.: 君子固窮 小人窮斯濫矣(군자고궁 소인궁사람의)

뜻이 있는 선비와 어진 사람은 삶을 위하여 인을 해치지 않으며,

자신을 죽여 인을 이룩하기도 한다. 志士仁人 無求生以害仁 有殺身以成仁(지사인인 무구생이해인 유살신이성인), 사람이 먼 앞날을 걱정하지 않으면 반드시 가까운 시일에 근심이 생긴다.: 人無遠慮 必有近憂(인무원려 필유근우), 자신을 꾸짖기는 엄하게 하고 남을 책망하길 가볍게 하면, 남의 원망하는 소리를 멀리할 수 있다.: 躬自厚而薄責於人 則遠怨矣(궁자후이박책어인 즉원원의), 내가 하기 싫은 일을 남에게 시키지 말라.: 己所不欲 勿施於人(기소불욕 물시어인), 잘못을 저지르고도 고치지 않는 것을 일러 잘못이라 한다.: 不而不改 是謂過矣(불이불개 시위과의), 유익한 벗이 셋이 있고 해로운 벗이 셋이다. 정직한 사람, 성실한 사람, 견문이 많은 박학다식한 사람을 벗하면 유익하다. 편벽한 사람(겉치레만 하는 사람), 아첨 잘하는 사람, 거짓말 잘하는 사람과 벗하면 해롭다.: 益者三友 損者三友, 友直 友諒 友多聞 益矣, 友便僻 友善柔 友便佞 損矣(익자삼우 손자삼우 우직 우량 우다문 익의, 우편벽 우선유 우편녕 손의), 유익한 즐거움이 셋 있고 해로운 즐거움이 셋 있다. 예악으로 절제함을 즐기고 남의 착한 점을 말하길 즐거워하며 어진 벗을 많이 갖기를 즐거워하면 유익하다. 지나친 쾌락을 좋아하며, 편안하게 놀기를 좋아하고, 주색의 향락을 좋아하면 해롭다.: 益者三楽 損者三楽 楽節礼楽 楽道人之善 楽多賢友 益矣, 楽驕楽 楽佚遊 楽宴楽 損矣(익자삼요 손자삼요 요절예악 요도인지선 요다현우 익의, 요교락 요일유 요연락 손의), 군자가 경계해야 할 세 가지가 있다. 젊었을 때는 혈기가 안정되어 있지 않으므로 여색을 경계하고, 장년에는 혈기가 바야흐로 왕성하므로 싸움을 경계해야 하며 노년에는 혈기가 이미 쇠잔했으므로 욕심을 경계해야 한다.: 君子有三戒 少之時 血気未定 戒之在色, 及其壮也 血気方剛 戒之在闘, 及其老也 血気既衰 戒之在得(군자유삼계 소지시 혈기미정 계지재색, 급기장야 혈기방강 계지재투, 급기노야 혈기기쇠 계지재득), 널리 배우되 뜻을 독실하게 가지고, 간절히 묻고 가까운 것부터 생각하면 인은 그 가운데 있

을 것이다.: 博学而篤志 切問而近思 仁在其中矣(박학이독지 절문이 근사 인재기중의)

≪대학≫ 작자 미상

가. 개요

BC 430년경에 만들어진 책으로, 수신(修身)·제가(斉家)·치국(治国)·평천하(平天下)의 정치 철학과 학문을 직접 연결한 제왕학이자 정치사상의 핵심인 수신과 국가 통치 이념을 언급한 수신서다. 유교 사상 형성에 중요한 경전의 하나이고, 동양 사상 전반을 이해하는 데 기본적인 서적이다.

나. 주요 내용

진실로 날로 새롭게 해 날마다 새롭게 하고 또 날로 새롭게 하다: 苟日新 日日新 又日新(구일신 일일신 우일신)

대인이 학문하는 도는 밝은 덕을 밝히는 데 있으며, 백성을 새롭게 하는 데 있으며, 지극히 선한 데서 그치는 데 있다: 大学之道 在明明德 在親民 在止於至善(대학지도 재명명덕 재신민 재지어지선)

덕은 근본이요, 재물은 맨 나중이다: 德者本也 財者末也(덕자본야 재자말야)

민중을 얻으면 나라를 얻고, 민중을 잃으면 나라를 잃는다: 得衆則得国 失衆則失国(득중즉 득국 실중즉 실국)

모든 일은 최선을 다하지 않으면 안 된다: 無所不用其極(무소불용기극)

아이 기르는 것을 배운 뒤에 시집가는 자는 없다: 未有学養子 而後嫁者也(미유학양자 이후가자야)

부유하면 집이 윤택하고, 덕을 베풀면 몸이 윤택하다: 富潤屋 德

潤身(부윤옥 덕윤신)

마음에 진실이 없는 자는 그 말을 다 하지 못하는 것이다: 無情者不得尽其辞(무정자부득진기사)

군자는 집을 나서지 않아도 나라에 가르침을 이룬다: 君子 不出家 而成教於国(군자 불출가 이성교어국)

자기의 뜻을 성실히 한다는 것은 자기를 속이지 않는 것이다: 誠其意者 無自欺也(성기의자 무자사야)

윗사람에게서 싫었던 것을 가지고 아랫사람을 부리지 말라: 所郡於上 毋以使下(소오어상, 무이사하)

소인은 한가하게 있을 때 불선을 행함이 이르지 않는 바가 없다: 小人閒居為不善 無所不至(소인한거위불선 무소부지), 마음에 있지 아니하면, 보아도 보이지 않고, 들어도 들리지 않고, 먹어도 그 맛을 모른다: 心不在焉 視而不見 聽而不聞 食而不知其味(심부재언 시이불견 청이불문 식이부지기미)

마음에서 정성껏 구하면 비록 적중하지는 않을지라도 목표하는 바에서 멀진 않다: 心誠求之 雖不中不遠矣(심성구지 수부중불원의)

열 손이 다 가리키고 열 사람의 눈이 다 보고 있다면 그것은 엄중한 것이다: 十目所見 十手所持 其厳乎(십목소견 십수소지 기엄호)

말이 도리에 어긋나게 나간 것은 또한 도리에 어긋나게 돌아온다: 言悖而出者 亦悖而入(언패이출자 역패이출)

나라 속에서 사람들과 교제할 때는 신뢰의 자리에 머물러야 한다: 興国人交止於信(여국인교지어신)

악을 미워하기를 악취를 싫어하듯이 하고, 선을 여색을 좋아하듯이 하는데 이를 스스로 겸손하다고 한다: (如悪悪臭 如好好色 此之謂自謙)(여오악취 여호호색 차지위자겸)

자고로 밝은 덕을 천하에 밝히고자 하는 자는, 먼저 그 나라를 잘 다스려야 하고: 欲明明徳於天下者 先治其国(욕명명덕어천하자 선치기국)

덕을 지니고 있으면 저절로 사람이 모이고, 사람이 모이면 저절로 국토를 이룬다: 有德此有人 有人此有土(유덕차유인 유인차유토)

분하고 치 떨림이 있으면 바름을 얻지 못함: 有所忿懥則 不得其正(유소분치즉 부득기정)

백성들의 재물을 거둬들이는 신하를 두기보다는 차라리 도둑질하는 신하를 두는 게 낫다: 有聚斂之臣 寧有盜臣(유취렴지신 영유도신)

사람들은 자기 자식의 나쁜 것을 알지 못하며, 자기가 키우는 싹의 자라남을 알지 못한다: 人莫知其子之悪 莫知其苗之碩(인막지기자지악 막지기묘지석)

인자는 재물로써 몸을 일으키고,불인자는 몸으로써 재물을 일으킨다: 仁者 以財発身 不仁者 以身発財(인자 이재발신 불인자이신발재)

사람은 그 친하고 사랑하는 곳으로 치우친다: 人之其所親愛而辟焉(인지기소친애이벽언)

사물이나 현상 속에 내재하고 있는 이치를 탐구하여 나의 지식을 완전히 이룬다: 致知在格物 格物致知(치지재격물 격물치지)

좋아하면서도 그 나쁜 점을 알고, 미워하면서도 그 아름다운 점을 아는 자가 세상에 드물다: 好而知其悪 郡而知其美者 天下鮮矣(호이지기악 오이지기미자 천하선의)

사람들이 미워하는 바를 좋아하며, 사람들이 좋아하는 바를 미워하는 것은 남의 성질을 거스르는 것이다: 好人之所郡 郡人之所好 是謂払人之性(호인지소오 오인지소호 시위불인지성)

부정한 수단으로 얻은 재화는 역시 부정한 수단으로 나가게 된다: 貨悖而入者亦悖而出(화패이입자역패이출)

≪맹자≫, 작자 미상

가. 개요

BC 280년경에 만들어진 책으로, 유가 사상가 맹자의 왕도 정치와 성선설 사상이 담긴 언행을 기록하고 있다. <양혜왕편(梁惠王篇)>, <공손추편(公孫丑篇)>, <등문공편(滕文公篇)>, <이루편(離婁篇)>, <만장편(万章篇)>, <고자편(告子篇)>, <진심편(尽心篇)> 등 모두 7편으로 구성되어 있다. 맹자는 백성에 대한 통치자의 의무를 지적하면서, "통치자는 백성들의 생계를 보장하는 물질적인 상황을 만들어 주어야 하고, 그들을 교육시키는 도덕적·교육적 지침을 마련해야 한다."라고 강조한다.

나. 주요 내용

군자는 천하의 넓은 곳에서 살고, 천하의 바른 자리에 서서, 천하의 큰 길을 가야한다: 居天下之広居 立天下之正位 行天下之大道(거천하지광거 행천하지대도)

공자는 동산(東山)에 올라가 노나라가 작다고 하였고, 태산에 올라가서는 천하가 작다고 했다: 登東山而 小魯 登泰山而小天下(등동산이 소로 등태산이소천하)

군자의 말은 평범하지만 그 속에 도가 있다: 君子之言也 不下帯而道在焉(군자지언야 하불대이)

다른 사람의 의견을 받아들여 선행을 실천하는 것을 즐거움으로 삼아라. :樂取於人以為善 (낙취어인 이위선)

내 집안의 노인을 공경하면 그것이 다른 집 노인들에게까지 미치게 된다: 老吾老 以及人之老(노오로 이급인지로)

큰 효자는 평생토록 부모를 사모한다: 大孝終身慕父母(대효종신모부모)

도는 가까운 곳에 있으므로 멀리 구할 것이 없고, 일은 쉬운 데 있으므로 어려운 곳에서 구할 필요가 없다: 道在迩 而求諸遠 事在易 而求諸難(도재이 이구제원 사재역 이구제난)

하늘의 명이 아닌 것이 없다. 그 올바른 천명을 순순히 받아들여

야 한다: 莫非命也 順受其正(막비명야 순수기정)

떳떳한 생업이 없으면 떳떳한 마음이 없다: 無恒産 因無恒心(무항산 인무항심)

백성이 가장 귀중하고, 사직은 그다음이며, 군주는 대단하지 않다: 民為貴 社稷次之 君為軽(민위귀 사직차지 군위경)

선비는 곤경에 처해도 의를 잃지 않고 뜻을 이루어도 정도를 벗어나지 않는다: 士窮不失義 達不離道(사궁불실의 달불리도)

잘하는 정치는 잘하는 교육으로 민심을 얻는만 못하다: 善政不如善教之得民也(선정불여선교지득민야)

명성이 실제보다 지나친 것을 군자는 부끄러워 한다: 声聞過情 君子恥之(성문과정 군자치지)

아무리 지혜가 있는 사람일지라도 시류(時流)를 타고 일을 시행하지 않으면 성공하기 힘들다: 雖有知恵 不如乗勢(수유지혜 불여승세)

하늘에 순종하는 자는 살아남고, 하늘을 거역하는 자는 망한다: 順天者存 逆天者亡(순천자존 역천자망)

식욕과 색욕은 인간의 본성이다: 食色性也(식색성야)

남의 좋지 않은 일을 말하면, 마땅히 후환을 어떻게 할 것인가: 言人之不善 当如後患何(언인지불선 당여후환하)

사람들은 취하는 것을 싫어하면서 억지로 술을 마신다: 郡酔而強酒(오취이강주)

가는 사람 붙들지 않고 오는 사람을 물리치지도 않는다: 왕자불추내자불거(往者不追來者不拒)

함부로 말하는 것은 책임 추궁을 받지 않았기 때문이다: 易其言也 無責耳矣(이기언야 무책이의)

힘으로써 남을 복종시키는 것은 마음으로 복종케 하는 것이 아니고, 덕으로써 남을 복종시키는 것은 마음속으로 기뻐서 진실로 복종케 하는 것이다: 以力服人者非心服也 以徳服人者 中心悦而誠服也(이력복인자비심복야 이덕복인자 중심열이성복야)

덕으로 인을 행하는 것이 왕도이다: 以德行仁者王 王不待大(이덕행인자왕 왕부대대)

순종으로 바른 도리를 삼는 것은 부녀자의 도리이다: 以順為正者妾婦之道也(이순위정자 첩부지도야)

어떤 부당한 위세와 무력 앞에서도 결코 굴종하지 아니한다면, 이런 자를 일컬어 가히 대장부라 할 것이다: 威武不能屈 此之謂大丈夫(위무불능굴 차지위대장부)

어진 사람은 적대하는 사람이 없고, 포악한 정치는 반드시 망한다: 仁者無敵 暴政必敗(인자무적 폭정필패)

사람들의 병통이 남의 스승이 되기를 좋아하는 데에 있다: 人之患 在好為人師 (인지환 재호위인사)

어짊은 하늘이 준 높은 벼슬이며, 사람이 편히 사는 집이다: 仁天之尊爵也 人之安宅也(인천지존작야 인지안택야)

제후에게는 세 가지 보물이 있으니, 토지, 국민, 정사이다: 諸侯之宝三, 土地, 人民, 政事(제후지보삼, 토지, 인민, 정사)

사람이 지닌 이목구비 중에서 눈동자처럼 그 사람을 나타내는 것은 없다: 存乎人者 莫良於眸子(존호인자 막양어모자)

지혜로운 자는 알지 못함이 없으나, 마땅히 힘써야 할 것을 급한 일로 여긴다: 知者無不知也 当務之為急(지자무부지야 당무지위급)

서경을 그냥 다 믿는 것은 서경이 없는 것만 못하다: 尽信書則不如無書(진신서즉불여무서)

나아가는 것이 빠른 자는, 그 물러남도 빠르다: 進鋭者 其退速(진예자 기퇴속)

천시는 지리만 못하고, 지리는 인화만 못하다: 天時不如地利 地利不如人和(천시불여지리 지리불여인화)

그의 말을 들으면서 그의 눈동자를 들여다보면, 어찌 숨길 수가 있는가: 聽其言也 觀其眸子 人焉廋哉(청기언야 관기모자 인언수재)

너에게서 나간 것은 너에게로 되돌아온다: 出乎爾者 反乎爾者也

(출호이자 반호이자야)

측은하게 여기는 마음은 어짊의 실마리다: 惻隱之心 仁之端也(측은지심 인지단야)

그도 사나이요 나도 사나이니, 내가 왜 그를 무서워하겠는가: 彼丈夫也 我丈夫也 吾何畏彼哉(피장부야 아장부야 오하외피재)

학문의 도는 다른 것이 아니라 그 잃어버린 마음을 찾는 것일 따름이다: 学問之道 無他 求其放心而已矣(학문지도 무타 구기방심이이의)

마을 사람들로부터 신망을 얻기 위해 여론에 영합하는 사람은 덕의 도적이다: 鄕原 德之賊也(향원 덕지적야)

명예를 좋아하는 사람은 천승의 나라도 사양할 수 있다: 好名之人 能讓千乘之国(호명지인 능양천승지국)

하늘과 땅 사이에 가득 차 있는 크고 굳센 원기: 浩然之気(호연지기)

≪중용(中庸)≫ 작자 미상

가. 개요

BC 430년경에 만들어진 유교의 철학적 배경을 천명한 경전으로서, 중국 고대 제왕의 정치의 기본 원리로 사용되고 있다. 성(誠)'과 '중(中)'을 기본 개념으로 하는 형이상학적인 내용을 담고 있다. '중'이란 기울어짐이 없다는 뜻이고, '용(庸)'이란 영원불변이라는 뜻으로서, 세상의 올바르고 변함이 없는 도리를 설명하고 있다. 원래는 ≪예기≫에 속한 한 편이었다가 독립해 한 권의 책으로 편찬되었다.

나. 주요 내용

성을 하늘이 우리에게 부여한 기질을 본성이라고 한다. 본성을 따르는 것을 정도라고 한다. 정도의 준칙을 밝게 닦는 것을 교화라고

한다: 天命之謂性 率性之謂道 修道之謂 (천명지위성 솔성지위도 수도지위교)

숨겨진 것보다 잘 보이는 것은 없고, 미세한 것보다 잘 드러나는 것은 없다: 莫見乎隱 莫顯乎微(막현호은 막현호미)

알맞음과 어울림이 이루어지면 하늘과 땅이 제자리를 지키고, 온갖 것이 잘 자란다: 致中和, 天地位焉, 万物育焉(치중화 천지위언 만물육언)

군자는 중용을 하고, 소인은 중용을 거스른다: 君子中庸, 小人反中庸(군자중용, 소인반중용)

슬기로운 자는 지나치고 어리석은 자는 미치지 못한다: 知者過之 愚者不及也(지자과지 우자불급야)

선을 하나 얻으면 가슴속에 꽉 붙여 간직한다: 得一善即 拳拳服膺(득일선즉 권권복응)

군자는 어울리기는 하되 휩쓸리지는 않는다: 君子和而不流(군자화이불류)

군자의 도는 부부에서 발단되지만, 그 지극함에서는 천지에 밝게 드러난다: 君子之道는 造端乎夫婦 及其至也 察乎天地(군자지도 조단호부부 급기지야 찰호천지)

사람이 도를 행하면서 사람을 멀리한다면 그것은 도를 행하는 것이 아니다: 人之為道而遠人 不可以為道(인지위도이원인 불가이위도)

인간의 도로써 인간을 다스려야 한다: 以人治人(이인치인)

말은 행동을 돌아보고 행동은 말을 돌아보아야 한다 : 言顧行 行顧言(언고행 행고언)

큰 덕을 베풀면 반드시 지위, 녹봉, 이름, 장수를 얻는다: 大德必得其位 大德必得其祿 必得其名 必得其寿(대덕필득기위 대덕필득기록 필득기명 필득기수)

정치는 결국 사람에 달려 있다: 為政在人(위정재인)

지혜와 인자와 용기는 천하의 공통된 덕이다: 知仁勇三者 天下之

達德也(지인용삼자 천하지달덕야)

배우기를 좋아하는 것은 지에 가깝고, 힘써 행하는 것은 인에 가깝고, 부끄러움을 아는 것은 용기에 가깝다: 好学近乎知 力行近乎仁 知恥近乎勇(호학근호지 역행근호인 지치근호용)

사전에 준비하면 이룰 수 있고, 준비가 없으면 실패한다: 事予則立 不予則廃(사예즉립 불예즉폐)

성실함은 하늘의 도리이고, 성실해지려고 하는 것은 안간의 도리다: 誠者天之道也 誠之者人之道也(성자천지도야 성지자인지도야)

널리 배우고, 자세히 묻고, 신중히 생각하고, 분명하게 분별하고, 독실하게 행해야 한다: 博学之 審問之 愼思之 明辯之 篤行之(박학지 심문지 신사지 명변지 독행지)

오직 천하의 지극한 정성이 있어야 이룩할 수 있다: 唯天下至誠為能化(유천하지성 위능화)

장차 한 나라가 흥하려고 할 때는 반드시 좋은 징조가 있고, 장차 한 나라가 망하려고 할 때는 반드시 흉조가 있다: 国家将興 必有禎祥 国家将亡 必有妖孽(국가장흥 필유정상 국가장망 필유요얼)

지극한 정성을 쌓으면 신과 같은 힘을 가진다: 至誠 如神(지성 여신)

정성은 모든 것의 처음이자 마지막이고 정성을 기울이지 않으면 아무것도 이룰 수 없다: 誠者物之終始 不誠無物(성자물지종시 불성무물)

덕성을 높이고 묻고 배움의 길을 가야 한다: 尊德性而道問学(존덕성이도문학)

높고 밝음을 극진히 하되 중용의 길을 가다: 極高明而道中庸(극고명이도중용)

오직 천하의 지성만이 천하의 큰 법도를 다스릴 수 있다: 唯天下至誠 為能経綸天下之大経(유천하지성 위능경륜천하지대경)

군자는 움직이지 않아도 공경받으며, 말하지 않아도 믿음이 있다:

君子 不動而敬 不言而信(군자 부동이경 불언이신)
목소리와 얼굴빛으로 다스림은 말단이다: 声色之於以化民 末也(성색지어이화민 말야)

≪주역(周易)≫ 작자 미상

가. 개요
BC 700년경에 만들어졌으며, 점술의 원전(原典)이자 중국 정통 사상의 자연 철학과 실천 윤리의 근원이 되는 책이다. 동양에서 가장 오래된 경전인 동시에 가장 난해한 글로 일컬어진다. 공자가 극히 진중하게 여겨 받들고 송나라 주희(朱熹)가 '역경(易経)'이라 이름하였으며, 오경의 으뜸으로 손꼽히게 되었다. 상경(上経)·하경(下経) 및 십익(十翼)으로 구성되어 있다.

나. 주요 내용
건의 법칙은 원형이정이다: 乾元亨利貞(건원형이정)

원(元)은 만물의 시작이다. 형(亨)은 만물의 생장이다. 이(利)는 만물의 순조로움이다. 정(貞)은 굳게 지켜 함부로 동요하지 아니함을 의미한다. 건은 평이한 도로서 모든 것을 행하고, 곤은 간단한 도로서 만사를 정돈한다: 乾以易知 坤以簡能(건이이지 곤이간능)

주역에는 태극이 있어서 음과 양의 한 쌍을 낳는다: 易有太極 是生於兩儀:(역유태극 시생어양의)
남녀가 정기를 합하여 온갖 생명이 태어난다: 男女構精 万物化生(남녀구정 만물화생)
건의 법칙은 남(男)을 이루고 곤의 법칙은 여(女)를 이룬다: 乾道成男 坤道成女(건도성남 곤도성녀)

천지의 자연법칙은 한번 가면 반드시 돌아온다: 无往不服 天地際也(무왕불복 천지제야)

궁하면 변하고, 변하면 통하고, 통하면 오래간다: 窮則変 変則通 通則久(궁즉변 변즉통 통즉구)

하늘의 도리에 순응하고 인심에 호응해야 한다: 順乎天而応乎人(순호천이응호인)

군자는 천하를 다스리는 것을 최후의 목표로 한다: 君子以経綸(군자이경륜)

천명을 즐기면 근심이 사라진다: 樂天命 故不憂(낙천명 고불우)

자기의 덕을 길러 풍속을 감화시킨다: 居賢德善俗(거현덕선속)

백성의 상태를 살펴 정치와 교화를 한다: 観民説教(관민설교)

군자는 존경으로 마음을 곧게 하고 의로써 행동을 바르게 한다: 君子 敬以直内 義以方外(군자 경이직내 의이방외)

군자는 일을 함에 시작을 심사숙고한다: 君子以作事謀始(군자이작사모시)

마음을 같이하는 말은 그 날카로움이 쇠도 자를 수 있고, 마음을 같이하는 말은 그 향기가 난초와도 같다: 二人同心 其利断金 同心之言 其臭如蘭(이인동심 기리단금 동심지언 기취여난)

물은 젖은 데로 흐르며, 불은 마른 데로 나아간다: 水流湿 火就燥(수류습 화취조)

착한 일을 많이 하는 집에는 반드시 경사스런 일이 많이 있고, 착하지 못한 일을 많이 하는 집에는 반드시 재앙이 많이 있다: 積善之家 必有余慶 積不善之家 必有余殃(적선지가 필유여경 적불선지가 필유여앙)

쇠처럼 단단하고 난초처럼 향기로운 깊은 우정: 金蘭之交(금란지교)

간직한 물건을 소홀히 함은 도둑을 가르치는 일이며, 얼굴을 곱게 꾸밈은 음탕함을 가르치는 일이다: 慢蔵誨盜 冶容誨淫(만장회도 야

용회음)

군자는 표범처럼 변하고, 소인은 얼굴빛을 고친다: 君子豹変, 小人革面(군자표변, 소인혁면)

겸손하면 형통하여 군자는 유종의 미를 거둘 수가 있다: 謙亨 君子有終(겸형 군자유종)

공경함으로써 그 마음을 바르게 하며, 의(義)로써 남에 대한 행동을 방정하게 한다: 敬而直内 義以方外(경이직내 의이방외)

시기를 기다려서 좋은 기회를 포착하여 행동한다: 待時以動(대시이동)

편안할 때도 위험을 잊지 말아야 하고 지금 존재해도 망할지 모른다는 것을 잊지 않아야 한다: 安以不忘危 存而不忘亡(안이불마위 존이불망망)

귀한 지위에 있어도 비천한 자로 몸을 낮추면, 크게 민심을 얻는다: 以貴下賤 大得民野(이귀하천 대득민야)

≪시경(詩経)≫ 작자 미상

가. 개요

공자가 주나라 초기부터 춘추 시대 중기까지의 시가 305편을 정리하였다. 내용은 매우 광범위하며, 형식은 4언을 위주로 하고 크게 풍·아·송으로 분류된다. 풍은 민간에서 채집한 노래 160편이다. 아는 105편이고, 궁중에서 쓰이던 작품이 대부분이다. 송은 40편인데, 신과 조상에게 제사 지내는 악곡을 모은 것이다.

나. 주요 내용

내 마음이 거울이 아니므로 남의 마음을 헤아릴 수 없다: 我心匪鑒 不可以茹(아심비감 불가이여)

형제가 서로 싸우나 외부의 적은 함께 막는다: 兄弟鬩于牆 外禦

其務(형제혁우장 외어기무)

학이 깊은 물가에서 울면 하늘까지 그 소리가 퍼진다(현명한 사람은 어느 곳에 있어도 반드시 세상 밖으로 드러나게 되어 있다는 의미): 鶴鳴九皐 声聞于天 (학명구고 성문우천)

세상 사람들이 받는 화는 하늘에서 내려온 것은 아니다: 下民之孼 匪降自天(하민지얼 비강자천)

계책을 세우는 사람이 너무 많아 일이 성공하지 못한다: 謀夫孔多 是用不集(모부공다 시용불집)

사람들은 그 하나는 알지만 그 밖의 것들은 알지 못한다: 人知其一 莫知其他(인지기일 막지기타)

아침 일찍 일어나 밤에 잘 때까지 자기를 낳아 준 이를 욕되게 하지 마라: 夙興夜寐 無忝爾所生(숙흥야매 무첨이소생)

우러러볼 사람은 아버지뿐이고, 의지할 사람은 어머니뿐이다: 靡瞻匪父 靡依匪母(미첨비부 미의비모)

문제가 될 만한 말을 함부로 하지 말지어다. 소인배들이 귀를 담에 붙여 놓고 있기 때문이다: 無易由言, 耳属于垣(무이유언, 이속우원)

말하지 않을 것은 말하지 말며, 따르지 않을 것은 말하지 말라: 匪言勿言, 匪由勿語(비언물언, 비유물어)

원숭이에게 나무에 오르는 것을 가르치지 마라: 毋教猱升木(무교노승목)

길이 천명을 받들어 복종하는 것이 스스로 많은 복을 구하는 것이다: 永言配命 自求多福(영언배명 자구다복)

하늘이 하는 일은 소리도 없고 냄새도 없다: 上天之載 無声無臭(상천지재 무성무취)

장수는 경사스러운 것이니, 이로써 큰 복을 누리도록 돕는다(오래 사시고 큰 복을 누리소서): 寿考維祺 以介景福(수고유기 이개경복)

효자가 효성을 그치지 아니하니, 계속해서 그와 같은 효자가 나온

다: 孝子不匱 永錫爾類(효자불궤 영석이류)
덕을 지니고 있으면 오직 편안하리라: 懷德維寧(회덕유녕)
처음엔 누구나 잘하지만 끝까지 잘하는 예는 드물다: 靡不有初, 鮮克有終(미불유초, 선극유종)
나에게 복숭아를 던지면, 그에게 자두로 보답(報答)하라: 投我以桃 報之以李(투아이도 보지이리)
사람에게 온화하고 공손한 것이 덕의 기초이다: 温温恭人 維德之基(온온공인 유덕지기)
달콤한 말에는 대답하고, 훌륭한 말은 취한 듯 듣네: 聽言則対 誦言如醉(청언즉대 송언여취)
부인이 혀를 길게 놀리고 있다면 이는 재앙의 원인이 되는 것이다: 婦有長舌 維厲之階(부유장설 유려지계)

<유명 시구>

關関雎鳩(관관저구) 꾸우꾸우 물수리
在河之洲(재하지주) 모래섬에 있네
窈窕淑女(요조숙녀) 정숙한 아가씨
君子好逑(군자호구) 군자의 좋은 짝이네

相鼠有皮(상서유피) 쥐를 보아도 가죽이 있는데
人而無儀(인이무의) 사람이 되어 예의가 없다
人而無儀(인이무의) 사람이 되어 예의가 없으면
不死何為(불사하위) 죽지 않고 무엇 하랴

歯如瓠犀(치여호서) 이는 박씨같이 가지런하네
螓首蛾眉(진수아미) 매미 이마에 나방 같은 눈썹이고
巧笑倩兮(교소천혜) 쌩긋 웃는 예쁜 보조개

美目盼兮(미목반혜) 아름다운 눈이 맑기도 하여라

妻子好合(처자호합) 아내와 자식들 잘 어울려
如鼓瑟琴(여고슬금) 금슬을 울리는 듯하여도
兄弟既翕(형제기흡) 형제가 화합해야
和楽且湛(화악차담) 화락하고 또 즐거워진다

≪서경(書経)≫ 작자 미상

가. 개요

BC 600년경에 만들어진 책으로, 성왕(聖王)·명군(名君)·현신(賢臣)이 남긴 어록이며, 정치와 천문·지리·윤리·민생 문제 등 광범위한 내용을 다루고 있다. 서경(書経)》은 <우서(虞書)>·<하서(夏書)>·<상서(商書)>·<주서(周書)>의 4부로 나뉘어 있으며, 각각 요순시대 · 하나라·은나라(상나라)·주나라 관련된 내용이다. 즉, 요(尭)·순(舜)의 2제와 우왕(禹王)·탕왕(湯王)·문왕(文王)의 3왕들이 신하에게 당부하는 훈계와 대신들 사이의 대화 등을 담고 있다. 중국 정치의 규범이 되는 책이며, 옛날에는 ≪서(書)≫ 또는 ≪상서(尚書)≫라 했다.

나. 주요 내용

백성이 밝고 똑똑해져 만방을 화평하게 하다: 百姓昭明 協和万邦(백성소명 협화만방)

공로를 통해서 명확하게 시험한다: 明誠以功(명성이공)

먼 곳은 부드럽게 달래고 가까운 곳은 잘 따르도록 도와준다: 柔遠能爾(유원능이)

임금이 임금됨을 어렵게 여기며, 신하가 신하됨을 어렵게 여겨야 정치가 잘 다스려져서 백성들이 빨리 교화된다: 后克艱厥后 臣克艱厥臣 政乃乂 黎民敏德(후극간궐후, 신극간궐신, 정내예, 려민민덕)

자신을 버리고 남을 따른다: 舍己從人(사기종인)
의심스런 계책은 실행하지 않는다: 疑謀勿成(의모물성)
덕은 선정을 만든다: 德有善政(덕유선정)
정치의 목적은 백성을 잘 보양하는 데 있다: 政在養民(정재양민)
덕을 바르게 하고, 쓰는 것을 이롭게 하며, 삶을 풍족하게 함을 조화시킨다: 正德利用厚生惟和(정덕이용후생유화)
형벌을 씀에 형벌이 없어지도록 기약한다: 刑期于無刑(형기우무형)
아랫사람에게 임할 때에는 간략하게 하고, 백성을 대할 때에는 관용으로 한다: 臨下以簡 御衆以寬(임하이간 어중이관)
죄는 커도 용서하되, 고의로 범한 죄는 크게 벌해야 한다: 宥過無大 刑故無小(유과무대 형고무소)
온 나라가 곤궁에 빠지면, 천자의 지위는 영원히 잃는다: 四海困窮 天祿永終(사해곤궁 천록영종)
입은 우호를 만들기도 하고, 전쟁을 일으키기도 한다: 口出好 興戎(구출호 흥융)
하루 이틀 사이에도 기미가 만 가지가 있다: 一日二日万幾(일일이일만기)
하늘이 듣고 보는 것은 우리 백성이 듣고 보는 것을 좇는다: 天聰明自我民聰明(천총명자아민총명)
물이 없는데 배를 띄운다: 罔水行舟(망수행주)
임금이 현명하면 신하들이 어질어서 모든 일이 편안하다: 元首明哉 股肱良哉 庶事康哉(원수명재 고굉량재 서사강재)
백성은 나라의 근본이니 근본이 견고하면 나라가 안녕하다: 民惟邦本 本固邦寧(민유방본 본고방녕)
허물을 고치는 데 인색하지 않다: 改過不吝(개과불린)
묻기를 좋아하면 여유롭고, 자기 자신의 좁은 그릇에 얽매이면 작아진다: 好問則裕 自用則小(호문즉유 자용즉소)

만방의 죄가 있음은 나 한 사람에게 있는 것이다: 万方有罪 在予一人(만방유죄 재여일인)

사랑을 세울 때는 어버이로부터 시작하고, 공경을 세울 때는 어른부터 시작한다: 立愛惟親 立敬惟長(입애유친 입경유장)

윗자리에 있음에 사리를 밝게 하고, 아랫자리에 있음에 충성을 다한다: 居上克明 為下克忠(거상극명 위하극충)

선을 행하면 그 사람에게 온갖 복이 내리고, 불선을 행하면 그 사람에게 온갖 재앙이 내린다: 作善降之百祥 作不善降之百殃(작선강지백상 작불선강지백앙)

습관이 되어 버리면 태어날 때의 천성과 같아진다: 習与性成(습여성성)

끝을 잘 맺으려면 시작부터 신중을 기하라: 慎終于始(신종우시)

깊이 생각하지 않고 어찌 얻을 수 있으며, 시도하지 않으면 어찌 이룰 수 있을 것인가: 弗慮胡獲 弗為胡成(불려호획 불위호성)

하늘은 덕에 따라 재앙과 복을 내린다: 惟天降災祥在徳(유천강재상재덕)

덕에는 일정한 스승이 없고 착함을 주인으로 삼음이 스승이다: 徳無常師 主善為師(덕무상사 주선위사)

사람은 옛것을 구하지만 기물은 옛것을 구하지 않고 새것을 구한다: 人惟求旧 器非求旧 惟新(인유구구 기비구구 유신)

늙은이를 업신여기거나 박대하지 말라: 無侮老成人(무모노성인)

아는 것을 밝고 어질다고 한다: 知之曰明哲(지지왈명철)

벼슬은 사사로이 친한 사람에게 주어서는 안 되고 능력 있는 이에게 주어야 한다: 官不及私昵 惟其能(관불급사닐 유기능)

알기 어려운 것이 아니라 행하는 것이 어려운 것이다): 非知之艱 行之惟艱(비지지간 행지유간)

가르친다는 것은 반은 자신이 배우는 것이다: 斅学半(효학반)

삼덕은 정직하고, 강직한 마음으로 강함과 유약함에 치우친 것을 바로잡고, 유순한 마음으로 강함이나 유약한 어느 한쪽을 바로잡아야 하는 것이다: 三德 一曰正直 二曰剛克 三曰柔克(삼덕 일왈정직 이왈강극 삼왈유극)

오복은 첫째, 장수하고, 둘째 부유하고, 셋째, 건강하고, 넷째, 덕을 베풀고, 다섯째 죽을 때 편안하게 죽는 것이다: 五福 一曰寿 二曰富 三曰康寧 四曰攸好德 五曰考終命(오복 일왈수 이왈부 삼왈강녕 사왈유호덕 오왈고종명)

작은 일을 세심하게 하지 않으면 마침내 대덕에 누를 끼치게 된다: 不肯細行 終累大德(불긍세행 종루대덕)

아홉 길의 산을 만드는 데 한 삼태기의 흙만 모자라도 한 일이 어그러지고 만다: 為山九仞 功虧一簣(위산구인 공휴일궤)

큰 내를 헤엄(游)치는 것과 같다: 若游大川(약유대천)

백성의 마음은 일정치 아니하여 오직 혜택 주는 사람이면 그를 따른다: 民心無常 惟恵之懐(민심무상 유혜지회)

공공성으로 사사로움을 없애면, 백성들은 믿고 복종한다: 以公滅私 民其允懐(이공멸사 민기윤회)

배우지 아니하면 벽을 향해 선 것과 같다: 不学牆面(불학장면)

공을 높이는 것은 오직 뜻에 달렸고, 업을 넓히는 것은 오직 부지런함에 있다: 功崇惟志 業広惟勤(공숭유지 업광유근)

두려워하지 않으면 두려움에 빠질 것이다: 弗畏入畏(불외입외)

잘 다스려진 인간 세계의 향기는 신을 감명시킬 수 있다: 至治馨香 感于神明(지치형향 감우신명)

정사는 풍속으로 말미암아 개혁되는 것이다: 政由俗革(정유속혁)

잘하지 못한다고 말하지 말라 : 罔曰弗克(망왈불극)

≪노자(老子)≫ 노자: 춘추 시대 도가

가. 개요

BC 510년경에 만들어진 도(道)를 중심으로 만물의 기원, 도덕, 정치, 철학 등의 사상을 집대성한 책이다. 이 책은 ≪노자≫ 또는 ≪노자 도덕경≫이라고도 한다. 약 5,000자, 81장으로 되어 있으며, 상편 37장의 내용을 <도경(道経)>, 하편 44장의 내용을 <덕경(德経)>이라고 한다. 주요 내용은 자연에 순응하면서 자연의 법칙을 거스르지 않고 살아야 한다는 동양적 지혜의 정수를 담고 있다. 노자가 지었다고 하나, 오랜 기간에 걸쳐 지어진 것이라는 설이 유력하다.

나. 주요 내용

무는 천지의 처음의 이름이고, 유는 만물의 어미의 이름이다: 無名天地之始 有 名万物之母(무 명천지지시 유 명만물지모)

사람은 땅을 본받고, 땅은 하늘을 본받고, 하늘은 도를 본받고, 도는 자연을 본받는다: 人法地 地法天 天法道 道法自然(인법지 지법천 천법도 도법자연)

만물은 유에서 나오고 유는 무에서 나온다: 万物生於有 有生於無(만물생어유 유생어무)

낳되 이를 소유하지 않고, 하되 거기에 기대지 아니하며, 자라게 하되 지배하지 않는 것, 이를 가리켜 큰 덕이라 한다: 生而不有 為而不恃 長而不宰 是謂玄德(생이불유 위이불시 장이부재 시이위현덕)

다시 돌아오는 것은 도의 운동 법칙이며, 언제나 유약(柔弱)을 지키는 것은 도의 운용 방법이다: 反者道之動 弱者道之用(반자도지동 약자도지용)

유와 무는 서로가 서로를 만들어 주고, 난(難)과 이(易)는 서로가 서로를 이루어 준다有無相生 難易相成(유무상생 난이상성)

작은 것을 보는 것을 밝음이라 하고, 부드러움을 지키는 것을 강

함이라 한다: 見小曰明 守柔曰強(견소왈명 수유왈강)

군사가 강하면 무너지고, 나무가 강하면 꺾어진다: 兵強則滅 木強則折(병강즉멸 수강즉절)

꼬부라지면 온전하고, 굽어지면 곧다: 曲則全 枉則直(곡즉전 왕즉직)

약하게 하고 싶으면 강하게 하여 주고, 망하게 하고 싶으면 흥하게 하여 주고, 가지고 싶으면 반대로 주어라: 将欲弱之 必固強之, 将欲廃之 必固興之, 将欲取之 必固与之(장욕약지 필고강지, 장욕폐지 필고흥지, 장욕취지 필고여지)

능력이 뛰어난 자는 바보 같고, 웅변이 뛰어난 자는 말더듬이 같다: 大巧若拙 大辯若訥(대교약졸 대변약눌)

도는 항상 아무것도 하지 않으면서 무엇이든 하지 않는 것이 없다: 道常無為而無不為(도앙무위 이무불위)

성인은 무위(無為)의 방법으로 일을 처리하고 말 없는 방법으로 교화를 한다: 聖人 処無為之事 行不言之教(성인 처무위지사 행불언지교)

천하에 금기가 많으면 백성들이 더욱 가난해지고, 조정이 까다롭게 굴면 나라가 더욱 혼란해진다: 天下多忌諱 而民弥貧 朝多利器 国家滋昏(천하다기휘 이민미빈 조다이기 국가자혼)

화에는 복이 깃들어 있고 복에는 화가 잠복해 있다: 禍兮福之所倚 福兮禍之所伏(황혜족지소기 복혜화지소복)

정치가 무던하면 백성들이 순박하고, 정치가 까탈스러우면 백성들이 교활하다: 其政悶悶 其民淳淳, 其政察察 其民欠欠(기정민민 기민순순 기정찰찰 기민결결)

무위를 실천하고, 일 안 하는 것을 일삼고, 없는 맛을 맛으로 즐긴다: 為無為 事無事 味無味(위무위 사무사 미무미)

세상에 어려운 일은 반드시 쉬운 곳에서 시작되고, 세상에 엄청난 일은 반드시 하찮은 곳에서 일어난다: 天下難事 必作於易 天下大事

必作於細(천하난사 필작어이 천하대사 필작어세)

하늘의 도리는 다투지 않아도 잘 이기고, 말을 하지 않아도 잘 호응하고, 부르지 않아도 저절로 찾아온다: 天之道 不争而善勝 不言而善応 不召而自来(천지도 부쟁이선승 불언이선응 불소이자래)

하늘은 그물이 커서 엉성한 것 같지만, 이를 빠져나갈 수 있는 것은 아무것도 없다: 天網恢恢 疏而不失(천망회회 소이불실)

단단하고 억센 것은 죽을 자들이고, 부드럽고 연약한 것은 살 자들이다: 堅強者死之徒 柔弱者生之徒(견강자사지도 유약자생지도)

강하고 큰 것은 아랫자리를 차지하고, 부드럽고 약한 것은 윗자리를 차지한다: 強大処下 柔弱処上(강대처하 유약처상)

하늘의 도리는 친한 자가 따로 없고, 언제나 선한 사람과 함께 한다: 天道無親 常与善人(천도무친 상여선인)

진실한 말은 아름답게 꾸미지 않고, 아름답게 꾸민 말은 진실하지 않다: 信言不美 美言不信(신언불미 미언불신)

마음을 비워서 배를 채워 주고, 욕망을 줄여 신체를 강하게 한다: 虚其心 実其腹 弱其志 強其骨(허기심 실기복 약기지 강기골)

도는 그 본질이 공허하나 그 작용은 끝이 없다: 道沖 而用之或不盈(도충이용지혹불영)

최상의 선은 그 성질이 물과 같다: 上善若水(상선약수)

공을 세운 후에는 물러나는 것이 하늘의 도리다: 功遂身退 天之道(공수신퇴 천지도)

좋은 행실은 지나간 흔적이 없고, 좋은 언행은 트집 잡을 구실이 없다: 善行無轍迹 善言無瑕讁(선행무철적 선언무하적)

남을 아는 것은 지혜로움이고, 자신을 아는 것은 명철함이다: 知人者知 自知者明(지인자지 자지자명)

가장 큰 네모는 모서리가 없고, 가장 큰 그릇은 가장 늦게 이루어진다: 大方無隅 大器晩成(대방무우 대기만성)

가장 충만한 것은 마치 텅 빈 것 같다. 그러나 그 작용은 끝이

없다: 大盈若沖 其用不窮(대영약충 기용불궁)

학문을 하면 하고 싶은 것이 날로 늘어나지만, 도를 닦으면 하고 싶은 것이 날로 줄어든다. 줄고 또 줄어서 드디어 무위의 경지에 이른다: 為学日益 為道日損, 損 之又損 以至於無為(위학일익 위도일손, 손지우손 이지어무위)

문밖을 나가지 않고도 천하를 알고, 바깥을 내다보지 않고도 천도를 안다: 不出戶 知天下 不闚牖 見天道(부출호 지천하 불구유 견천도)

금과 옥이 집에 가득하면 능히 지켜내기가 어려울 것이요, 부귀하다고 교만하면 스스로 그 허물을 남길 것이다: 金玉滿堂 莫之能守 富貴而驕 自遺其咎(금옥만당 막지능수 부귀이교 자유기구)

스스로를 드러내려는 사람은 밝지 못하고, 스스로 옳다고 여기는 사람은 빛나기가 어려우며, 스스로 자랑하는 사람은 공을 이루기가 어렵고, 스스로를 불쌍히 여기는 사람은 장구하지 못할 것이다: 自見者不明 自是者不彰 自伐者不功 自矜者不長(자현자불명 자시자불창 자벌자불공 자긍자부장)

선한 사람은 선하지 않은 사람의 스승이고, 선하지 않은 사람은 선한 사람의 밑천이다: 善人者 不善人之師 不善人者 善人之資(선인자 불선인지사 불선인자 선인지자)

족함을 알면 욕됨을 당하지 않고 그칠 줄 알면 위태롭지 않게 된다: 知足不辱 知止不殆(지족불욕 지지불태)

재앙은 족함을 알지 못하는 것보다 더 큰 것이 없고, 허물은 얻고자 하는 욕망보다 더 큰 것이 없다: 禍莫大於不知足 咎莫大於欲得(화막대어 부지족 구막대어 욕득)

진정으로 아는 사람은 박식하지 않고 박식한 사람은 제대로 알지 못하는 경우가 많다: 知者不博 博者不知(지자불박 박자부지)

≪장자≫ 장자: 춘추 시대 사상가

가. 개요

BC 290년경에 만들어진 중국 도가의 경전으로서, 전국 시대의 사상가인 장자의 저서이다. 전문 10만여 자로, <내편(內篇)> 7편, <외편(外篇)> 15편, <잡편(雜篇)> 11편 등 모두 33편으로 구성되어 있다. 내용은 우화 중심의 평이한 문장으로 쉽게 서술하고 있다. 저자는 말로 설명하거나 배울 수 있는 도는 진정한 도가 아니며, 인생은 도의 영원한 변형에 따라 흘러가는 것으로서, 도 안에서는 좋은 것, 나쁜 것, 선한 것, 악한 것이 없다고 주장한다.

나. 주요 내용

사람이 할 일을 다 하고 나서 하늘의 명을 기다려라. 정의는 반드시 이루어지는 날이 있다.

아름다운 여인은 스스로 아름답다고 교만하여 아름답게 보이지 않으며, 못생긴 여인은 스스로 못났다고 겸손하여 못났다고 보이지 않는다.

사람이 아는 바는 모르는 것보다 아주 적으며, 사는 시간은 살지 않는 시간에 비교가 안 될 만큼 아주 짧다. 이 지극히 작은 존재가 지극히 큰 범위의 것을 다 알려고 하기 때문에 혼란에 빠져 도를 깨닫지 못한다.

아름답고 좋은 일을 이루는 데에는 오랜 시간이 걸린다. 나쁜 일이란 그것을 고칠 여유도 없이 곧 다가오는 것이다. 친해지려면 오랜 시일이 걸리나 친한 사이가 헤어지는 것은 순식간이다. 사람이란 혼자 떨어져서 사는 날이 오래될수록 사람이 그리운 정은 점점 깊어지게 된다.

아무리 작은 일이라 해도 하지 않으면 이루지 못하고 아무리 어진 자식이라 해도 가르치지 않으면 현명하지 않다. 알맞으면 복이 되고, 너무 많으면 해가 되나니, 세상에 그렇지 않은 것이 없거니와 재물에 있어서는 더욱 그것이 심하다.

양생(養生)의 도는 마치 양을 칠 때처럼 자기의 뒤떨어지고 부족한 부분을 잘 알고 그것을 보충하는 일이다.

아무리 작은 것도 이를 만들지 않으면 얻을 수 없고 아무리 총명하더라도 배우지 않으면 깨닫지 못한다. 양을 치는 사람은 항상 무리에서 가장 뒤처지는 양에게 매질을 하여 낙오되지 않게 한다. 사람의 양생도 이와 같다. 노력과 배움 없이는 인생을 밝힐 수 없다.

어떤 사람을 참된 사람이라 하는가? 옛날의 진인은 불행한 운명을 만나도 거슬리려 아니했고 성공한대도 자랑하지 않았으며, 일을 일부러 도모함이 없었다. 이런 경지에 이른 사람은 비록 실수를 해도 후회함이 없고 일이 뜻대로 되어도 우쭐해 하지 않는다.

어떤 것이라도 그 보는 처지에 따라서 이럴 수도 있고 저럴 수도 있다. 시비나 선악의 의론은 있어도 처지를 바꿔 보면 시(是)는 비(非)가 되고 비(非)는 시(是)가 된다.

생(生)을 존중하는 사람은 비록 부귀해도 살기 위해 몸을 상하는 일이 없고, 비록 빈천해도 사리를 위해 몸에 누를 끼치는 일이 없다. 그런데 요즈음 세상 사람들은 고관대작에 있으면 그 지위를 잃을까 걱정하고, 이권을 보면 경솔히 날뛰어 몸을 망치고 있다.

세상에서는 어리석은 것을 좋아하지 않는다. 그러나 그 어리석은 것에는 인간의 간교한 지식이 작용하지 않았으므로 그야말로 진정한 도에 맞는 것이다.

출세해도 그 지위를 명예로 하지 않고, 궁핍해도 그 경우를 수치라 여기지 않는다.

왕자의 즐거움이라 하지만 여기에는 미치지 못한다. 만일 사람이 생사와 모든 것을 초월한다면 왕자의 즐거움보다 더한 즐거움을 맛볼 수가 있을 것이다. 장자가 초(楚) 나라에 갔을 때 길가에서 해골을 만났다. 그는 그것을 불쌍히 여겨 “너는 생전에 어떤 죄를 짓고 죽었는가? 몹쓸 병에라도 걸려서 죽었는가?"라고 물었다. 해골은 "무슨 말을 하는 거요? 당신들은 죽은 자의 즐거움을 아직 모르는 거요. 죽은 자에게는 군신의 관계도 없고, 춘하추동의 변화도 없소. 남면(南面) 왕자나 한나라 왕의 즐거움도 여기에 미치지 못할 것이오." 하고 장자를 타일렀다.

세상에는 서로 아무런 관계가 없는 일이라 여겨지는 것에도 인과관계(因果関係)가 있는 것이다.

"울지 않는 오리를 잡아라. 어차피 잡으려면 능력 없는 쪽을 잡는 것이 좋다". 산에 있는 큰 나무를 보고 제자가 장자에게 "어째서 저 나무는 저렇게 오래 살 수 있느냐?"라고 물었을 때 장자는 쓸모가 없기 때문이라고 말했다. 산을 내려와서 장자의 일행이 벗의 집에서 묵게 되었다. 벗은 반가워서 그 아들에게 울지 않는 오리를 잡아서 반찬을 만들라고 했다. 이 말을 들은 제자는 장자에게 "산에 있는 나무는 쓸모가 없다고 해서 제 명을 다할 수가 있고, 오리는 울지 않는다고 해서 죽음을 당하니 사람은 재(才)와 부재(不才)의 어느 쪽을 취해야 하느냐?"라고 물었다.

장자는 "재와 부재의 중간에 있는 것이 좋다. 재는 필요할 때 이것을 쓰고, 필요 없을 때에는 쓰지 않는다."라고 가르쳤다. 위나라 현인 거백옥(遽伯玉)은 나이가 육십이 될 때까지 그 사상과 태도가 육십 번이나 변했다. 그는 일진월보하여 정지하지 않고, 육십 세에 오십구 세까지의 잘못됨을 깨달았다.

인내함으로써 성사되는 것을 본 적은 있지만, 분노함으로써 일이 이루어진 것을 본 적은 일찍이 없다. 유능한 것은 물론 좋은 것이다. 그러나 그 능력이 오히려 살아가는 데 괴로움을 가지고 오는 수도 있다. 쓸모 있는 나무는 벌채되어 죽게 되고, 쓸모 없는 나무는 자연대로 천수(天寿)를 다하게 된다.

능력 없는 자는 세상에서 기대되는 바도 없으니, 따라서 평온무사하게 인생을 살아갈 수가 있는 것이다. 사람은 태어날 때 근심을 함께 가지고 태어난다. 음악 소리는 피리건 종이건 모두 그 빈 곳 공허에서 나오고 있다. 사람의 마음도 비우지 않으면 참된 마음은 나오지 않는다.

성인의 도(道)에 통달한 자는 곤궁하면 그 곤궁을 즐기고, 처지가 뜻대로 되면 그것 또한 즐긴다.

의리를 숭상하고, 육체나 생명을 비롯한 형이하(形而下)의 것은 모두 도외시해야 한다. 이름이라는 것은 손님이다. 이름과 실(実)은 주인과 손님의 관계에 있다. 손님만 있고 주인이 없어도 안 되는 것같이 이름만 있고 실(実)을 갖추지 않는 것은 아무 소용이 없다. 이 우주 사이에는 정말로 어떤 주재자가 있어 모든 것을 지배하고 있는 것 같다. 그것이 신이건 옥황상제이건 어느 것이나 대자연에는 불변의 조리(条理)가 존재한다.

이해관계로서 서로 맺어진 자는 일단 고난이나 재해 같은 곤란한 경우를 당하게 되면 곧 상대를 버리게 된다. 천연 자연으로 맺어진 골육이나 동지는 고난이나 재해를 만나면 더욱 서로를 돌보고 결합한다.

입술이 없어지면 입술에 가까이 있는 이가 시리다. 입술과 이는 별개의 것이지만 관계가 깊다.

제5장 인간 지혜의 정수 세계 명언

≪사랑≫

· 사랑의 고뇌처럼 달콤한 것이 없고 사랑의 슬픔처럼 즐거움은 없으며, 사랑의 괴로움처럼 기쁨은 없다. 사랑에 죽는 것처럼 행복은 없다. - E.M.아른트, 독일 작가

· 사랑하는 것이 인생이다. 사람과 사람 사이의 결합이 있는 곳에 또한 기쁨이 있다. - 괴테, 독일 시인

· 사랑은 화관에 머무는 이슬방울같이 청순한 얼의 그윽한 곳에 머문다. - F. R. 라므네, 프랑스 종교 철학자

· 사랑은 깨닫지 못하는 사이에 찾아든다. 우리들은 다만 그것이 사라져가는 것을 볼 뿐이다. - 도브슨, 영국 시인

· 누군가를 사랑한다는 것은, 인생 과업 중에 가장 어려운 마지막 시험이다. 사랑은 규칙을 알지 못한다. - 몽테뉴, 프랑스 사상가

· 사랑은 삶의 최대 청량, 강장제이다. - 파블로 피카소, 프랑스 화가

· 사랑은 성장이 멈출 때만 죽는다. - 펄벅, 미국 작가

· 사랑은 홍역과 같다. 우리 모두가 한번은 겪고 지나가야 한다. - J. 제롬, 영국 극작가

· 사랑의 신비함이 끝나면, 사랑의 쾌락도 끝난다. - A. 벤, 영국 작가

· 사랑이란 자기희생이다. 이것은 우연에 의존하지 않는 유일한 행복이다. - 톨스토이, 러시아의 작가

· 사랑이란 어리석은 자의 지혜이며 현인의 바보짓이다. - 사무엘 존슨, 영국 비평가

· 남자의 사랑은 그 인생의 일부이고, 여자의 사랑은 그 인생의 전부이다. - 바이론, 영국 시인

· 어떠한 나이라도 사랑에는 약한 것이다. 그러나 젊고 순진한 가슴

에는 그것이 좋은 열매를 맺는다. - 푸시킨, 러시아 작가
· 사랑을 하고 있는 사람의 귀는 아무리 낮은 소리라도 다 알아듣는다. - 셰익스피어, 영국 극작가
· 사랑이란 마치 열병 같아서 자기 의사와는 관계없이 생겼다간 꺼진다. - 스탕달, 프랑스 작가
· 모든 사랑은 다음에 오는 사랑에 의해서 정복된다. - 오비디우스, 로마 철학자
· 사랑은 늦게 올수록 격렬하다. - 호라티우스, 로마 시인
· 사랑에 미친다는 것은 말이 중복되어 있다. 사랑은 이미 광기(狂気)다. - 하이네, 독일 시인
· 사랑을 하다가 사랑을 잃은 편이 한 번도 사랑하지 않은 것보다 낫다. 연애에는 연령이 없다. 그것은 언제든지 생긴다. - 파스칼, 프랑스 철학자
· 나는 내가 아픔을 느낄 만큼 사랑하면 아픔은 사라지고 더 큰 사랑만이 생겨난다는 역설을 발견했다. - 마더 테레사, 인도 수녀
· 정열적인 사랑은 빨리 달아오른 만큼 빨리 식는다. 은은한 정은 그보다는 천천히 생기며 헌신적인 마음은 그보다도 더디다. - 로버트 스턴버그, 미국 심리학자

≪연애≫

· 연애란 우리 영혼의 가장 순수한 부분이 미지의 세계로 향하는 성스러운 그리움이다. 사랑하라. 삶에서 좋은 것은 그것뿐이다. - 조르주 상드, 프랑스 작가
· 연애는 자신을 속이는 데서 시작하고, 남을 속이는 데서 끝나는 것이 보통이다. 이것이 지상에서 일컬어지는 로맨스이다. - 오스카 와일드, 영국 작가
· 우정과 연애는 인생의 행복을 낳는다. 마치 두 개의 입술이 영혼을 기쁘게 하는 입맞춤을 낳는 것처럼. - 헤베르, 독일 작가

· 질투는 늘 사랑과 함께 탄생한다. 그러나, 반드시 사랑과 함께 사라지지는 않는다. - 라 로슈프코, 프랑스 모럴리스트
· 가장 정열적으로 사랑하는 사람은 첫사랑의 애인이지만, 그녀가 가장 능숙하게 사랑하는 사람은 마지막 애인이다. - 프레보, 프랑스 작가
· 연애는 그 수가 많든 적은 간에 인간을 현명하게 만든다. - 브라우닝, 영국 시인
· 젊은이들의 사랑은 마음속에 있지 않고 눈 속에 있다. - 셰익스피어, 영국 극작가
· 아내인 동시에 친구일 수도 있는 여자가 참된 아내이다. 친구가 될 수 없는 여자는 아내로도 마땅하지가 않다. - 윌리엄 펜, 영국 종교가
· 사랑을 받는 것이 행복이 아니고, 사랑하는 것이야말로 진정한 행복이다. 요구하지 않는 사랑, 이것이 영혼의 가장 고귀하고 바람직스러운 경지이다. - 헤르만 헤세, 독일계 스위스인 작가
· 아름다운 얼굴이 초청장이고 아름다운 마음은 신용장이다. - 브루버 리튼, 영국 작가
· 멋쟁이는 항상 고상하려고 노력해야 한다. - 보들레르, 프랑스 작가
· 얼굴은 정신의 문이며 그 초상이다. - 키케로, 로마 정치인
· 사랑이 생길 때까지 미모는 간판으로 필요하다. - 스탕달, 프랑스 작가
· 멋이란 일종의 정신주의이며 고행이다. - 보들레르, 프랑스 작가

≪우정≫

· 우정은 순간을 피게 하는 꽃이고 시간을 익게 하는 과실이다. - 코체프, 독일 작가
· 명성은 화려한 금관을 쓰고 있지만, 향기 없는 해바라기이다. 그

러나 우정은 꽃잎 하나하나마다 향기를 풍기는 장미꽃이다. - 올리버 웬들 홈스 ,미국 평론가
· 우정이 바탕이 되지 않는 모든 사랑은 모래 위에 지은 집과 같다. - 엘라 휠러 윌콕스, 미국 시인
· '친구'란 '내 슬픔을 등에 지고 가는 자'라는 뜻이다. - 인디언 속담
· 어떤 목적으로 시작된 우정은 그 목적이 끝나면 우정도 끝난다. - 킬스, 독일 사상가
· 사랑은 아침 그림자와 같이 점점 작아지지만 우정은 저녁나절의 그림자와 같이 인생의 태양이 가라앉을 때까지 계속된다. - 베벨, 독일 사상가
· 속마음을 나눌 수 있는 친구만이 인생의 역경을 헤쳐 나갈 수 있는 힘을 제공한다. - 그라시안, 스페인 철학자
· 속으로는 생각해도 입 밖에 내지 말고, 서로 친해도 분수를 넘지 말라. 그러나 일단 마음에 든 친구는 쇠사슬로 묶어서라도 놓치지 말라. - 셰익스피어, 영국 극작가
· 많은 벗을 가진 사람은 한 사람의 진실한 벗을 가질 수 없다. - 아리스토텔레스, 그리스 철학자
· 친구를 칭찬할 때는 널리 알도록 하고, 친구를 책망할 때는 남이 모르게 한다. - 독일 속담
· 번영은 벗을 만들고, 역경은 벗을 시험한다. - 시루스, 로마 시인
· 고난과 불행이 찾아올 때에, 비로소 친구가 친구임을 안다. - 이태백, 당나라 시인
· 나보다 나을 것이 없고 내게 알맞은 벗이 없거든 차라리 혼자 착하기를 지켜라. 어리석은 사람의 길동무가 되지 말라. - 법구경
· 벗의 곤경을 동정하는 것은 누구나 할 수 있다. 그러나 벗의 성공을 찬양하려면 남다른 성품이 필요하다. - 오스카 와일드, 영국 작가

· 친구를 갖는다는 것은 또 하나의 인생을 갖는 것이다. 미련한 자는 자기의 경험을 통해서만 알려고 하고, 지혜로운 자는 남의 경험도 자기의 경험으로 여긴다. - 프루드, 영국 역사가

≪남녀와 결혼≫

· 위대한 일의 기원에는 대개 여자가 있다. - 마르티느, 프랑스 시인
· 아름다운 여인은 어리석어도 좋다는 특권을 가진다. - 한, 독일 작가
· 아름다운 아가씨는 지갑을 가지고 다니지 않는다. - 스코틀랜드 격언
· 여자는 그림자와 같은 것, 잡으려면 도망가고 피하면 달려든다. - 달랑쿨, 프랑스 작가
· 여자의 살쌀함은 그 미모를 더해주는 화장술이다. - 라 로슈프코, 프랑스 모럴리스트
· 약한 자여 그대 이름은 여자다. - 셰익스피어, 영국 극작가
· 여자의 마음은 비밀 장치가 있는 서랍이고 그 비밀번호는 매일 바뀐다. - 프레보, 프랑스 평론가
· 최고의 남자는 독신자 속에 있고 최고의 여자는 기혼자 속에 있다. - 스티븐슨, 스코틀랜드 작가
· 웃는 여자 믿지 말고 우는 남자 믿지 말라. - 우크라이나 속담
· 여자는 자기를 웃긴 남자만 기억하고 남자는 자기를 울린 여자만 기억한다. - 레니에, 프랑스 시인
· 남자는 나이를 먹으면 감정이 늙고 여자는 나이를 먹으면 얼굴이 늙는다. - 차튼 코린즈, 영국 교육자
· 여자는 결혼 전에 울고 남자는 결혼 후에 운다. - 서양 격언
· 남자는 항상 여자의 최초의 애인이 되고 싶어하고 여자는 남자의 최후의 애인이 되고자 한다. - 오스카 와일드, 영국 작가

· 모든 비극은 죽음으로 끝나고 모든 연극은 결혼으로 끝난다. - 바이런, 영국 시인
· 돈 없이 연애 결혼하면 즐거운 밤과 슬픈 낮을 보낸다. - 서양의 격언
· 전장에 나갈 때는 한 번, 바다에 갈 때는 두 번, 결혼을 할 때는 세 번 기도하라. - 러시아 격언
· 좋은 아내를 가지면 행복한 사람이 되고 악한 아내를 가지면 철학자가 된다. - 소크라테스
· 사랑은 결혼의 아침이고 결혼은 사랑의 저녁이다. - 피노드, 미국 작가

≪부와 돈≫

· 부에는 명예가 따른다. 부는 인간의 정신에 큰 지배력을 준다. - 실러, 독일 시인
· 부자는 결코 친척을 달가워하지 않는다. - 몽고 격언
· 부가 없는 자는 노동에 매여 살고 재산가는 근심에 매여 산다. - 샘너, 미국 사회학자
· 가난은 안으로 빛나는 위대한 빛이다. - 릴케, 독일 시인
· 부는 많은 죄악을 가리는 외투이다. - 메난드로스, 그리스 극작가
· 부자와 지위가 높은 이기적이지 않은 사람은 없다. - 톨스토이, 러시아 작가
· 가난은 수치가 아니라는 말은 모든 사람이 말하나, 그것을 믿는 사람은 없다. - 코체프, 독일 극작가
· 돈은 누구인지 묻지 않고 소유자에게 권력을 준다. - 러스킨, 영국 평론가
· 돈이란 쓸모 없는 인간도 제일의 자리에 앉히는 유일한 힘이다. - 도스토예프스키, 러시아 작가
· 돈은 거름과 같다. 뿌리지 않는 한 쓸모가 없다. - 베이컨, 영국

사상가
· 어리석은 자가 빌리는 세 가지가 있다. 돈, 책, 우산이다. 돈을 빌려주면 우정과 돈을 함께 잃는다. - 프랑스 속담

≪시간≫

· 시간은 모든 것을 삼키고 만다. - 오비디우스, 로마 시인
· 그대는 지금이라도 곧 인생을 하직할 것처럼 생각하고 살라. 즉 당신에게 남겨져 있는 시간은 생각지 않은 선물이라고. - 마르쿠스 아우렐리우스, 로마 황제
· 시간에 속지 말라. 시간을 정복할 수가 없다. - 오든, 영국 시인
· 시간의 걸음에는 세 가지가 있다. 미래는 주저하면서 다가오고, 현재는 화살처럼 날아가고, 과거는 영원히 정지하고 있다. - 실러 독일 시인
· 시간은 돈이다. 그것으로써 이익을 계산하는 사람들에게 있어서는 거액의 돈이다. - 디킨스, 영국 작가
· 보통 사람은 시간을 소비하는 것에 마음을 쓰고, 재능 있는 인간은 시간을 이용하는 데 마음을 쓴다. - 쇼펜하우어, 독일 철학자
· 시간을 짧게 하는 것은 활동이고, 시간을 견딜 수 없이 길게 하는 것은 안일이다. - 괴테, 독일 시인
· 현명한 사람은 시간의 손실을 슬퍼함이 절실하다. - 단테, 이탈리아 시인
· 짧은 인생은 시간의 낭비에 의해서 한층 짧아진다. 지나가 버리는 시각을 포착하라. 시시각각을 선용하라. - 존슨, 영국 비평가
· 우리들은 서둘러 이 짧은 시간을 즐기자. 사람에게는 항구가 없고, 시간에게는 연안이 없고, 그리하여 시간은 지나고 우리들은 떠난다. - 라마르틴, 프랑스 작가
· 시간을 얻는 자는 일체를 얻는다. - 디즈레일리, 영국 정치가
· 가장 비싼 낭비는 시간의 허비이다. - 테오프라스토스, 그리스 철

학자
· 소년은 늙기 쉽고 배우기는 어렵다. 한 치의 광음(시간)도 가벼이 여기지 말라. - 주희, 송나라 유학자
· 시간은 기다릴 줄 아는 사람에게 문을 열어 준다. - 중국 속담
· 행복한 사람은 시계에 관심이 없다. - 그리보예도프, 러시아 작가
· 밤에 듣는 시계 소리는 왜 슬픈가? 무의식적으로 죽음을 향해 다가가는 시간의 발자국 소리를 듣고 있기 때문이다. - 이어령, 한국 문인

≪술과 식사≫

· 술은 사람을 매료시키는 악마이고 기분 좋은 죄악이다. - 아우구스티누스, 로마 철학자
· 술과 여자와 노래를 사랑하지 않는 사람은 평생을 바보로 지낸다. - 포스, 독일 시인
· 술 속에 진리가 있다. - 에라스무스, 네덜란드 문학가
· 술은 인간의 성품을 비추는 거울이다. - 아르케시우스, 그리스 철학자
· 술과 미인은 악마의 그물이다. 경험 많은 새도 여기에 걸리고 만다. - 리케르트, 독일 시인
· 술은 인간이 발명한 것 중 가장 큰 행복을 만든 것이다. - 사무엘 존슨, 영국 작가
· 술의 신 바쿠스가 불을 피우면, 사랑의 신 비너스가 난롯가에 있다. - 서양 속담
· 개가 약과 먹은 것 같다(참맛도 모르면서 바삐 먹어 치우는 것을 뜻함). - 한국 속담
· 폭식은 칼보다도 더욱 많은 사람을 죽인다. 좀 모자라게 먹으면 의사는 불필요하다. - 영국 속담
· 사람은 흔히 칼에 의하여 죽지 않고 저녁 식사에 의하여 죽는다.

- 영국 속담
· 배가 부르면 머리가 즐겁게 웃는다. - 독일 속담
· 배가 부르면 새는 노래하고 사람은 웃는다. - 뉴질랜드 속담
· 운동은 식욕을 낳고, 식욕은 또한 운동을 필요로 한다. - 라클로, 프랑스 작가
· 먹는 것은 그날 하루의 생명이다. - 김광섭, 한국 시인
· 나 많은 말이 콩 마다할까(나이 먹을수록 왕성하게 좋아하는 것을 먹는다는 뜻). - 한국 속담
· 남양 원님 굴회 마시듯(음식을 눈 깜짝할 사이에 다 먹어 치운다는 뜻). - 한국 속담
· 범 나비 잡아먹은 듯(먹는 음식이 양에 차지 않음을 뜻함). - 한국 속담
· 식탁이야말로 태초부터 절대로 지루해지지 않는 유일한 장소다. 식탁의 쾌락은, 모든 연령, 모든 신분, 모든 나라에 공통한다. - 브리야 사바랭, 프랑스 정치가

≪처세와 사교≫

· 어느 누구도 얕보지 말라. 이웃에 대한 악의와 시기심을 버려라. 남의 행위와 말은 언제나 선의로 해석하라. - 성현의 사상
· 지혜로운 사람은 행동으로 말을 증명하고, 어리석은 사람은 말로 행위를 변명한다. - 유태 경전
· 다른 사람들을 평가한다면 그들을 사랑할 시간이 없다. - 마더 테레사, 인도 수녀
· 행복하고 싶으면 우선 고뇌하는 것을 배우라. - 투르게네프, 러시아 작가
· 유리하다고 교만하지 말고 불리하다고 비굴하지 말아야 한다. 어리석은 자의 특징은 타인의 결점을 들춰내고, 자신의 약점은 잊어버리는 것이다. -키케로, 로마 철학자이자 정치가

· 자신을 높이는 자는 낮아지고, 자신을 낮추는 자는 높아진다. - 신약 <루카전>
· 자기 자신을 싸구려 취급하는 사람은 타인에게도 역시 싸구려 취급을 받을 것이다. - 윌리엄 해즐릿, 영국 비평가
· 타인의 일에 참견하지 말고 마음을 괴롭히지 말라. 그보다는 자기를 고쳐 완성하는 길을 서두르라. - 성현 사상
· 사교가 능하다는 말을 들으려면 어떤 여자와도 사랑하는 것처럼 말하라. - 오스카 와일드, 영국 작가
· 내가 좋아하는 화술은 단순, 소박, 재미, 격렬, 솔직한 것이다. - 몽테뉴, 프랑스 사상가
· 인간의 나약함이 우리를 사교적으로 만든다. 공통의 불행이 우리의 마음을 결합시킨다. - 루소, 프랑스 사상가
· 말이 주는 상처는 칼에 베인 상처보다 더 아프다. - 모로코 격언
· 마음에 없는 말보다 침묵이 오히려 사교성을 지킨다.- 몽테뉴, 프랑스 사상가
· 예의는 가장 기분 좋게 받아들일 수 있는 위선의 형식이다. - 피어스, 미국 작가
· 매너는 지식에 광채를 나게 하고 처신을 원할하게 해 준다. - 채스터 필드, 영국 정치가
· 모든 사람은 희망이 개최하는 파티의 손님이다. - 개스코인, 영국 시인
· 매력은 능력이고 경쟁력이다. 매력이란 용모만을 말하는 것이 아니고 유머 감각, 활력, 세련됨, 남을 편하게 하는 능력을 말한다. - 캐서린 하킴, 영국 사회학자
· 말하는 것은 지식의 영역이고, 듣는 것은 지혜의 특권이다. - 올리버 웬델 홈즈, 미국 평론가
· 은혜를 입는 것은 자기의 자유를 파는 것이다. - 시루스, 로마 노예 시인

· 우리는 받아서 삶을 꾸려 나가고 주면서 인생을 꾸며 나간다. - 윈스턴 처칠, 영국 정치가
· 물이 지나치게 맑으면 고기가 없고, 사람이 지나치게 살피면 동무(무리)가 없다. - ≪문선(文選)≫, 중국 고전
· 기다릴 줄 아는 사람은 바라는 것을 가질 수 있다. - 프랑스 격언
· 새 신을 갖기 전에는 헌 신을 버리지 말라. - 폴란드 격언
· 성공한 사람이 되려 하지 말고 가치 있는 사람이 되려고 하라. - 아인슈타인, 미국 과학자
· 겸손한 자만이 다스릴 것이요, 애써 일하는 자만이 가질 것이다. - 에머슨, 미국 작가
· 참기 어렵게 화가 나면 인생이 얼마나 짧은 것인지 생각하라. - 마르쿠스 아우렐리우스, 로마 황제 철학자

≪인생≫

· 인생은 사랑이며, 그 생명은 정신이다. - 괴테 독일 시인
· 우리에게 진정으로 필요한 유일한 학문은 인간은 어떻게 살아야 하는가에 대한 학문이다. 그리고 그것은 모든 사람의 손에 닿는 학문이다. - 톨스토이, 러시아 작가
· 인생은 가치 있는 것을 목적으로 삼았을 때에만 그 가치가 있다. - 헤겔, 독일 철학자
· 낮은 밤에 찬미하고 인생은 죽을 때 찬미하라. - G. 허버트, 영국 작가
· 인생은 영원한 현재의 전장이며, 이 전장에서는 과거와 현재가 부단히 투쟁하면서 낡은 법칙은 타파되고 새로운 법칙이 대신한다. - 로맹 롤랑, 프랑스 작가
· 인생 최초의 4분의 1은 깨닫지 못하는 사이에 지나가고, 마지막 4분의 1은 즐거움을 누리지 못한 채 지난간다. 그 중간 4분의 2도 잠, 노동, 속박, 고통, 슬픔으로 소비된다. - 루소, 프랑스 사상가

· 사랑이 없는 청춘, 지혜가 없는 노년, 이것은 이미 실패한 인생이다. - 스웨덴 격언
· 남의 생활과 비교하지 말고 네 자신의 생을 즐겨라. - 콩도르세, 프랑스 철학자
· 보통 인간의 생애란 희망에 배반당하고 죽음으로 뛰어드는 것이나 다름없다. - 쇼펜하우어, 독일 철학자
· 인생은 거짓된 상황의 끝없는 연속이다. - 쏜톤 와일더, 미국 작가
· 사람은 누구나 남에게 빌려 쓰고 남을 흉내 내는 자이며, 인생은 연극이고 문학은 인용이다. - 에머슨, 미국 작가
· 인생에는 보장된 것은 없고 오로지 기회만 있을 뿐이다. - 맥아더, 미국 장군
· 인생은 당신도 나도 전혀 모르는 요새다. - 나폴레옹, 프랑스의 장군이자 황제
· 인생은 뒤를 돌아보아야만 이해될 수 있지만 앞을 향해 살아가야만 한다. - 키에르케고르, 덴마크 사상가
· 인생은 불충분한 전제들로부터 충분한 결론들을 도출하는 기술이다. - 새무얼 버틀러, 영국 작가
· 인생을 사랑한다면 시간을 낭비하지 마라. 인생은 시간이 모인 것이다. - 프랭클린, 미국 정치가
· 인생의 조건은 각자 모든 사람을 상대로 싸워야만 한다는 것이다. - 홉스, 영국 사상가
· 인생이란 가까이 들여다보면 비극이고, 멀리서 보면 코미디다. - 찰리 채플린, 영국 희극 배우
· 인생은 승산이 거의 없는 도박이다. - 톰 스토파드, 영국 극작가
· 인생은 우리가 깨어 있는 상태로 착각하는 미친 꿈이다. 거기서 마침내 깨어나라. - 브라우닝, 영국 시인
· 인생에서 가장 좋은 것은 대화다. - 에머슨, 미국 시인

· 세월은 물같이 흐른다. 그러니 인생의 한창때 즐길 수 있는 것을 마음껏 즐겨라. - 오비디우스, 로마 작가
· 싸움은 인생의 양념이다. - R. L. 스티븐슨, 스코틀랜드 작가
· 20대에 당신의 얼굴은 자연이 준 것이지만, 50대의 당신의 얼굴은 스스로 만든 것이다. - 가브리엘 샤넬, 프랑스 디자이너
· 우리는 일어날지도 모른다는 것만으로 실제 일어나지도 않는 일을 가지고 얼마나 괴로워하는가? - 제퍼슨, 미국 대통령
· 마음의 평화는 헛된 욕망의 충족에 의해 생기는 것이 아니라 반대로 그 욕망을 버림으로써 얻어지는 것이다. - 에픽테토스, 그리스 철학자
· 성현들의 가르침을 이용할 수 있지만, 자신의 이성으로 그 가르침을 검토하여 취사선택해야 한다. - 톨스토이, 러시아 작가
· 최고의 예지는 네가 어디로 가야하는지를 아는 것이다. 곧 최고의 자기완성을 위해 걸어가야 한다. - 톨스토이, 러시아 작가
· 예지의 첫 번째 원칙이 자기 자신을 아는 것에 있는 것처럼 자선의 첫 번째 원칙은 적은 것으로 만족하는 데 있다. - 존 러스킨, 영국 사상가
· 정신은 늙게 태어나서 젊게 성장한다. 그것이 인생의 희극이다. 육체는 젊게 태어나서 늙게 성장한다. 그것이 인생의 비극이다. - 오스카 와일드, 영국 사상가
· 인생의 가장 큰 영광은 결코 넘어지지 않는 데 있는 것이 아니라 넘어질 때마다 일어서는 데 있다. - 넬슨 만델라, 남아프리카 공화국 대통령
· 유일한 선은 앎이요 유일한 악은 무지이다. - 소크라테스, 그리스 철학자

≪신과 운명≫

· 거룩한 신은 곳곳에 있다. 빛 속에도 암흑 속에도. 모든 것 속에

신은 있다. 물론 우리들 키스 속에도. - 하이네, 독일 시인
· 죽음이 좋다면은 어이 신(神)들은 죽지 않았을까요. 삶이 나쁘다면은 어이 신들은 오래 살까요. 사랑이 무상하다면 어이 신들은 그대로 사랑을 할까요. - 사포, 그리스 시인
· 신의 힘을 믿고 있는 자는 모든 것을 가지고 있다. - 영국 속담
· 신은 새에게 먹이를 준다. 그러나 새는 그것을 얻기 위하여 날지 않으면 안 된다. - 영국 속담
· 신은 초인종을 누르지 않고 찾아온다. - 영국 속담
· 부자는 호주머니 속에 신을 챙기려고 하지만 가난한 사람은 마음속에 신을 챙기려고 한다. - 유태인 속담
· 사람은 사람의 얼굴을 보지만 신은 사람의 마음을 본다. - 터키 속담
· 인간은 자기의 운명을 창조하는 것이지 받아들이는 것이 아니다. - 비르만, 프랑스 작가
· 인간은 의연하게 현실의 운명을 받아들여야 한다. 거기에 모든 진리가 숨겨져 있다. - 고흐, 네덜란드 화가
· 인간의 운명은 인간의 수중에 있다. - 사르트르, 프랑스 사상가
· 자신의 뜻에 의한 죽음이야말로 가장 아름다운 죽음이다. - 몽테스키외, 프랑스 사상가
· 죽음은 영원한 감각의 휴식, 충동의 단절이다. - 아우렐리우스, 로마 황제
· 오늘은 인간이로되 내일은 흙이로다. - 유고슬라비아 속담

≪행복≫

· 현명한 사람은 기회를 행운으로 연결시킨다. - 토마스 폴러, 영국 작가
· 기도는 하늘에서 축복을 받고 노동은 땅에서 축복을 파낸다. - 몽테뉴, 프랑스 사상가

· 모든 참된 행복과 기쁨은 진리와 더불어 있고, 진리가 떠나면 행복과 기쁨도 우리 곁을 떠난다. - 로거, 독일 시인

· 근본적으로 행복과 불행은 그 크기가 정해져 있는 것은 아니다. 다만 그것을 받아들이는 사람의 마음에 따라서 작은 것도 커지고 큰 것도 작아질 수 있는 것이다. - 라 로슈프코, 프랑스 모럴리스트

· 내일에 대해서는 아무것도 모른다. 우리가 할 일은 오늘이 좋은 날이며 오늘이 행복한 날이 되게 하는 것이다. - 시드니 스미스, 영국 작가

· 낙원의 파랑새는 자신을 잡으려 하지 않는 사람의 손에 날아와 앉는다. - 존 베리, 영국 작가

· 하느님을 찾아내 섬기는 사람들은 지혜롭고 행복하다. 하느님을 찾지도 않으려는 사람은 어리석고 불행하다. 하느님을 찾으려고 노력하는 사람은 지혜로우나 아직 불행하다. - 파스칼, 프랑스 철학자

· 궁핍은 영혼과 정신을 낳고 불행은 위대한 인물을 낳는다. - 빅토르 위고, 프랑스 사상가

· 그대가 행복을 추구하고 있는 한, 그대는 언제까지나 행복해지지 못한다. 그대가 소망을 버리고 이미 목표도 욕망도 없고 행복에 대해서도 말하지 않게 되었을 때에야 세상의 거친 파도는 그대 마음에 미치지 않고 그대의 마음은 비로소 휴식을 안다. - 헤르만 헤세, 독일 작가

· 기쁘게 일하고, 해 놓은 일을 기뻐하는 사람은 행복하다. - 괴테, 독일 작가

· 불행은 전염병이다. 불행한 사람과 병자는 따로 떨어져서 살 필요가 있다. 더 이상 병을 전염시키지 않기 위하여. - 도스토예프스키, 러시아 작가

· 당신들의 모든 불행은 당신들 자신으로부터 생긴다. - 루소, 프랑스 사상가

· 대개 행복하게 지내는 자는 노력가이다. - 블레이크, 미국 종교가

· 사람은 생각하는 것만큼 행복하지도 않고, 불행하지도 않다.
 - 라 로슈푸코, 프랑스 모럴리스트
· 사람의 천성과 직업이 맞을 때 행복하다. - 베이컨, 영국 사상가
· 삶의 영역이 제한되어 있을수록 삶은 행복하다. 따라서 맹인들은 우리가 생각하는 것보다 불행하지 않다. 그들의 얼굴에서 만나게 되는 무념무상의 평온한 표정을 보면 알 수 있다. - 쇼펜하우어, 독일 철학자
· 앞으로 다가올지 모르는 불행을 미리 근심하기보다 눈앞의 불행을 이겨내려는 마음을 갖는 편이 더 현명하다. - 라 로슈푸코, 프랑스 모럴리스트
· 행복의 문 하나가 닫히면 다른 문들이 열린다. 그러나 우리는 대게 닫힌 문들을 멍하니 바라보다가 우리를 향해 열린 문을 보지 못한다. - 헬렌 켈러, 미국 작가

≪희망≫

· 희망은 사람을 성공으로 이끄는 신앙이다. 희망이 없으면 아무 일도 성취하지 못한다. - 헬렌 킬러, 미국 작가
· 희망은 영원한 기쁨이다. 수확이 늘어나는 토지와 같아 결코 다 사용할 수 없는 확실한 자산이다. - 스티븐슨, 미국 정치가
· 희망은 불행한 인간의 제2의 영혼이다. - 괴테, 독일 시인
· 단순히 나이를 먹는다고 늙는 것이 아니라 자신의 이상을 버렸을 때 늙는 것이다. - 더글러스 맥아더
· 희망을 품으면 젊어지고 절망하면 늙게 된다. - 맥아더, 미국 장군
· 비록 내일 세계의 종말이 온다 해도 나는 오늘 한 그루의 사과나무를 심겠다. - 스피노자, 네덜란드 철학자
· 비참한 인간들에겐 희망이 약이다. - 셰익스피어, 영국 극작가
· 위대한 희망은 위대한 인물을 만든다. 산은 오르는 사람에게만 정

복된다. - 토마스 풀러, 영국 작가
· 인내하며 노력하는 것이 인생이다. 희망은 언제나 고통의 언덕 너머에서 기다린다. - 맨스필드, 영국 작가
· 절망은 죽음에 이르는 병이다. 쉽게 절망하여 포기하면 마음까지 해친다. - 키에르 케고르, 네덜란드 사상가
· 절망이란 어리석은 사람의 결론이다. - G. 그랑빌, 프랑스 작가
· 태양은 결코 이 세상을 어둠이 지배하도록 놔 두지 않는다. 태양이 있는 한 절망하지 않아도 된다. 희망이 곧 태양이다. - 헤밍웨이, 미국 작가
· 희망만 있으면 행복의 싹은 그곳에서 움튼다. - 괴테, 독일 시인
· 희망은 가난한 인간의 빵이다. - 탈레스, 그리스 철학자
· 강한 용기와 새로운 의지를 간직하고 싶거든 희망을 소유하라. - M. 루터, 독일 성직자
· 희망은 일상적인 시간이 영원과 속삭이는 대화이다. 희망은 멀리 있는 것이 아니다. 바로 내 곁에 있다. - 릴케, 독일 시인

≪희로애락≫

· 친절한 마음은 모든 모순을 풀어주는 인생의 꽃이다. 그것은 다툼을 해결해 주고, 어려운 일을 수월하게 하고, 어둠을 밝게 해 준다. - 톨스토이, 러시아 작가
· 슬픔은 지식이다. 많이 아는 자는 무서운 진실을 깊이 한탄하지 않는다. - 파스칼, 프랑스 철학자
· 슬픔은 오해된 즐거움인지도 모른다. - 브라우닝, 영국 시인
· 슬픔의 아침 뒤에 즐거운 저녁이 깃든다. - 영국 속담
· 고뇌를 같이할 사람이 있으면 슬픔이 엷어진다. - 영국 속담
· 좀은 옷을 좀먹고 비탄은 마음을 좀먹는다. - 러시아 속담
· 방 안에 기쁨이 있을 때 슬픔은 대문에서 기다리고 있다. - 덴마크 속담

· 어떤 사람도 자기 자신과 같은 수준의 사람이 앞을 달리는 걸 좋아하지 않는다. - 리비우스, 로마 역사학자
· 남이 누리는 행복을 배 아파하는 것은 우리들의 마음을 심하게 비뚤어지게 한다. 그것은 남의 행복을 뒤집어서 우리들의 불행으로 삼는 것이다. - 샤롱, 프랑스 신학자

≪실천≫

· 진리의 탐구가 시작되는 곳, 그곳에서 반드시 생명이 시작된다. - 존 러스킨, 영국 사상가
· "한 마리의 제비가 봄을 부르는 것은 아니다."라는 말이 있지만, 한 마리의 제비도 날지 않고 온갖 꽃봉오리가 기다리고만 있으면 봄은 결코 오지 않는다. - 톨스토이, 러시아 작가
· 중요한 것은 우리가 현재 차지하고 있는 자리가 아니라 우리가 나아가고 있는 방향이다. - 흘름스, 미국의 고고학자
· 높은 산에 오르지 않는 자는 평야를 모른다. - 노자, 중국 사상가
· 모든 사람은 탄복할 잠재력을 가지고 있다. 자신의 힘과 젊음을 믿어라. 모든 것이 자신이 하기 나름이라고 끊임없이 자신에게 말하는 법을 배우라. - 앙드레 지드, 프랑스 작가
· 일의 최초가 가장 중요하다. 잘 시작한 일은, 반은 벌써 이루어진 것이나 다름없다. - 플라톤, 그리스 학자
· 불이 빛의 시작이듯이 항상 사랑이 지식의 시작인 시작이다. - 칼라일, 영국 작가
· 험한 산 언덕에 오르려면, 처음엔 천천히 걸어야 한다. - 셰익스피어, 영국 극작가

≪습관≫

· 오래 내려오는 습관을 존중하되, 습관에 구속되지는 말라. 가끔 습관은 진리를 짓밟는 적이 있다. 습관보다는 진리가 우리의 행동을

인도하지 않으면 안 된다. - 세네카, 로마 철학자
· 습관이란 것은 참으로 음흉한 여선생이다. 그것은 천천히 우리들의 내부에 그 권력을 심는다. - 몽테뉴, 프랑스 사상가
· 습관은 제2의 천성으로써, 제1의 천성을 파괴하는 것이다. - 파스칼, 프랑스 사상가
· 습관은 인간 생활 최고의 길 안내자다. - 흄, 영국 비평가
· 처세의 길에 있어서 습관은 격언보다 중요하다. 습관은 산 격언이 본능으로 변하고, 살이 된 것이기 때문이다. - 아미엘, 스위스 작가
· 습관은 온갖 것의 가장 힘센 스승이다. - 플리니우스, 로마의 작가
· 보통 인간의 후반생은 전반생에 쌓아 온 습관만으로 성립된다. - 도스토예프스키, 러시아 작가
· 효율적인 경영자들의 공통점은 그들의 재능과 성격을 효율적인 방향으로 이끌어 가는 습관이 있다는 것이다. - 피터 드러커, 미국 경영학자
· 빌어먹던 놈이 천지개벽을 해도 남의 집 울타리 밑을 엿본다. - 한국 속담
· 개살구도 맛들일 탓(습관을 들이면 하게 된다는 뜻). - 한국 속담
· 요람 속에서 기억한 것은 무덤에서까지도 잊지 않는다. - 영국 속담
· 나쁜 습관은 내일보다 오늘 극복하는 것이 쉽다. - 영국 속담

성공을 위한 절대지식

발 행 | 2024년 .1월 19일
저 자 | 한형동
펴낸이 | 한건희
펴낸곳 | 주식회사 부크크
출판사등록 | 2014.07.15.(제2014-16호)
주 소 | 서울특별시 금천구 가산디지털1로 119 SK트윈타워 A동 305호
전 화 | 1670-8316
이메일 | info@bookk.co.kr

ISBN | 979-11-410-6786-1

www.bookk.co.kr